Maria Balì • Luciana Ziglio

NUOVO

corso di italiano

Espresso

**libro dello studente
e esercizi**

3

indice

indice

	Contenuti comunicativi	Grammatica e Lessico
lezione 6 **La famiglia cambia faccia** p. 77 **Videocorso 6** Uno in più p. 86 **Caffè culturale 6** p. 88	• introdurre un nuovo argomento con una domanda • argomentare, chiedere conferma e confermare • indicare le ragioni di una tesi • commentare una statistica • indicare le conseguenze di un fatto • motivare • indicare vantaggi e svantaggi di una condizione	• *Sebbene, nonostante, malgrado, benché* + congiuntivo; *anche se* + indicativo • Comparativi e superlativi particolari • *Fare* + infinito • La forma impersonale di un verbo riflessivo (*ci si*)
lezione 7 **Feste e regali** p. 89 **Videocorso 7** Tanti auguri a te! p. 98 **Caffè culturale 7** p. 99	• indicare la mancanza di voglia di fare qualcosa • esplicitare il proprio dissenso • ammettere la ragione dell'interlocutore • prendere in giro • fare dell'ironia • ricordare a qualcuno una promessa fatta • esprimere preferenze • raccontare una brutta figura • dare consigli • fare delle ipotesi • parlare del proprio comportamento in determinate situazioni	• L'avverbio *mica* • Il condizionale passato come futuro nel passato • Il periodo ipotetico del II tipo (possibilità)

Facciamo il punto 3 - p. 100 - Bilancio e progetto

	Contenuti comunicativi	Grammatica e Lessico
lezione 8 **Italiani nella storia** p. 101 **Videocorso 8** Se fossi un personaggio famoso p. 110 **Caffè culturale 8** p. 112	• raccontare la vita di un personaggio storico • raccontare un viaggio • esprimere incredulità • interrompere	• Il gerundio modale e temporale • Gli aggettivi in *-bile* • La terza persona plurale in funzione impersonale • La posizione dei pronomi con il gerundio
lezione 9 **Italia da scoprire** p. 113 **Videocorso 9** Il biglietto del treno p. 126 **Caffè culturale 9** p. 128	• fare una domanda in modo indiretto • informarsi sulle caratteristiche di un luogo • chiedere ulteriori spiegazioni • chiedere e fornire informazioni • chiedere conferma • riportare quello che ha detto un'altra persona • segnalare le bellezze di un luogo • esprimere il proprio disappunto	• La frase interrogativa indiretta • Il discorso indiretto con frase principale al passato • *prima che - prima di*
lezione 10 **L'italiano oggi** p. 129 **Videocorso 10** Come si dice a Milano? p. 140 **Caffè culturale 10** p. 141	• parlare dei propri errori linguistici • ironizzare • attenuare / invitare ad attenuare il tono di una discussione • esprimere un netto disaccordo • fare delle ipotesi nel passato • riflettere sull'apprendimento linguistico	• La forma passiva con *andare* • Il congiuntivo trapassato • Il periodo ipotetico del III tipo (nel passato) • Alcune espressioni avverbiali • Il gerundio passato • L'infinito passato • *Dopo* + infinito passato

Facciamo il punto 4 - p. 142 - Bilancio e progetto

Cos'è **NUOVO Espresso**?

NUOVO Espresso è un corso di lingua italiana per stranieri diviso in sei livelli (A1, A2, B1, B2, C1 e C2).

Com'è strutturato **NUOVO Espresso 3**?

NUOVO Espresso 3 è il terzo volume del corso e si rivolge a studenti di livello **intermedio**.
Offre materiale didattico per circa 90 ore di corso (più le attività del videocorso e l'eserciziario per il lavoro a casa).
È disponibile in due versioni: libro e libro + ebook interattivo.

Il **libro** contiene:
- le lezioni con le attività per il lavoro in classe
- le attività del videocorso
- le sezioni del caffè culturale
- la grammatica riassuntiva
- gli esercizi per il lavoro a casa

E inoltre quattro sezioni con i bilanci, arricchiti da attività
di progetto e test di ripasso a punti.

 il **videocorso**,
accompagnato da un'utile
videogrammatica, è una vera
e propria serie a puntate
(una per ogni lezione)
integrata nel corso e
inserita nell'ebook
interattivo.

L'**ebook interattivo** permette di fruire
di tutti i materiali del corso e contiene:
- il libro in versione digitale
- tutti gli audio delle lezioni e degli esercizi
- gli episodi del videocorso con e senza sottotitoli
- le lezioni della videogrammatica
- oltre 200 esercizi interattivi con autocorrezione

E inoltre l'insegnante può:
- creare e gestire una classe virtuale
- monitorare il lavoro e i progressi degli studenti
- assegnare compiti
- inviare messaggi
- accedere alla guida

**nell'area risorse web di NUOVO Espresso 3
su www.almaedizioni.it**
- scarica i file degli **audio** delle lezioni e degli esercizi
- guarda gli episodi del videocorso e della videogrammatica
- integra la tua lezione con test, esercizi online, glossari, attività e giochi extra
- usa i materiali per la **Didattica A Distanza**
- scarica la **guida** per l'insegnante

Do you speak Italian?

comunicazione

Imparare una lingua è come…

Non sono affatto d'accordo!

Mi ero già iscritto l'anno scorso.

Io sono del parere che…

Me lo presti?

Credo che si possa dire così.

grammatica

Il trapassato prossimo

Prima di + infinito

Il verbo *dovere* per esprimere un'ipotesi

I pronomi combinati

Il prefisso negativo *in-*

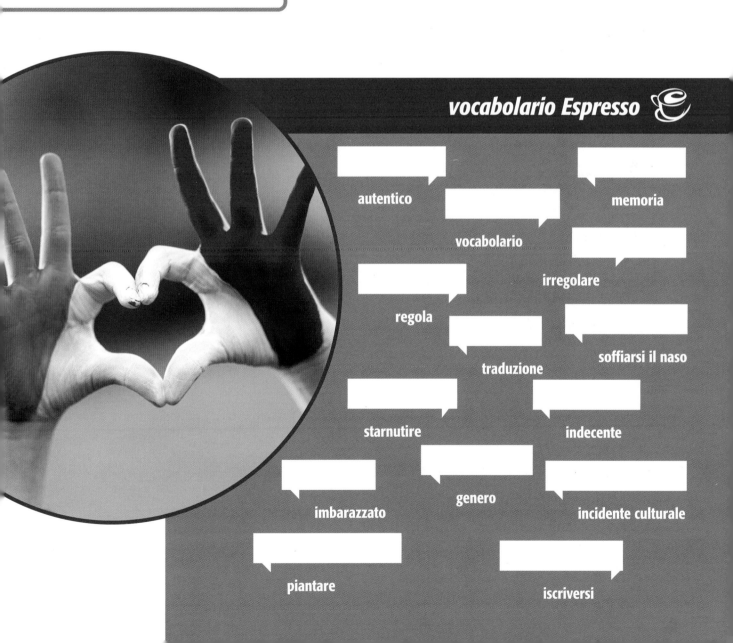

vocabolario Espresso

autentico

vocabolario

memoria

irregolare

regola

traduzione

soffiarsi il naso

starnutire

indecente

imbarazzato

genero

incidente culturale

piantare

iscriversi

do you speak Italian?

1 Imparare l'italiano è come...

Rifletti sulle tue conoscenze dell'italiano e segna il numero corrispondente alla tua competenza (1=poco; 5=molto) per ogni abilità collegando poi i punti con una linea.
Infine confronta il tuo schema con quello di un compagno.

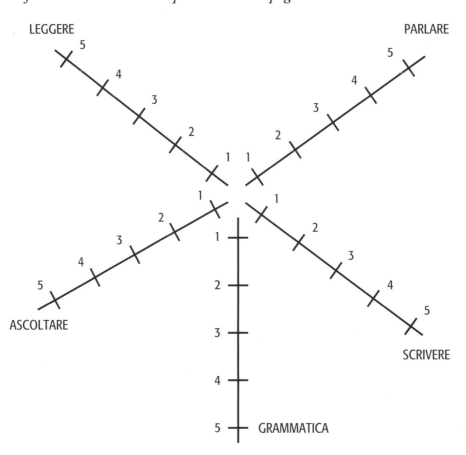

Secondo te, cosa dovresti fare per migliorare i tuoi punti deboli?

☐ ascoltare dialoghi "autentici"
☐ leggere articoli di giornale
☐ leggere testi letterari
☐ leggere ad alta voce
☐ ascoltare canzoni e cantare

☐ guardare video, film, TV, ecc.
☐ scrivere in italiano su Facebook
☐ imparare parole a memoria
☐ parlare il più possibile
☐ fare esercizi di grammatica

Ora completa questo testo scegliendo dalla lista le analogie che preferisci e creandone altre nuove.

| entrare in un nuovo mondo | studiare uno strumento musicale | piantare un albero nella mia anima | cucinare |

SCRIVI IL TUO NOME   SCRIVI TRE ANALOGIE

Per _____ imparare l'italiano è come **1** _____
                                              2 _____
                                              3 _____

do you speak Italian?

Lavora in plenum con tutta la classe. Ognuno legge le proprie analogie. Tu scrivi qui sotto quelle che ti piacciono di più.

Imparare l'italiano è come:

2 Anche tu qui?!

2

Ascolta il dialogo e rispondi alle domande.

1 Dove si incontrano Mauro e Roberta?
  a In un'agenzia di viaggi.
  b In una scuola di lingue.
  c In un bar.

E 1

2 Perché Roberta è lì?
  a Perché vuole fare un viaggio in Cina.
  b Per prendere un caffè.
  c Perché il cinese le serve per lavoro.

3 Perché Mauro è lì?
  a Perché vuole fare un viaggio in Cina.
  b Per prendere un caffè.
  c Perché il cinese gli serve per lavoro.

Ora riascolta il dialogo e controlla.

- ■ Ma… Roberta, anche tu qui?!
- ▼ Eh già… devo studiare il cinese per lavoro, almeno per riuscire a comunicare qualcosa…
- ■ Sì, le lingue diventano sempre più importanti…
- ▼ Ma a che ora comincia la lezione?
- ■ Tra dieci minuti.
- ▼ Allora andiamo a prendere un caffè al bar qui sotto. Ti va?
- ■ Sì, certo.
- ▼ E tu, perché vuoi studiare il cinese?
- ■ Mah, vorrei fare un viaggio in Cina e prima di partire mi piacerebbe imparare un po' la loro lingua.
- ■ Bello! E quando parti?
- ▼ No, no, ancora non lo so. È solo un vecchio progetto. Pensa che mi ero già iscritto lo scorso anno a questo corso, poi però ho fatto due lezioni e ho lasciato.
- ■ Oddio, era così noioso?
- ▼ No, purtroppo il martedì dovevo lavorare fino a tardi, e il corso era proprio quel giorno…
- ■ Ma avevi già pagato?
- ▼ Sì, avevo pagato prima di iniziare, dopo la lezione di prova, ma mi hanno ridato indietro tutti i soldi!
- ■ Ah!
- ▼ Sì, sì, comunque, per quel poco che ho visto, il corso mi era piaciuto. Era divertente, per niente noioso! Per questo ho deciso di riprovare.
- ■ Ah, per fortuna!
- ▼ Ma tu conosci altre lingue?
- ■ Beh, conosco l'inglese, bene, per lavoro, e poi un po' lo spagnolo e il francese.
- ▼ Che brava, io conosco solo il francese perché mia moglie è di Parigi. L'avevo studiato anche a scuola, ma l'ho imparato con lei.
- ■ Sì, immagino.
- ▼ Allora, caffè?
- ■ Sì, grazie.
- ▼ Due caffè per favore.

> Avevo pagato **prima di iniziare.**

3 Il trapassato prossimo

Il verbo qui <u>sottolineato</u> è un trapassato prossimo. Rileggi il dialogo e <u>sottolinea</u> tutti i verbi che secondo te sono nello stesso tempo. Verifica poi in plenum.

<u>Mi ero</u> già <u>iscritto</u> lo scorso anno.

Come si forma secondo te il trapassato prossimo? E quando si usa?
Parlane in coppia e poi in plenum.

4 Avevi già fatto dei corsi?

Collega le frasi e coniuga al trapassato prossimo i verbi tra parentesi.

E 2·3
4·5

1 Prima di trasferirmi a Parigi

2 Quando siamo arrivati al cinema,

3 No, i ragazzi non li ho visti, quando sono arrivato

4 Quando sono arrivata in classe

5 Quando sono arrivati alla stazione

6 Ieri sera quando sono arrivata a casa

7 Sono andato in biblioteca per restituire i libri

8 Ho guardato l'orologio e ho visto che

a (*uscire*) _____ già _____.

b che (*prendere*) _____ _____ in prestito un mese fa.

c (*fare*) _____ già _____ diversi corsi di francese.

d (*passare*) _____ già _____ un'ora.

e la lezione (*finire*) _____ _____ da cinque minuti.

f il treno (*partire*) _____ già _____.

g il film purtroppo (*cominciare*) _____ già _____.

h mio marito (*preparare*) _____ già _____ la cena.

1

5 Intervista

Parla con un tuo compagno e chiedigli

sull'italiano:
- perché studia l'italiano,
- se l'aveva già imparato a scuola o da un'altra parte,
- se è contento dei suoi «progressi»,
- se si è mai trovato in situazioni in cui non è riuscito a dire nemmeno una parola.

su un'altra lingua straniera:
- se parla un'altra lingua straniera oltre all'italiano,
- dove l'ha imparata,
- quanto ci ha messo a impararla,
- se è stato più semplice che imparare l'italiano,
- se ha mai sognato in una lingua straniera,
- se si è mai trovato in situazioni in cui non è riuscito a dire nemmeno una parola.

6 Incidenti di percorso

Leggi i testi e abbinali ai tre tipi di incidenti.

E 6

a Una volta in Brasile ero in un ristorante, a tavola con amici. Ho starnutito e mi sono soffiato il naso.
I vicini hanno detto alla mia amica Joselia, seduta di fianco a me, se potevo andare in bagno a soffiarmi il naso.
In Brasile soffiarsi il naso in pubblico è considerata una cosa indecente.

b Marc, un mio amico ungherese, era a cena da amici italiani. C'erano molti parenti a questa cena, e ad un certo punto ha chiesto ad un signore: "Allora Lei è il Gennaro!".
"No - ha risposto il signore - io mi chiamo Alberto. Perché Gennaro?". Il mio amico era un po' imbarazzato e ha chiesto: "Non si chiama così il marito della figlia?".*

c Quando io e Valerio, un mio amico di Treviso, ci siamo incontrati, ci siamo abbracciati forte: era da tempo che non ci vedevamo. Camila, un'amica cinese, ha pensato che io e Valerio avevamo una storia d'amore. "In Cina gli uomini non si abbracciano", ci ha detto.

* Il marito della figlia in italiano si chiama "genero".

1 ☐ Incidente culturale   **2** ☐ Incidente culturale   **3** ☐ Incidente linguistico

7 Differenze culturali

E tu? Hai mai notato differenze culturali quando sei entrato in contatto con persone di altre culture? Ti sono capitati incidenti culturali? Hai qualche aneddoto linguistico da raccontare (capitato a te o ad altri)?
Pensa per alcuni minuti, poi parlane con un piccolo gruppo di compagni.

8 Non sono affatto d'accordo!

Ascolta e metti una X sull'affermazione esatta.

3 ((►

E 7

	sì	no
a La donna ha un dubbio su una parola che ha trovato in un testo.	☐	☐
b La donna non è convinta di una certa forma verbale.	☐	☐
c Secondo Paolo bisognerebbe rispettare di più le regole di grammatica.	☐	☐
d Secondo la donna non si dovrebbe essere troppo categorici.	☐	☐

do you speak Italian?

■ Scusa, Paolo, posso?

▼ Sì, entra, entra.

■ Senti, non è che per caso hai una grammatica?

▼ Sì, guarda, dovrebbe essere lì, nel primo scaffale in basso.

■ Me la presti un attimo?

▼ Certo.

■ Stavo scrivendo una cosa e mi è venuto un dubbio.
Secondo te si dice «l'appuntamento è a piazza Dante»
o «in piazza Dante»?

▼ «In piazza Dante».

■ Hmmm... allora, vediamo... qui c'è scritto che la forma corretta è «in»,
e che «a» è un regionalismo ormai accettato.

▼ Sì, però dai, «a piazza» suona male!

■ Perché scusa? Suona male per te, perché non lo dici!

▼ No, suona male perché non si dice! E poi io trovo che
le regole andrebbero rispettate!

■ Non sono affatto d'accordo. Secondo me è l'uso che fa la regola.

▼ Ah, allora per te ognuno può parlare come vuole?

■ Non ho detto questo! Anche io penso che le regole servano,
però non si può essere nemmeno così rigidi.

▼ E certo! Poi però ci sono in giro persone come il nostro direttore,
che dicono «a me mi piace»... orribile!
Mi sa che prima o poi glielo dico che non si dice.

■ Mah, io non sarei così categorica! E poi credo che ormai si possa dire.

> La grammatica **dovrebbe essere** lì.

1

Ci vediamo in piazza Dante o a piazza Dante?

Il complemento di stato in luogo con nomi di vie o di piazze è normalmente introdotto dalla preposizione *in*: *l'appuntamento è alle otto in via Cavour*. Per influsso dei dialetti centromeridionali, in casi analoghi si può trovare anche la preposizione *a*: *ci vediamo alle sette a piazza Dante*.

A me mi piace o a me piace?

Frasi come *a me mi piace*, *a te ti piace*, *a lui gli piace* ecc. sono tradizionalmente considerate scorrette perché in esse si ripete due volte un pronome personale con la stessa funzione logica. In realtà l'espressione *a me mi piace* è un costrutto tipico del registro colloquiale e la ripetizione del pronome serve a mettere in evidenza a chi piace qualcosa. La scelta tra i tipi *a me mi piace*, *a me piace* o *mi piace* dipende quindi dal contesto (informale o formale) e dalla necessità di evidenziare il tema della frase.

da *Grammatica Italiana di Base* di P. Trifone e M. Palermo, Zanichelli

do you speak Italian?

9 Me lo presti?

In coppia fate dei dialoghi secondo il modello.
Chiedete in prestito o date in prestito i seguenti oggetti (per voi o per una terza persona).

E 8·9
10·11·12

> la grammatica
> ▼ Me la presti?
> ■ Sì, te la presto volentieri. / No, non te la posso prestare.

le forbici

gli occhiali

il vocabolario

il DVD

la matita

il giornale

> **Me lo** presti?
> Sì, **te lo** presto volentieri.
> Prima o poi **glielo** dico (al direttore).

10 Argomentare

*Cerca nel dialogo del punto **8** le forme usate per:*

E 13

Esprimere la propria opinione:

Esprimere accordo:

Esprimere disaccordo:

> **Secondo me** è l'uso che fa la regola. (*secondo me* + indicativo)
> **Penso che** le regole **servano**. (*penso che* + congiuntivo)
> **Credo che** ormai si **possa** dire. (*credo che* + congiuntivo)

Qui di seguito trovi altre espressioni per esprimere la propria opinione o per esprimere accordo e disaccordo. Inseriscile nello schema precedente al posto giusto.

Io sono del parere che...	Sono d'accordo con te.	A me non sembra proprio!
Io la penso diversamente.	Io sono convinto che...	Hai ragione.
Non direi proprio!	È proprio vero...	

do you speak Italian?

11 Cosa ne pensi?

Anche nella tua lingua ci sono fenomeni simili a quelli
nominati nel dialogo? Parlane in gruppo e poi in plenum.

12 Italenglish

Leggi l'articolo del blog e completalo con le parole della lista.

E 14·15

documenti   posto   pranzo veloce   riunione   servizio clienti   spettacolo   ~~subito~~

---

nuovo e utile

teorie e pratiche della creatività

a cura di Annamaria Testa

Le parole inglesi in italiano

Sono stata poche settimane fa a New York, dove si usano moltissime parole italiane. Aggiungo che la lingua italiana non è solo la sesta al mondo tra le più parlate (come seconda lingua), ma è anche la quarta lingua più studiata. Tutti buoni motivi per continuare a usarlo, l'italiano.

E ora una premessa a quello che sto per dire: questa non è una guerra irresponsabile contro l'inglese. Parlare bene, non solo l'italiano ma qualsiasi altra lingua, è bellissimo. Ma qualche volta è veramente inutile introdurre una quantità di parole inglesi in un discorso o in un testo in italiano.

Non sto suggerendo di tradurre termini come "marketing" o "sport", "rock", "browser", "smog" (anche perché una traduzione è impossibile), o come "apartheid" o "star system" o "New Deal", che si riferiscono a qualcosa che è successo in un luogo e in un tempo precisi.

Io ho solamente messo insieme una breve lista di parole inglesi che usiamo più o meno correntemente, spesso per abitudine, o perché il corrispondente termine italiano, magari, non ci viene in mente subito. La lista non è definitiva, e per questo vi invitiamo a proporre integrazioni o cambiamenti.

Se fate qualche prova con le parole elencate qui sotto, potreste accorgervi che in molti casi il discorso, anche tornando dal termine inglese all'italiano, non suona strano o antiquato. Anzi: sta in piedi piuttosto bene.

E dunque sì, potete dire in "italenglish": "Giuseppe, facciamo asap un meeting del customer care. Prepara i file, trova la location giusta, organizza un quick lunch e cominciamo lo show".

Ma potreste anche dire in italiano: "Giuseppe, facciamo ___*subito*___ una _____ del _____. Prepara i _____, trova il _____ giusto, organizza un _____ e cominciamo lo _____".

Magari Giuseppe capisce anche meglio di che si tratta. E, magari, il pranzo veloce risulta più gustoso del quick lunch.

Per quali parole straniere esiste, secondo l'autrice,
un adeguato equivalente in italiano? Per quali invece
no? Rileggi il testo e scrivile su un quaderno.
Poi confrontati con un gruppo di compagni.

utile	→ **in**utile
possibile	→ **im**possibile
responsabile	→ **ir**responsabile

1

13 È una parola di origine...

Formate due gruppi. Vince il gruppo che riesce a scoprire l'origine delle seguenti parole straniere entrate nella lingua italiana. Potete scegliere tra le seguenti lingue: eschimese, francese, giapponese, indiano, inglese, spagnolo, tedesco, turco.

E 16

abat-jour   hacienda   kitsch   mobbing   bouquet

karaoke   hinterland

globe trotter   yogurt

karma   freezer

kayak   harem

14 Le parole italiane internazionali

Lavora con un gruppo di compagni. Fate una lista delle parole italiane usate nella vostra lingua. Poi fate un unico gruppo con tutta la classe e scrivete un cartellone con le parole italiane internazionali scrivendone anche la traduzione nelle lingue parlate in classe.

15 ALMA.tv

4 ((▶

Ascolta l'intervista al direttore di ALMA.tv e metti una X sull'affermazione esatta.

ALMA Edizioni
italiano per stranieri

CATALOGO · ALMA TV · EVENTI · DISTRIBUTORI E LIBRERIE   🛒▾ ♥ LOGIN / REGISTRATI

'ALMA.tv/ lingua e cultura italiana per il mondo

Il direttore di ALMA.tv dice che:	sì	no
a nel mondo esiste poca richiesta di italiano e italianità	☐	☐
b ALMA.tv è una web tv visibile su internet	☐	☐
c tutti i video trasmessi in streaming da ALMA.tv sono disponibili anche in una modalità "on demand"	☐	☐
d ALMA.tv è a pagamento	☐	☐
e gli utenti di ALMA.tv sono insegnanti di italiano, studenti e tutti quelli che vogliono mantenere fresca la conoscenza dell'italiano	☐	☐
f ALMA.tv propone un modo leggero di imparare l'italiano	☐	☐

Ora vai all'indirizzo www.alma.tv, *scegli una rubrica e guarda qualche video. Poi confrontati su quello che hai visto con un compagno.*

comunicazione e grammatica

Per comunicare

Imparare una lingua è come…
Anche tu qui?
Mi piacerebbe imparare la loro lingua.
Ma tu conosci altre lingue?
Mi ero già iscritto l'anno scorso.

Io sono del parere che... / Io sono convinto che...
A me non sembra proprio! / Non direi proprio!
Io (invece) la penso diversamente.
È proprio vero (che) ... / Sono d'accordo con te. /
Hai ragione.

Grammatica

Il trapassato prossimo

Quando sono arrivata a casa, mio marito **aveva mangiato**.

*Il **trapassato prossimo** si forma con l'imperfetto di **avere** o **essere** e il participio passato del verbo principale.*

Avevo studiato il francese a scuola, ma l'**ho imparato** a Parigi.
  (prima)   (dopo)
Quando sono arrivata, Franco era già andato via.

*Il **trapassato prossimo** si usa per esprimere un'azione nel passato che è successa prima di un'altra azione passata. **Già** si trova normalmente tra l'ausiliare e il participio passato.*

Per le tabelle del trapassato prossimo vedi la grammatica a pag. 234

Prima di (+ infinito)

(Io) **Prima di trasferirmi** a Roma, (io) avevo seguito un corso d'italiano.

*Se il soggetto delle due frasi è lo stesso, nella frase secondaria temporale si può usare **prima di** + **infinito**.*

Il verbo *dovere* per esprimere un'ipotesi

La grammatica **dovrebbe essere** lì.
(forse è lì)
Lui **deve aver perso** il treno.
(forse ha perso il treno)

*Il verbo **dovere** si usa spesso per fare delle ipotesi.*

Pronomi combinati

Mi presti **il vocabolario**? **Me lo** presti?
Chi **vi** ha prestato **la macchina**? **Ve l'**ha prestata Giovanni?
- **Le** puoi prestare **i tuoi libri**?
- Sì, **glieli** presto volentieri.

*Se in una frase compaiono due pronomi, il pronome indiretto precede quello diretto. La **-i** della 1ª e della 2ª persona diventa **-e**.*

Per la tabella dei pronomi combinati vedi la grammatica a pag. 229

Il prefisso negativo *in-*

adatto	→ **in**adatto (= non adatto)	
utile	→ **in**utile (= non utile)	
logico	→ **il**logico	
morale	→ **im**morale	
possibile	→ **im**possibile	
probabile	→ **im**probabile	
ragionevole	→ **ir**ragionevole	

*Il prefisso **in-** dà all'aggettivo un significato negativo.*
*Il prefisso **in-** diventa **il-** davanti a l, **im-** davanti a b, m o p, **ir-** davanti a r.*

1

VIDEO

1 **Osserva il fotogramma e leggi i testi: qual è secondo te la storia del video? Poi guarda l'episodio per la verifica.**

a Due turisti stranieri chiedono un'informazione in italiano a Matteo, che prova a parlare in francese, ma dà informazioni del tutto sbagliate. Valentina interviene e spiega la strada giusta ai due turisti.

b Due turisti stranieri chiedono un'informazione: Matteo dice una cosa e Valentina un'altra e litigano tra loro. Alla fine i due turisti scappano senza capire niente.

c Due turisti stranieri chiedono un'informazione in italiano: Matteo gli dà le indicazioni e poi parla con Valentina delle lingue che conosce. Alla fine i due turisti passano ancora e dicono che Matteo ha dato informazioni sbagliate.

2 **Indica se le frasi sono vere o false.**

	vero	falso
1 Matteo parla il francese molto bene.	☐	☐
2 I due turisti studiano l'italiano.	☐	☐
3 Matteo ha studiato il francese a scuola.	☐	☐
4 Matteo ha conosciuto Valentina in Francia.	☐	☐
5 Alla fine i due turisti hanno trovato la strada giusta.	☐	☐
6 Matteo e Valentina non sono d'accordo su una preposizione.	☐	☐

3 **Completa le frasi con gli elementi giusti.**

1
Allora __ __ puoi dare un attimo? Ho visto un articolo che mi interessa...

a te lo **e** glielo
b te la **f** me la
c gliela **g** gliene
d me lo **h** te ne

2
Articolo? Se mi dici dov'è strappo la pagina e __ __ do. Così io finisco di leggere.

conoscere le lingue

1

4 Osserva le immagini, leggi le frasi nei balloon e indica la risposta corretta.

Fortuna che ho studiato francese a scuola…!

1 Cosa vuol dire Matteo con questa espressione?
  a È stata una fortuna.
  b È stato un caso.

Non sono convinto. Comunque…

2 Cosa vuol dire Matteo con questa espressione?
  a In ogni modo, ho ragione io.
  b Non ho voglia di parlarne.

5 Leggi una parte del dialogo tra Valentina e Matteo e indica l'opzione corretta.

MATTEO   Fortuna che *ho studiato/studiavo* francese a scuola…!

VALENTINA Ma *parlavano/hanno parlato* benissimo italiano, il tuo improbabile francese *era/era stato* del tutto inutile! … Toglimi una curiosità: da quanto tempo non parli una lingua straniera?

MATTEO   Guarda che da giovane, prima di iniziare a lavorare *viaggiavo/avevo viaggiato* ogni estate: Francia, Germania, Spagna… E *avevo parlato/parlavo* inglese o francese senza problemi! *Ho/Avevo* anche *ricevuto* una proposta di lavoro dalla Francia, ma ormai *avevo iniziato/ho iniziato* a lavorare qui… E poi *ho conosciuto/avevo conosciuto* te…

VALENTINA Sì, adesso fai il romantico… Comunque quel francese parlava l'italiano meglio di te…

MATTEO   Ma che dici?

VALENTINA *Avevi detto/Hai detto* "girate sulla destra".

MATTEO   Beh? È sbagliato?

VALENTINA Ma certo che è sbagliato! Si dice "a destra"!

MATTEO   Non sono convinto. Comunque…

> **RICORDA**
>
> Anche gli italiani hanno spesso dei dubbi su quale preposizione usare o su altre questioni linguistiche. Nel nostro episodio, le forme "sulla destra" e "a destra" sono tutte e due corrette, anche se è preferibile la seconda, almeno in questo contesto.

 Guarda la videogrammatica dell'episodio

caffè culturale

L'italiano nel mondo

Fai delle ipotesi sull'uso e lo studio della lingua italiana nel mondo selezionando le informazioni che ritieni corrette. In alcuni casi sono corrette più ipotesi.

1 L'italiano:
- **a** è lingua ufficiale solo in Italia ☐
- **b** è lingua ufficiale in più Paesi ☐
- **c** non ha lo statuto di lingua ufficiale in nessun Paese ☐

2 Molte persone parlano italiano correntemente:
- **a** in diverse regioni europee ed extraeuropee ☐
- **b** esclusivamente in Europa ☐
- **c** in un numero ristretto di regioni italiane ☐

3 Gli stranieri studiano l'italiano per:
- **a** passione per l'Italia ☐
- **b** parlare con gli italiani residenti all'estero ☐
- **c** capire i testi delle canzoni italiane ☐
- **d** motivi di lavoro ☐

4 Ecco alcuni Paesi in cui l'italiano si studia molto:
- **a** in Giappone ☐
- **b** negli Stati Uniti ☐
- **c** in Argentina ☐
- **d** in Germania ☐
- **e** nel Regno Unito ☐
- **f** in Europa dell'est ☐
- **g** in Svizzera ☐
- **h** in Australia ☐
- **i** in Egitto ☐
- **l** in Francia ☐

'ALMA.tv ▶

Vuoi conoscere alcune espressioni molto usate della lingua parlata?
Vai su www.alma.tv e visita la divertente rubrica **Vai a quel paese**.

Ora leggi il testo e verifica le tue ipotesi.

L'italofonia

L'area dell'italofonia comprende i Paesi in cui l'italiano:

a. è lingua materna o ufficiale: l'Italia, la Svizzera, San Marino, la Città del Vaticano, la regione istriana in Slovenia;

b. è conosciuto da gran parte della popolazione, anche se non ha lo statuto di lingua ufficiale: Malta, il Principato di Monaco, la regione di Nizza, la Corsica, l'Albania, la Somalia, l'Eritrea e l'Etiopia;

c. è presente presso ampie comunità di emigrati: il Canada, gli Stati Uniti, l'Argentina, l'Uruguay, il Brasile, l'Australia, il Venezuela, la Germania, la Francia, il Belgio, il Regno Unito.

Negli ultimi anni è aumentato il numero di persone che studiano l'italiano come seconda lingua, in particolare nell'est europeo. C'è chi lo fa per riallacciarsi alle proprie origini famigliari, per lavoro o amore, o chi dopo un viaggio scopre la propria passione per il nostro Paese. Non dimentichiamo poi che l'italiano è la lingua della musica, della moda, dell'arte e della religione cattolica. Si stima che, con circa 1,5 milioni di studenti, sia la quarta lingua più studiata al mondo. La Germania è il primo Paese per numero di studenti, seguito da Australia, Stati Uniti, Egitto e Argentina.

Vivere in città

comunicazione

Che ne pensi?

Ci tenevo a dirlo.

Sì, sarebbe stato meglio.

Alla fine l'ho spuntata!

Guardi che è vietato!

Oggi non sono in vena di discutere.

grammatica

Il condizionale passato per esprimere un desiderio irrealizzato

Le particelle pronominali *ci* e *ne*

Alcuni verbi pronominali

I pronomi possessivi

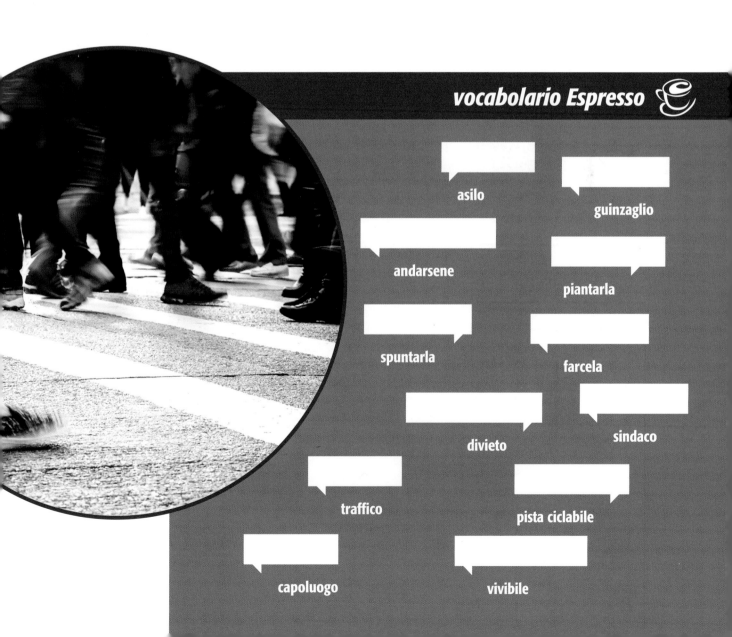

vocabolario Espresso

asilo

guinzaglio

andarsene

piantarla

spuntarla

farcela

sindaco

divieto

traffico

pista ciclabile

capoluogo

vivibile

2

1 Città

Osserva le foto. Secondo te quali potrebbero essere i problemi maggiori di una grande città? Parlane con i compagni.

vivere in città

2 Di quale città si parla?

A quali delle città indicate qui di seguito si riferiscono le seguenti affermazioni?
Alcune sono valide per più di una città ma tu scegliene solamente una.
Poi confronta con un compagno.

a Torino   **b** Milano   **c** Venezia   **d** Roma   **e** Palermo

1 è una città molto turistica *c, d*
2 è il capoluogo del Piemonte *a*
3 è la capitale d'Italia *d*
4 è sede di un'importante industria automobilistica *a*
5 non ha problemi di traffico *c*
6 si trova su un'isola *e*
7 ha un passato arabo-normanno *e*

8 ospita un importante Festival del Cinema *c*
9 è il centro economico e finanziario del Paese *b*
10 ha enormi problemi di traffico *d*
11 ha quasi tre milioni di abitanti *d*
12 è la città della moda *b*

Immagina di doverti trasferire per un anno in una di queste città.
Quale sceglieresti e perché? Parlane in gruppo.

3 L'angolo nascosto

C'è un "angolo nascosto" nella tua città che ti piace particolarmente? Perché?
Parlane con un compagno.

4 Sarebbe stato meglio!

5 (◀▶)

Ascolta il dialogo e segna con una X l'affermazione esatta. A volte è giusta più di una risposta.

1 La donna va a fare la spesa a piedi perché **a** è più comodo.
b l'autobus ha cambiato itinerario. ✓

2 La donna si lamenta **a** del rumore. ✓
b dello smog.
c delle difficoltà ad attraversare la strada.
d della sporcizia.

3 Secondo la donna al posto di una banca avrebbero potuto costruire **a** un giardino pubblico. ✓
b un parcheggio.
c un asilo. ✓
d una piscina.
e un cinema.

4 Secondo il ragazzo nella zona manca/mancano **a** una biblioteca. ✓
b impianti sportivi. ✓
c un parco.
d un teatro.
e un cinema. ✓

E 1·2

■ Mi scusi! Mi darebbe una mano a portare queste buste fino al portone?

▼ Certo, non c'è problema, dia a me!

■ Prima al mercato ci andavo in autobus. Era così comodo!
Dovevo fare una sola fermata, ma da quando ci sono questi lavori,
l'autobus ha cambiato giro e così mi tocca andare a piedi!

▼ Eh, lo so, è un problema...

> **Mi tocca** andare a piedi =
> **Devo** andare a piedi.

■ Non pensano ai cittadini quando fanno queste cose, no!
Bisogna fare la gimcana per passare dall'altra parte!
Per non parlare del rumore poi... mah, speriamo finiscano presto!

▼ Eh, sì, speriamo!

■ Lei per caso sa che cosa stanno costruendo?

▼ Una banca.

■ Una banca? E a che ci serve un'altra banca? Ce ne sono già tre!

▼ Me lo chiedo anch'io!

■ Mah, anziché costruire una banca avrebbero potuto fare un bel parco
o costruire un asilo nido...

▼ Beh, sì, sarebbe stato meglio! In effetti gli asili mancano e non solo gli asili!
In questa zona mancano parecchie cose. Non ci sono impianti sportivi,
non c'è un cinema, non c'è una biblioteca...

5 Il condizionale passato

*Nel dialogo sono presenti due verbi al **condizionale passato**. Trovali e scrivili qui sotto. Poi
rispondi alla domanda.*

Il **condizionale passato** si forma con
il **condizionale presente** di *essere* o *avere* + il **participio passato**.

Cosa esprime il condizionale passato?

a Un desiderio o un'azione che dovevano o potevano realizzarsi e infatti si sono realizzati.

b Un desiderio o un'azione che non potevano realizzarsi.

c Un desiderio o un'azione che dovevano o potevano realizzarsi ma non si sono realizzati.

6 E voi che cosa avreste fatto?

*Lavora con un compagno. A turno, unite le frasi della prossima pagina usando il condizionale
passato. Seguite l'esempio.*

> costruire una banca / costruire un asilo nido
> Anziché costruire una banca, noi avremmo costruito un asilo nido/
> sarebbe stato meglio costruire un asilo nido.

E 3
4·5

- costruire nuovi parcheggi / aggiungere un'altra linea della metropolitana
- aprire un nuovo centro commerciale / ingrandire il mercato
- aprire il centro alle macchine / mettere a disposizione delle biciclette
- costruire una nuova strada / costruire una pista ciclabile
- progettare nuovi uffici / investire nella costruzione di nuove abitazioni
- introdurre il sistema delle targhe alterne / migliorare i trasporti pubblici
- chiudere il centro per gli anziani / costruirne altri due
- aprire una clinica privata / costruire un nuovo ospedale pubblico

7 Città o campagna?

Leggi il forum e scegli il finale che ti sembra più logico, nella prossima pagina.

E 6·7

Gino

Ragazzi, mia sorella, che ha vissuto in campagna per 20 anni, la prossima settimana si trasferisce qui a Prato. Mentre io stavo pensando di trasferirmi in campagna per cambiare vita. Che ne pensate? E cosa preferite? Città o campagna?

Francesca

Proprio in questi giorni ci sto pensando seriamente… e ve ne parlo volentieri.
Da ragazza non vedevo l'ora di finire il liceo per scappare nella grande metropoli con la scusa dell'università. Sono nata e cresciuta a Venezia. Senza macchine e senza smog, in una "campana di vetro".
Ma non ci tenevo a rimanere lì! Mia madre non voleva lasciarmi andare via a 18 anni, ma io ero troppo curiosa e l'ho spuntata, anche con l'aiuto di mia zia Carla. Lei lavorava a Milano e mi ha ospitato negli anni dell'università. Durante la settimana studiavo e nei weekend andavo da lei in ufficio, in Via Dante, e la aiutavo a preparare le grandi sfilate che organizzava. Guadagnavo anche qualcosa, e ci pagavo gli studi. Amavo respirare l'aria della moda, delle passerelle, dei personaggi famosi e degli stilisti.
Insomma: ho preso tutto quello che Milano poteva darmi di buono.
Ma poi… mi sono sposata… e poi è nato Roberto. E piano piano, mentre passavano gli anni, nella mia testa qualcosa è cambiato.
Lo scorso weekend poi siamo andati a trovare degli amici in Svizzera.
Anche loro vivevano a Milano, e anche loro sono diventati genitori, poco dopo di noi. I nostri figli sono cresciuti insieme. Ma quando la loro Giada ha compiuto 13 anni si sono trasferiti in campagna, sul lago, a 15 minuti da Losanna. E ora stanno lì da 3 anni.
Appena arrivata ho chiesto alla mia amica: "È stata dura per una come te abituata a vivere in città, venire a vivere in campagna?"
Lei mi ha risposto che per abituarsi ci ha messo un anno e mezzo, ma che ora non tornerebbe più indietro.
Mentre ero lì guardavo Roberto giocare con Giada a contatto con la natura… inseguire le lucertole… cercare con gli occhi le volpi che giravano lì intorno…
L'ho abbracciato e gli ho chiesto se era felice.
Lo era, tanto.
"Ti piacerebbe andare a vivere in campagna?", gli ho chiesto.

> Guadagnavo anche qualcosa, e **ci** (= **con** i soldi guadagnati) pagavo gli studi.
>
> Che **ne** (= **di** quello che ho scritto) pensate?
>
> Ve **ne** (= **di** città o campagna) parlo volentieri.

2

1 Gli si sono illuminati gli occhi e mi ha buttato le braccia al collo urlando: "Sììì!"
Poi ho parlato con mio marito e mi ha detto: "Francesca, è meglio che la pianti
con i sogni!". Io però ormai non riesco a pensare ad altro. Che devo fare?

2 Mi ha guardato dritto negli occhi e dopo qualche istante mi ha risposto:
"No. Qui va bene per un fine settimana. Guarda Giada: sta sempre sola, poverina".
Quel giorno ho capito che siamo nati cittadini, e cittadini moriremo.

Confrontati con un compagno. Avete scelto lo stesso finale?

*Trova nel testo, insieme allo stesso compagno, tutti gli elementi che ti hanno fatto scegliere il finale.
Poi confrontate i risultati in plenum con il resto della classe.*

8 Alcuni verbi pronominali
Trova nel testo del punto **7** *le tre espressioni verbali e abbinale al loro significato.*

1 l'ho spuntata → spuntarla

2 la pianti con → piantarla (con)

3 ci tenevo a → tenerci (a)

a finire di fare qualcosa

b volere / desiderare

c vincere

9 La risposta

Scrivi la risposta a Francesca. Devi usare almeno quattro dei verbi pronominali della lista.

E 8·9

| andarsene | farcela | spuntarla | metterci | piantarla (con) | tenerci (a) | volerci |

10 Guardi che è vietato!

Prova a ricostruire il dialogo completandolo con le seguenti frasi come nell'esempio.

1 Guardi, non vorrei sembrarLe scortese, ma perché non si fa gli affari Suoi?

2 Perché è vietato, scusi? Veramente io non vedo nessun segnale di divieto.

3 Niente ma, se non è d'accordo chiami un vigile e se lui mi dice
che me ne devo andare, allora me ne vado!

4 No, non si è spiegato. E poi, scusi, potrei sapere per chi è riservato?

5 E Lei chi è? Un vigile?

6 Senta, io oggi non sono proprio in vena di discutere. Mi è successo di tutto,
quindi è meglio se mi lascia parcheggiare in pace! Va bene?

7 Sì, è mia, perché?

E 10
11·12

> È **Sua** questa Punto rossa?
> Sì, è **mia**.

▼ Scusi, signora, è Sua questa Punto rossa?

■ *7 – Sì, è mia, perché?*

▼ Guardi che lì non può parcheggiare, è vietato!

■ *2*

▼ Sì, ma glielo dico io che è vietato.

■ *5*

▼ No, sono il portiere di questo stabile.

■ *1*

▼ Guardi che io lo dico per Lei. Quel posto è riservato e se lascia la macchina lì...
insomma, non so se mi sono spiegato.

■ *4*

▼ Per l'avvocato Meucci.

■ *6*

▼ Sì, ma...

■ *3*

Adesso ascolta e verifica.　　　　　　　　　　6 ((▶

2

11 Vietato...

*Quali di questi divieti pensi abbiano
senso e quali invece no?
Perché? Parlane in gruppo.*

Divieto di
• fumare nei luoghi pubblici
• usare il cellulare nei luoghi pubblici
• fotografare nei musei
• portare a spasso il cane senza
  guinzaglio
• entrare con un cane in un locale
  pubblico
• portare il cane in spiaggia
• entrare in una chiesa con
  i pantaloncini
• ascoltare la musica in cuffia
  su un mezzo pubblico
• suonare il clacson
• altro:

_____

12 Niente cani nei locali!
*In coppia scegliete un ruolo e fate un dialogo.
Se volete potete usare anche le espressioni del riquadro.*

Non vorrei sembrarLe scortese, ma...
Perché non si fa gli affari Suoi?
Non so se mi sono spiegato.
(Non) sono in vena di discutere.

A
Stai tranquillamente mangiando qualcosa
in un bar. Improvvisamente ti accorgi della
presenza di un grosso cane (tu non ami per
niente i cani) che guarda insistentemente il
tuo panino. La cosa ti disturba.
Fai presente all'altra persona che è vietato
entrare con animali nei luoghi pubblici.

B
Dopo una faticosissima giornata entri
in un bar con il tuo cane. Stai prendendo un
caffè quando un cliente ti fa notare che è
vietato portare animali nei locali pubblici.

E 13

13 Un'altra città è possibile!

Lavora con un compagno. A copre con un foglio la parte B e legge i primi due paragrafi
del testo mentre B copre con un foglio la parte A e legge il terzo e il quarto.
Poi si scambiano le informazioni. Quindi rileggono i propri paragrafi.
Dopo un ulteriore scambio di informazioni, possono leggere il testo completo.

E 14·15

A

1 C'è una città della Sicilia che, grazie alla felice intuizione di una coppia di professionisti, oggi è conosciuta dagli amanti dell'arte contemporanea di tutto il mondo: loro sono Florinda Saieva e Antonio Bartoli e la città è Favara, 32.000 abitanti in provincia di Agrigento.

2 Florinda, avvocato, e Andrea, notaio, sono nati e cresciuti in Sicilia, ma hanno deciso di non lamentarsi di ciò che non va e di diventare essi stessi protagonisti del cambiamento. Il loro piccolo miracolo nasce nel 2010, si chiama "Farm Cultural Park" e si trova nel centro storico di Favara: è un luogo incantato, quasi magico, fatto di sette cortili, tutti collegati tra loro e circondati da palazzi bianchi, che nascondono giardini di ispirazione araba. Il bianco delle case contrasta con le coloratissime opere d'arte che escono da muri, finestre e balconi.

B

3 Il programma artistico-culturale è da non credere: mostre di vario genere, incontri con artisti e creativi di tutto il mondo, presentazioni di libri, corsi di architettura, serate musicali e spettacoli di ogni tipo. Il FCP è uno spazio gratuito e aperto a tutti – non solo agli artisti – dove si possono assaggiare anche vini e prodotti tipici e comprare oggetti d'arte e di design, vintage e libri.

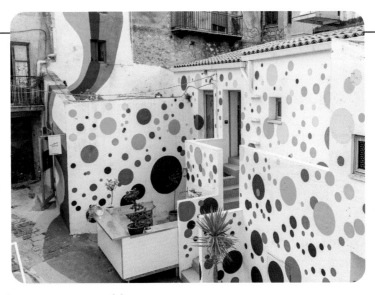

4 Oggi Favara è stata collocata al sesto posto al mondo tra le dieci mete turistiche imperdibili da chi ama l'arte contemporanea – preceduta solo da Firenze, Parigi, Bilbao, Basilea e New York. La loro decisione di non trasferirsi all'estero e restare in Sicilia per trasformare Favara in un vero e proprio museo e restituire alle loro due figlie "un piccolo pezzo di mondo migliore di quello che abbiamo ricevuto" è stata vincente.

Visita la pagina Facebook del Farm Cultural Park. Leggi i post, guarda le foto, scopri gli eventi in programma.
Farm Cultural Park: www.farm-culturalpark.com - 🅕 *farmculturalpark*

vivere in città

14 Il sindaco

Cosa faresti come sindaco della città dove vivi?
Parlane con un piccolo gruppo di compagni.

15 La mia regione preferita

7

Qui di seguito trovi alcuni aggettivi usati per descrivere una regione.
Ascolta le interviste e segna con una X quelli nominati.

☐ sensuale   ☐ montuosa   ☐ tipica
☐ romantica   ☐ affascinante   ☐ vivibile
☐ industriale ☐ misteriosa   ☐ pianeggiante

E 16·17

Riascolta e completa la tabella, dove possibile.

	Gianni	Teresa
Qual è la sua regione preferita?	Trentino	
Ci sono altre regioni che gli/le piacciono? Perché?		
Di dov'è?		
Che cosa pensa della sua regione?		
In quale regione gli/le piacerebbe vivere?		

16 Una regione

In coppia pensate a una regione italiana che conoscete. Descrivetene la posizione e le caratteristiche più importanti. Gli altri dovranno indovinare di quale regione si tratta.

È una regione molto piccola e montuosa. Si trova al nord (nell'Italia del nord)...

Si trova   a nord   sul mare   Confina con...
         a sud   sulla costa
         a est   all'interno
         a ovest

comunicazione e grammatica

Per comunicare

Scusi, mi darebbe una mano a...?
Certo, non c'è problema, dia a me.
Adesso mi tocca andare a piedi.
Anziché costruire una banca, avrebbero potuto costruire una scuola!
Sì, sarebbe stato meglio.

Per non parlare del/ della...!
È tuo/ Suo/ Vostro? Sì, è mio/ nostro.
Guardi che è vietato!
Senta, non sono in vena di (+ *infinito*).
Senta, non vorrei sembrarLe scortese, ma perché non si fa gli affari Suoi?

Grammatica

Condizionale passato come desiderio non realizzato

Sarebbe stato meglio costruire un parco (ma non l'hanno costruito).
Avrebbero potuto aprire una clinica privata (ma non l'hanno aperta).

Il condizionale passato si forma con il condizionale presente di essere o avere + il participio passato del verbo principale.
Il condizionale passato esprime un desiderio non realizzato o non realizzabile o un'azione che sarebbe dovuta avvenire, ma non è avvenuta.

Per le tabelle del condizionale passato vedi la grammatica a pag. 239

Le particelle pronominali *ci* e *ne*

Guadagnavo anche qualcosa, e **ci** (= con i soldi guadagnati) pagavo gli studi.
Che **ne** (= di qualcosa che ho detto) pensate?
■ Andiamo al cinema?
▼ No, grazie, non **ne** ho voglia.

Ci può sostituire complementi introdotti dalla particella con, come la compagnia o il mezzo.

Ne può indicare un argomento, in espressioni verbali come pensarne, parlarne, dirne, averne voglia, ecc.

Alcuni verbi pronominali

Ci tengo a laurearmi quest'anno!
Per fare questo lavoro **ci vuole** molta esperienza.
La Roma **l'ha spuntata** con un gol all'ultimo minuto.
Finiscila! Sono stanco!

Alcuni verbi, uniti a un pronome invariabile (la, ci, ecc.), cambiano il loro significato. Ad esempio:
tenerci → desiderare; volerci → essere necessario; spuntarla → vincere;
piantarla, finirla → finire di fare qualcosa.

I pronomi possessivi

È **Sua** questa Punto rossa? Sì, è **mia**.
Di chi è quest'ombrello? È **mio**.
Prestami la tua bicicletta. **La mia** (bicicletta) si è rotta.
Il mio corso è molto interessante.
Anche **il tuo** (corso)?
Ma perché non si fa gli affari **Suoi**?
Oh, mamma **mia**!

È mio, è nostro, è vostro, ecc. esprimono un possesso.

Il pronome possessivo sostituisce un sostantivo e, a differenza dell'aggettivo, è sempre preceduto dall'articolo o dalla preposizione articolata.

L'aggettivo possessivo di solito precede il sostantivo a cui si riferisce. In alcuni modi di dire e nelle espressioni esclamative lo segue.

2

VIDEO

1 Prima di guardare il video, abbina le frasi ai fotogrammi. Poi guarda l'episodio e verifica.

a Eh, non va più. 2
b Francesco, non abbiamo fretta, perché vai così veloce? 1
c Pronto, buongiorno. Ho la macchina che… 3

2 Indica se le frasi sono vere o false.

	vero	falso
1 Francesco va troppo veloce.	✓	
2 Francesco si ferma per riposare.		✓
3 Francesco ha portato la macchina dal meccanico prima di partire.		✓
4 Monica e Francesco vorrebbero vivere in campagna.		✓
5 Francesco chiama il soccorso stradale.	✓	
6 Monica riesce a riparare il motore.	✓	
7 Monica non sa guidare.		✓

> **RICORDA**
>
> Monica dice a Francesco: "Chi va piano, va sano e va lontano". È un famoso proverbio italiano che si usa quando invitiamo qualcuno a non andare troppo veloce. Spesso però ci sono proverbi in contrasto tra di loro. Infatti, un altro proverbio dice: "Chi tardi arriva, male alloggia", e lo usiamo quando vogliamo evitare di essere gli ultimi arrivati. Ma allora, dobbiamo sbrigarci o andare piano?

3 Completa le frasi con l'opzione giusta.

1
Ma dai, _____!
Parli come mia madre!

a smettila
b finisci
c ferma

a saresti dovuto
b avresti dovuto
c avevi dovuto

2
Forse _____ portarla dal meccanico prima del viaggio, come ti avevo anche detto!

l'auto in panne

2

4 Completa le frasi con le parole della lista.

casolare	soccorso stradale	cofano	occhiata	limite

1 Sì, ma qui il _____ è di 90 all'ora.

2 Qual è il numero del _____…?

3 Però guarda che meraviglia qui… E quel _____, laggiù…!

4 Do un'_____, posso?

5 Visto? Dai, chiudi il _____!

> **Guarda la videogrammatica dell'episodio**

caffè culturale

Città "emblematiche"

Nell'immaginario collettivo alcune città italiane sono spesso associate a specifiche usanze e tradizioni, caratteristiche storiche, artistiche, ecc. o luoghi ed eventi celebri. Leggi le brevi descrizioni e abbinale alle città della lista.

Napoli	Torino	Firenze	Milano	Roma

La "città eterna" ospita le principali istituzioni dello Stato, fra cui **Montecitorio**, la sede del Parlamento (nella foto).

Il capoluogo lombardo è il centro dell'alta finanza: qui si trova infatti **Piazza Affari** (nella foto), la sede della Borsa dove si scambiano titoli e azioni.

La **pizza Margherita** è nata in Campania. La creò nel 1889 il cuoco Raffaele Esposito per rappresentare la bandiera italiana e onorare la Regina Margherita di Savoia. Ancora oggi si dice che la pizza migliore è quella napoletana.

È la città del Rinascimento. Qui hanno vissuto e lavorato tre geni assoluti dell'arte universale: Leonardo da Vinci, Michelangelo Buonarroti (suo il **David** nella foto) e Raffaello Sanzio.

Nell'ex capitale italiana si trovano alcune importanti aziende italiane, come la Lavazza e la FIAT, principale costruttore automobilistico del Paese (nella foto: l'ex sede della Fiat, il **Lingotto**, oggi centro polifunzionale).

Quali sono le città "emblematiche" nel tuo Paese? A quale luogo, caratteristica, evento o personalità sono associate?

Bilancio

Dopo queste lezioni, che cosa so fare?

Raccontare del mio percorso
di apprendimento dell'italiano ☐ ☐ ☐

Raccontare e parlare delle differenze culturali ☐ ☐ ☐

Discutere di determinati fenomeni linguistici
nella mia lingua e in italiano ☐ ☐ ☐

Chiedere qualcosa in prestito ☐ ☐ ☐

Descrivere una città o una regione
e le sue problematiche ☐ ☐ ☐

Discutere dell'utilità/inutilità di alcuni
divieti nei luoghi pubblici ☐ ☐ ☐

Descrivere fisicamente una regione ☐ ☐ ☐

Esprimere accordo e disaccordo ☐ ☐ ☐

Cose nuove che ho imparato

Parole o espressioni che conoscevo, ma non riuscivo
a usare nel contesto appropriato:

Parole straniere che non sapevo si usassero
in italiano:

Un suggerimento utile per rendere più efficace
l'apprendimento dell'italiano:

progetto

Italia.it

1. Vai sul sito www.italia.it e scegli un luogo che non conosci.
   Studialo e approfondisci anche su wikipedia, altri siti, ecc.
   Trova delle immagini da stampare e portare in classe.

2. Fai una lista con le 3 cose da fare assolutamente in questo posto
   e con le 3 cose da NON fare assolutamente in questo posto.

3. In classe, lavora con un gruppo di 5, 6 studenti.
   Fotocopiate una mappa d'Italia (potete scaricarla da Internet)
   in formato A3, possibilmente a colori.

4. Descrivi ai compagni il posto che hai scelto e ascolta le descrizioni
   dei tuoi compagni.

5. Fate in gruppo un itinerario con immagini e consigli per ognuno
   dei luoghi. Poi appendete la mappa in classe.

...fai il test 1 a pag. 160

Made in italy

comunicazione

A cosa serve?

Ha una forma molto particolare.

Può darsi che torni in Italia.

Purché non lo prendiate troppo sul serio.

Ma come sarebbe a dire?

grammatica

Il congiuntivo passato

Ripasso del congiuntivo

La concordanza dei tempi e dei modi (I)

A patto che, purché, a condizione che + congiuntivo

Il suffisso *-accio*

Gli avverbi in *-mente*

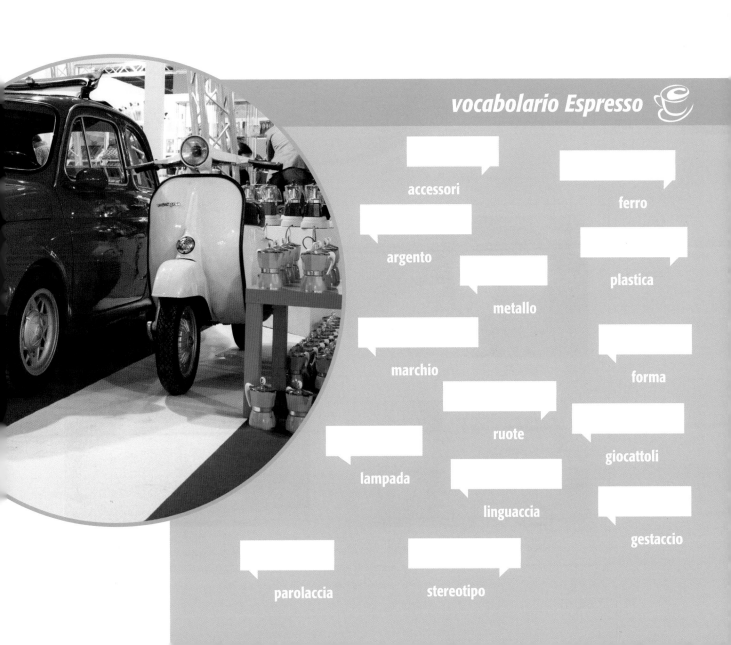

vocabolario Espresso

accessori

ferro

argento

plastica

metallo

marchio

forma

ruote

giocattoli

lampada

linguaccia

gestaccio

parolaccia

stereotipo

1 La pizza del Made in Italy

A coppie o a piccoli gruppi, pensate a qualche marchio del Made in Italy e inseritelo in corrispondenza di una delle fette della "pizza" qui sotto.
Poi, insieme agli altri gruppi, scambiatevi opinioni e arricchite la vostra pizza!

scooter (*Vespa*)

crema al cioccolato (_____)

borse (_____)

tram (_____)

2 I marchi italiani nel mondo

Completa i testi con i nomi dei prodotti rappresentati in ogni fotografia. Poi scrivi, sotto alle foto, i marchi corrispondenti ad ogni prodotto, come nell'esempio.

a La _____ dal design inconfondibile è naturalmente italiana: ideata e prodotta da **Bialetti**, è presente nel 90% delle case degli italiani, che la usano in media due volte al giorno.

b La **Vespa** è ancora il simbolo dell'Italia "a due ruote": lo _____ più famoso del mondo, anche grazie a film come "Vacanze romane" o "Caro Diario".

c È uno dei nomi più prestigiosi e conosciuti nel mondo quando si parla di accessori: cinture, scarpe, borse di pelle. Le _____ di **Gucci** sono sinonimo di eleganza e qualità.

d Per i golosi di tutto il mondo il suo nome è sinonimo di bontà: la **Nutella** è la _____ più famosa del mondo ed è un altro dei prodotti Made in Italy.

e **Pininfarina** è un nome conosciuto per il design di auto come la Ferrari o la Maserati, ma anche per un modello di _____ che circola in molte città europee, dal Portogallo alla Grecia.

f Forse i _____ non hanno un nome, ma hanno un cognome, il suo: **Bulgari** in tutto il mondo significa ricchezza, oro e gioielli dal fascino irresistibile.

g "Dove c'è un bambino", dice la pubblicità di questo marchio, e senza dubbio i bambini di moltissimi paesi del mondo usano i _____ della **Chicco**.

h Veste attori, cantanti, politici, sportivi e manager. Lo stile di **Armani** è inconfondibile ed è uno dei simboli del Made in Italy nel campo dell' _____.

3

Quale degli oggetti o marchi, rappresentati nelle immagini di queste due pagine, conoscevi già? C'è un oggetto o marchio presente nella tua casa? E nella tua città?

abbigliamento di alta moda
(_____)

giocattoli (_____)

gioielli
(_____)

caffettiera
(_____)

made in italy

Adesso con un compagno completa le frasi riguardanti i vari prodotti con le parole della lista, come nell'esempio.

ferro	argento	~~ruote~~	elegante	plastica	cioccolato

Prodotto (Marchio)	Materiale	A cosa serve/servono?	Altre caratteristiche
1 Scooter (Vespa)	È fatto soprattutto di _____.	A spostarsi, da soli o con un passeggero.	Ha due _ruote_ .
2 _____ (_____)	È di metallo.	A preparare il caffè.	Ha una forma molto particolare.
3 _____ (_____)	Sono d'oro o d'_____,	A niente, sono solo belli da indossare.	Hanno varie forme.
4 _____ (_____)	È fatto con tessuti pregiati.	A vestirsi alla moda.	È molto _____.
5 _____ (_____)	È di ferro.	A spostarsi in città.	Si muove su binari.
6 _____ (_____)	Sono di pelle.	A portare oggetti personali.	Sono uno *status symbol*.
7 _____ (_____)	È fatta con le nocciole e il _____.	A rendere più dolce la nostra vita!	Si mangia soprattutto sul pane.
8 _____ (_____)	Sono di materiale vario, ma soprattutto di _____.	A far giocare i bambini.	Sono molto colorati.

3

3 Come si chiama?

Osserva i disegni e ripeti il nome degli oggetti con la classe.
Se non ne conosci uno, chiedilo all'insegnante.

E 1·2

Si gioca in coppia, contro un'altra coppia. La coppia A sceglie uno dei disegni qui sopra e lo mostra ad uno dei membri della coppia B, che deve descriverlo senza nominarlo ma indicandone solo forma, materiale, uso, ecc. L'altro membro della coppia ha trenta secondi per indovinare di quale oggetto si tratta e può sbagliare solo una volta. Se indovina, la coppia B può scrivere il nome nella tabella qui sotto. Poi il turno passa alla coppia B, e così via. Vince la prima coppia che indovina il nome di sei oggetti.

È una cosa lunga / corta /..., quadrata / rettangolare /..., di legno / di ferro /..., serve per/a...

4 Una buona occasione

8

Ascolta il dialogo e indica se le frasi che seguono sono vere o false.

		vero	falso
a	Alberto ha accettato un lavoro in Asia.	☐	☐
b	Alberto avrà un buono stipendio.	☐	☐
c	Alberto ci ha pensato molto prima di accettare.	☐	☐
d	Alberto dopo un primo periodo in Asia tornerà sicuramente in Italia.	☐	☐
e	Anche l'uomo che parla lavora all'estero.	☐	☐

- ■ … E quindi Alberto ha trovato lavoro! Beh, sono contento per lui. Però mi dicevi che deve andare all'estero, vero?
- ▼ Sì, l'azienda è italiana, ma il posto di lavoro no, è in Asia. Infatti credo che abbia fatto il colloquio di lavoro a Hong Kong…
- ■ Ma se è un'azienda italiana…! Che deve andare a fare, in Asia?
- ▼ Mah, penso che l'abbiano assunto come responsabile… un manager, insomma. E i manager sicuramente devono essere italiani.
- ■ Insomma, made in Italy a metà… E lui è contento? Non credo sia facile accettare di andare a vivere così lontano…
- ▼ Sì, Ludovica - sua sorella, la conosci - mi ha detto che prima di decidere ci ha pensato un po'. Alla fine però non poteva rifiutare: è proprio nel suo campo, lo pagano bene… e poi considera che non ha moglie o figli… senza una famiglia è molto più facile partire così, su due piedi.
- ■ Beh certo, di questi tempi sono offerte che non si possono rifiutare…
- ▼ Tra l'altro in questo momento non stava lavorando, quindi…
- ■ Ma sì, l'importante è che sia soddisfatto.
- ▼ Sì, credo di sì… e poi sai, può darsi che tra qualche anno torni di nuovo in Italia. Quei lavori sono così: oggi sei in Asia, domani magari in Brasile, o in Europa.
- ■ Beh, se è così ha fatto bene. Anche io magari, chissà, un giorno potrei andare a lavorare all'estero…
- ▼ Ma come, tu lavori da tanti anni, non sei in una situazione come la sua…! E poi il tuo lavoro va bene, no?
- ■ Sì certo… ma non lo so… spesso ho paura che le cose possano peggiorare e…
- ▼ Ma dai, che discorsi! Guarda, quando dici certe cose mi fai proprio arrabbiare! E poi…

5 Il congiuntivo presente e passato

Rileggi il dialogo e completa la tabella: scrivi nella colonna di destra i verbi al congiuntivo dipendenti dai verbi o dalle espressioni della colonna di sinistra, come nell'esempio.

credo che	abbia fatto	Pa
penso che		Pa
Non credo (che)		Pr
l'importante è che		Pr
può darsi che		Pr
ho paura che		Pr

Nella tabella precedente, quattro verbi sono al congiuntivo presente (Pr) e due al congiuntivo passato (Pa).
Hai capito come si forma il congiuntivo passato? Completa la regola con le parole date.

participio	congiuntivo

_____ presente del verbo *essere/avere* + _____ passato

Ricordi con quali verbi si deve usare il congiuntivo? Inserisci al posto giusto nella tabella seguente i verbi o le espressioni della prima colonna della tabella precedente, come nell'esempio.

verbi che introducono un'opinione o una supposizione	*credo*
verbi che esprimono un'emozione o uno stato d'animo	
verbi o espressioni impersonali	

6 Può darsi che...

Completa le frasi formulando due ipotesi diverse, secondo il modello.
Verifica poi in plenum.

E 3·4
5·6·7

La tua collega stranamente non è venuta in ufficio e non ha neanche telefonato per avvertire.

Può darsi che sia malata./Ho paura che le sia successo qualcosa.

Ho paura che le cose possano peggiorare.
Può darsi che tra qualche anno lui torni di nuovo in Italia.

1 Insieme a un amico aspetti che ne arrivino altri due. Il tuo amico si preoccupa, tu dici:
Può darsi che _____. / Ho paura che _____.

2 È da un po' di tempo che non vedi i tuoi vicini di casa. Le finestre sono chiuse da un po', tu pensi:
Può darsi che _____. / Ho paura che _____.

3 La tua macchina improvvisamente non parte, pensi:
Può darsi che _____. / Ho paura che _____.

4 Come ogni martedì, alle 18 sei in aula per la lezione di italiano, ma non trovi nessuno, nemmeno l'insegnante. Pensi:
Può darsi che _____. / Ho paura che _____.

7 Penso che sia andato al cinema

Lavora in un gruppo di tre studenti: **A**, **B** *e* **C**.
A *e* **B** *dicono, uno per volta, dieci azioni che pensano* **C** *abbia fatto il giorno prima. Ogni volta devono cambiare il verbo o l'espressione della frase principale, come negli esempi, e* **C** *conferma se hanno indovinato o meno. Poi ci si scambiano i ruoli.*

> **A**: Penso che sia andato al cinema. / **B**: Ho paura che non abbia cenato.

8 Venticinque buoni motivi per essere italiani

Indica due motivi che secondo te sono nell'elenco. Poi leggi il testo e verifica.

_____   _____

di Beppe Severgnini

Ecco perché, nonostante tutto,
siamo felici di essere italiani.

1. Perché siamo intelligenti, quando non diventiamo troppo furbi.
2. Perché non è facile prevedere la nostra prossima mossa (se mai ci sarà).
3. Perché siamo geniali. A condizione che sia una cosa geniale trasformare una crisi in una festa.
4. Perché siamo gentili e capaci di bei gesti (anche di gestacci, purtroppo).
5. Perché, talvolta, preferiamo l'estetica all'etica. È sbagliato, ma resta comunque uno spettacolo.
6. Perché non solo una grande città, ma anche il paesetto più sperduto è ricco di storia e di arte.
7. Perché negli aeroporti all'alba sembriamo una nazione ordinata.
8. Perché negli alberghi capiscono subito chi sei, e se lo ricordano.
9. Perché nei ristoranti lavorano uomini e donne, non robot.
10. Perché abbiamo il mare, le montagne, le colline, la pianura, città poetiche, isole profumate, fiumi vivaci e grandi laghi.
11. Perché gli italiani hanno saputo dipingere, scolpire, raccontare, cantare, recitare, arredare e vestire la vita.
12. Perché abbiamo scoperto l'America per caso.
13. Perché l'antica Roma era potente e la nuova Roma può essere divertente. Purché non la prendiate troppo sul serio.
14. Perché le famiglie sono alberghi e ristoranti, banche e assicurazioni, asili e ospizi.
15. Perché a tavola mettiamo pane, amore e fantasia.
16. Perché abbiamo "cappuccinizzato" il pianeta, e in Italia un caffè non si nega a nessuno.
17. Perché abbiamo inventato la pizza, la Vespa, la Fiat 500, l'Olivetti Lettera 22 e la giacca da donna.
18. Perché molti ci criticano, ma tutti ci copiano.
19. Perché sappiamo pensare con le mani.
20. Perché in ogni laboratorio del mondo ci sono un computer, una pianta verde e un italiano.
21. Perché possiamo criticarci tra noi, ma non devono farlo gli altri.
22. Perché ci piacciono le eccezioni, ma ogni tanto ricordiamo anche le regole.
23. Perché siamo quello che gli altri vorrebbero essere, almeno qualche volta.
24. Perché sorridiamo, nonostante tutto.
25. Perché alle feste balliamo anche senza essere ubriachi.

da Il Corriere della sera

> **A condizione** che sia una cosa geniale…
> **Purché** non la **prendiate** troppo sul serio.

3

*Scegli i quattro motivi che indicano meglio il carattere degli italiani,
poi confrontati con un compagno.*

Lavora con tutta la classe. Quali sono i tre motivi che sono stati più scelti?

9 Tre buoni motivi per essere _____

*Scrivi la tua nazionalità nel titolo di questa attività. Poi scrivi una lista di 3 motivi
relativa al tuo Paese. Poi confronta i tuoi motivi con il resto della classe.*

_____

_____

_____

*Confrontati con gli studenti del tuo Paese e elabora un'unica lista di 3 motivi. Se non ci sono
studenti del tuo Paese confronta la tua lista con studenti di altri Paesi.
Poi, con il resto della classe, elabora un cartello con i buoni motivi di tutte le nazionalità presenti,
oltre ai tre motivi per essere italiani che avete scelto al punto 8.*

3

10 Che cos'è un gestaccio?

*Una frase dell'articolo di Severgnini parla di "gestacci". "Gestacci" è la forma alterata della parola
"gesto", e ha un valore negativo: significa "brutto gesto".
Come si forma questo tipo di alterato? Ricordi gli altri alterati?*

> Siamo gentili e capaci di bei gesti (anche di **gestacci**, purtroppo).

gest**accio** = un brutto gesto   ragazz**accio** = un ragazzo cattivo
libr**accio** = un libro brutto, vecchio   fatt**accio** = un fatto brutto, un incidente

11 Modi di dire... in *–accio*

Leggi le espressioni e abbinale al loro significato.

E 8

1 Fare una figuraccia.   **a** Mostrare la lingua in modo offensivo.
2 Fare la linguaccia.   **b** Fare una cosa difficile con un risultato positivo.
3 Passare una nottataccia.   **c** Dare un'impressione negativa o sbagliata.
4 Dire una parolaccia.   **d** Usare una parola volgare.
5 Fare un colpaccio.   **e** Dormire poco e male durante la notte.

12 Gli italiani, visti da fuori

Guarda le fotografie: che immagine offrono dell'Italia e degli italiani?
Nel tuo Paese come vedono gli italiani? Parlane in piccoli gruppi e confronta poi in plenum.

Le immagini raffigurano alcuni stereotipi sugli italiani.
Scegline una e spiega ad un compagno se ti sembra efficace per rappresentare l'Italia.
Ci sono stereotipi sugli abitanti del tuo Paese?

13 Un reclamo

9

Ascolta la telefonata e completa le affermazioni.

1 Il signor Alinari parla con
  a la direttrice.
  b la proprietaria del negozio.
  c l'addetta alle spedizioni. ✓

2 Il signor Alinari fa un reclamo perché
  a la lampada che ha ordinato è arrivata rotta.
  b ha ordinato una lampada, ma dopo molto tempo non è ancora arrivata.
  c la lampada che ha ricevuto non è quella che ha comprato. ✓

3 Secondo il signor Alinari, la lampada che ha ricevuto è
  a più costosa di quella che ha ordinato.
  b più brutta di quella che ha comprato lui. ✓
  c più piccola di quella che aveva scelto.

4 L'impiegata di *Compraonline* dice che
  a in estate non si deve acquistare niente.
  b in agosto possono capitare dei ritardi. ✓
  c settembre è un mese poco adatto agli acquisti.

5 L'impiegata di *Compraonline* chiede al signor Alinari
  a il numero di telefono.
  b il numero d'ordine. ✓
  c il numero della carta di credito.

6 Secondo l'impiegata il problema è che
  a il signor Alinari ha sbagliato a fare l'ordine.
  b al reparto spedizioni hanno confuso l'indirizzo. ✓
  c un vicino del signor Alinari ha comprato la stessa lampada.

'ALMA.tv ▶

-ino/-etto
-one
-accio

La lingua italiana è piena di nomi alterati, usati spesso in maniera più "emotiva" che grammaticale.
Vai su *www.alma.tv*, cerca "L'italiano alterato" nella rubrica Grammatica caffè e guarda il video del professor Tartaglione che, prima del suo "caffettino", spiega come usarli.

L'italiano alterato   CERCA

E 9·10

3

Eh, sì, **effettivamente** è strano!
Insomma, **probabilmente** hanno confuso il numero 3 con il 3a.
A spese nostre, **naturalmente**.

E 11·12
13

E adesso riascolta il dialogo e metti una X sulle espressioni usate per protestare, scusarsi o giustificarsi.

protestare / reclamare

☐ Senta, io avrei un problema.
☐ L'errore però è vostro.
☐ Voglio parlare con un responsabile!

☐ Per fortuna che...
☐ Le pare il modo di lavorare questo?
☐ Ma come sarebbe a dire?
☐ Questa è buona!
☐ Giuro che è l'ultima volta che...
☐ Ho capito, ma...

scusarsi / giustificarsi

☐ Lei ha ragione.
☐ Mi dispiace tanto.
☐ È la prima volta che succede una cosa del genere.
☐ Sono spiacente, ma...
☐ Eh, sì, ma sa...
☐ Sì capisco...
☐ Ci scusi tanto.
☐ Non so cosa sia successo.
☐ Le assicuro che...

√14 Una telefonata

In coppia dividetevi i ruoli (cliente e impiegato) e improvvisate una telefonata basandovi sulle seguenti situazioni.

1 Situazione

A Un tuo amico, che vive in un'altra città, si sposa e per i regali ha indicato un negozio di accessori per la casa. Telefoni al negozio e chiedi quali sono i regali possibili, come sono fatti e quanto costano.

B Hai un negozio di accessori per la casa. Ti chiama un cliente per la lista di nozze di un suo amico: gli descrivi i regali possibili (lampade, bicchieri artistici, caffettiere di design, eccetera) e gli dici il prezzo di ogni articolo.

2 Situazione

A Il colore del prodotto che hai ordinato via Internet non ti piace per niente.

B Un cliente reclama perché il colore del prodotto che ha ordinato non gli piace per niente. Spiegagli che non è colpa tua e che la merce non si può cambiare.

3 Situazione

A La merce ordinata ti arriva in un pacco rotto, per cui il prodotto risulta rovinato.

B Un cliente ti chiama perché il prodotto che ha ordinato è arrivato in un pacco rotto e risulta danneggiato. Spiegagli che incidenti simili possono succedere, scusati e fai in modo che resti tuo cliente.

comunicazione e grammatica

È rotondo, pesante, di legno...
Non mi serve! Serve per / a pulire / aprire...

Sono contento per lui.
Che deve andare a fare?
Se è così ha fatto bene!
Quando dici certe cose mi fai proprio arrabbiare!
Ho paura che le cose possano peggiorare.

Può darsi che tra qualche anno torni in Italia.

L'errore però è vostro!
Le pare il modo di lavorare, questo?
Ma come sarebbe a dire?
Questa è buona!
Devo dire che è la prima volta che mi capita di...
Ho capito, ma...

Grammatica

Il congiuntivo passato

Credo che **sia partito**.
Penso che l'**abbiano assunto** come responsabile.

Il congiuntivo passato si forma con il congiuntivo presente di **essere** *o* **avere** + *il participio passato del verbo principale.*

Per le tabelle del congiuntivo passato vedi la grammatica a pag. 237

Ripasso del congiuntivo

Credo che Roberto **sia andato** in Cina.
Ho l'impressione che tu **sia** un po' stanco.
Ho paura che questo documento **sia** sbagliato.
L'importante è che tu **sia** soddisfatto.

Il congiuntivo si usa in dipendenza da:
- verbi che introducono un'opinione o una supposizione;
- verbi che esprimono un'emozione o un sentimento;
- verbi o espressioni impersonali.

La concordanza dei tempi e dei modi (I)

<u>Ho</u> paura che le cose **possano** peggiorare.
(= in questi giorni o nel prossimo futuro)
<u>Può</u> darsi che **sia** già **partito**.
(= prima, nel passato)

Dopo una frase principale con un verbo all'<u>indicativo presente</u>,
si usa il **congiuntivo presente** *per esprimere un'azione*
contemporanea (o immediatamente futura) rispetto al tempo
della frase principale, il **congiuntivo passato** *per esprimere*
un'azione anteriore a quella della frase principale.

A patto che, purché, a condizione che + congiuntivo

È molto bello,
- a patto che
- purché
- a condizione che
- ti
- **piacciano**
- i gialli.

Alcune espressioni (grammaticalmente sono congiunzioni)
richiedono l'uso del congiuntivo perché hanno un valore
condizionale: **a patto che**, **purché**, **a condizione che**, *ecc.*

Il suffisso -accio

Luigi mi ha fatto un gest**accio**!
Ho passato una nottat**accia**.
Non dire le parol**acce**!

Il suffisso **-accio** *altera il significato di un nome e aggiunge un*
valore negativo, di **brutto**, **volgare** *o* **difficile**.

Gli avverbi in -mente

Effettivamente è strano!
(effettiva → effettivamente)
Probabilmente hai confuso il numero
(probabile → probabilmente)

Il suffisso **-mente** *trasforma la forma femminile di un aggettivo*
in un avverbio.

VIDEO

1 Prima della visione, osserva l'immagine e indica una delle opzioni.
Poi guarda il video e verifica.

L'oggetto misterioso di cui si parla nell'episodio è quello della foto. Secondo te:

a è un'opera d'arte contemporanea.
b serve per mettere i bicchieri.
c serve per mettere la frutta.
d serve per mettere le candele.
e serve per mettere i cappelli.

2 Completa le frasi con l'opzione corretta.

1 L'oggetto sul tavolo
a è un regalo dei genitori per Valeria.
b è un regalo di Valeria per Paolo.
c viene dalla casa dei genitori di Valeria.

2 Secondo Paolo, l'oggetto
a è inutile.
b deve servire a qualcosa.
c serve per mettere le candele.

3 Valeria pensa
a che l'oggetto sia semplicemente carino.
b che sia un oggetto utile per molte cose.
c che sia stato un errore portarlo a casa.

4 La mamma di Valeria telefona
a per sapere come sta.
b per dirle a cosa serve veramente l'oggetto.
c perché non trova l'oggetto a casa sua.

3 Leggi le frasi nei balloon e scegli l'opzione giusta.

1
Credo che l'ha regalato/abbia regalato zio Fulvio a mia madre...

2
Beh certo, purché una cosa sia/è gratis, non ti importa se poi ti serve/serva veramente o no...

3
Magari è/sia una di quelle cose d'arte contemporanea, no?

4
Sì, ma può darsi che invece è/sia qualcosa di utile... La forma sia/è strana, e poi non so... Secondo me serva/serve per metterci degli oggetti dentro...

5
No guarda, non penso proprio che sia stato/sia per i bicchieri.

l'oggetto misterioso

3

4 Osserva il fotogramma, leggi il testo nel balloon e indica l'opzione giusta.

Ok, te lo riporto.
Dai, quante storie per un portafrutta!

Con l'espressione evidenziata Valeria vuole dire che:

a la madre racconta una storia poco interessante.
b la madre dà troppa importanza all'oggetto.

5 Leggi le frasi che dice Valeria e immagina cosa può aver detto sua madre.

▼ Pronto! Ah, ciao mamma!
◆ _____

▼ Sì, tutto bene, tu?
◆ _____

▼ Cosa?
◆ _____

▼ Il portafrutta? Quale…
◆ _____

▼ Sì… Sì, l'ho preso io…
◆ _____

▼ L'ho visto da voi in soggiorno, mi piaceva e…
◆ _____

▼ Sì, hai ragione, scusami.
◆ _____

▼ Ok, te lo riporto.
◆ _____

▼ Dai, quante storie per un… un portafrutta.
◆ _____

▼ Va bene, va bene, ciao.

RICORDA

Valeria dice che il portafrutta vale "parecchio": si tratta di un avverbio che significa "molto", "tanto" e può essere usato anche come aggettivo (per esempio: "Vale parecchi soldi").

6 Sostituisci le espressioni evidenziate nelle frasi con gli elementi della lista. Attenzione, ci sono due espressioni di troppo!

| ho capito | magari | interessa | sono sicuro |
| mi piace | un punto nascosto | a tutti i costi |

1 Bello, no? Era lì, in **un angoletto** del soggiorno dei miei genitori.
2 Beh certo, purché una cosa sia gratis, non ti **importa** se poi ti serve veramente o no…
3 Aspetta aspetta, **ho trovato**!
4 Non lo so… non **mi convince**…
5 Un articolo di design, vale anche parecchio; mamma lo vuole **assolutamente**.

 Guarda la videogrammatica dell'episodio

Stile italiano

*La moda italiana è famosa in tutto il mondo. Leggi le descrizioni dello stile di alcuni creatori
e associale alle immagini corrispondenti, come nell'esempio.*

Valentino

È diventato celebre per il cosiddetto "rosso Valentino", una tonalità molto accesa.

Roberto Cavalli

La sua è una donna aggressiva, spregiudicata, glamour.

Dolce e Gabbana

I due stilisti propongono un universo sensuale tipicamente mediterraneo.

Miuccia Prada

Il suo successo è dovuto ad accessori ricercati e a una sapiente unione di contrasti: retrò e innovazione, chic e minimalismo.

Salvatore Ferragamo

Il marchio fiorentino si contraddistingue per uno stile senza tempo e forti contrasti cromatici.

Moschino

Uno dei marchi italiani più ironici, stravaganti e dissacranti.

1

2

3

4

5

6 Miuccia Prada

Parole, parole, parole... **4**

comunicazione

Il suo telefono non prende.

Perché non apri un profilo in un social?

Sono al verde.

Non credevo che fossi così bravo.

Per me è come se parlassi arabo…

Non me la sono presa per davvero.

grammatica

Il congiuntivo imperfetto

Come se + congiuntivo

Il discorso indiretto

I verbi *andare* e *venire* nel discorso indiretto

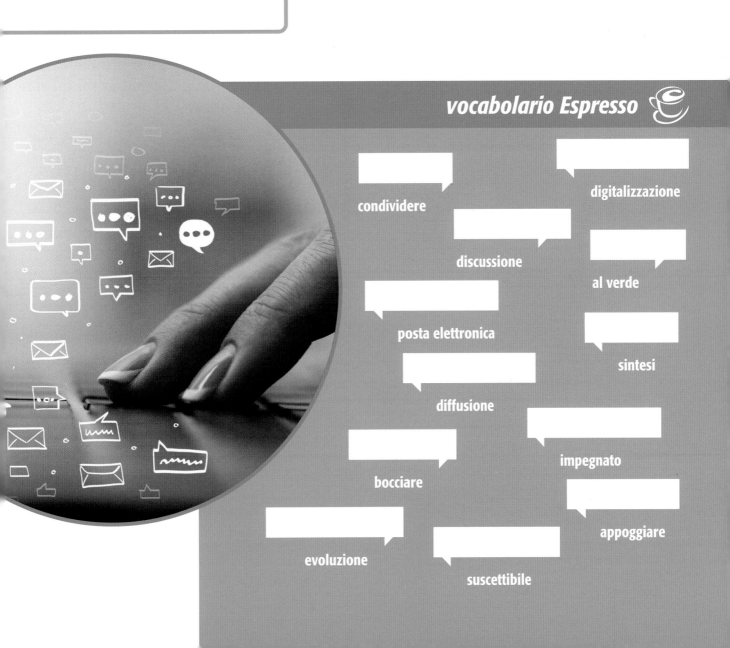

vocabolario Espresso

condividere

digitalizzazione

discussione

al verde

posta elettronica

sintesi

diffusione

impegnato

bocciare

appoggiare

evoluzione

suscettibile

1 Comunicare

Guarda queste fotografie. A cosa ti fanno pensare? Parlane con un compagno.

Quali dei seguenti mezzi di comunicazione usi?
Con quale frequenza? Confrontati con un compagno.

	sempre	quasi sempre	spesso	qualche volta	raramente	quasi mai	mai
telefono fisso							
telefono cellulare							
SMS							
WhatsApp							
mail							
Facebook							
lettera							
altro:							

2 Media e testi

Abbina i testi ai media corrispondenti, come nell'esempio.

1 ☐ telefono   **2** ☐ mail   **3** ☐ **B** SMS   **4** ☐ Facebook   **5** ☐ lettera

a ● Andrea, ma dove sei?
 ■ Sono arrivato, sto parcheggiando, arrivo tra cinque minuti.
 ● Ok, ti aspetto.

b Scusa, ho visto solo ora il tuo mess. Non posso venire in pizzeria domani perché sono al verde! Magari ci sentiamo la prox settimana.

c Ciao, scusami se ti rispondo solo adesso, ma negli ultimi giorni non ho avuto tempo di controllare la posta. Per sabato comunque siamo d'accordo, ti chiamo quando stiamo per arrivare. Ti abbraccio. Marina

d Gentile signora Torcello, è con piacere che Le inviamo il programma dei corsi di francese presso il nostro Istituto, come da Lei richiesto.

e Finalmente oggi cominciano le vacanze! Sono sul traghetto per la Sardegna e tra qualche ora sarò al mare, sulla mia isola preferita. Ecco, volevo solo condividere con voi questa gioia! Appena arrivo, posto qualche foto! Aspetto i vostri like!!!

Confronta i tuoi abbinamenti con quelli di un compagno. Che cosa caratterizza, secondo voi, i diversi tipi di comunicazione? Parlatene insieme.

── 'ALMA.tv ▶ ──

Sai cosa significa l'espressione "Sono al verde"?
Sai quando si usa?
Vai su *www.alma.tv*, cerca "Sono al verde" nella rubrica
Vai a quel paese e guarda la divertente spiegazione
di Federico Idiomatico.

| *Sono al verde* | CERCA |

4

3 L'italiano s'impara con Facebook

Questa è una "nuvola" (tag-cloud) dell'articolo che leggerai. Le parole più frequenti sono più grandi. Prova a discutere con uno o più compagni sui possibili contenuti del testo.

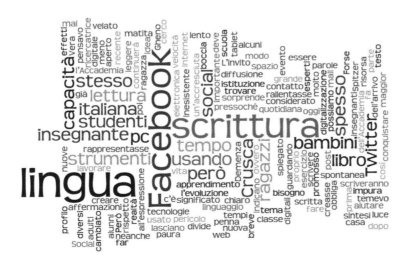

Ora leggi l'articolo. Quanto siete andati vicino al contenuto? Continua a lavorare con gli studenti di prima e indicate una percentuale da 0% a 100%.

L'italiano s'impara con Facebook
di Alex Corlazzoli

1 L'italiano ai tempi di Facebook è promosso. Anche l'*Accademia della Crusca* infatti ritiene che il linguaggio scritto, usato sul pc, sia una nuova risorsa da esplorare.

2 Forse fino ad oggi alcuni insegnanti avevano paura che la lingua del web fosse troppo "impura" per proporla in classe, ma dopo le affermazioni della più importante istituzione italiana sulla lingua, anche quello dei *Social Network* deve essere considerato "italiano" a tutti gli effetti.
Si invita quindi a lavorare con gli studenti utilizzando proprio *Twitter* o *Facebook*, ovvero gli strumenti che loro usano nella vita quotidiana.

3 Il tema divide gli esperti. Un recente libro di Manfred Spitzer, *Demenza digitale*, boccia le nuove tecnologie a scuola.

4 Ora: io sono un insegnante, e la maggior parte dei miei alunni non ha a casa un libro ma ha un profilo *Facebook*. I miei ragazzi non scriveranno mai lettere usando la penna ma invieranno mail e *post* per trovare lavoro, per conquistare una ragazza, per creare un evento. Io stesso tempo fa pensavo che questo rappresentasse un pericolo, per loro e per l'evoluzione della lingua italiana, temevo che la velocità dei *Social Network* creasse una lingua povera e nello stesso tempo rallentasse la capacità di apprendimento dei ragazzi. Ma poi, guardando in faccia la realtà, ho cambiato idea.

5 Però… c'è un però: da insegnante cerco anche di far capire ai miei studenti che l'esercizio della scrittura e della lettura *non social*, molto più lento, riflessivo e impegnativo, li continuerà ad aiutare a fermarsi sul significato delle parole. La verità è che abbiamo ancora bisogno della matita ma non possiamo fare a meno dei *tablet*.
Anche per scrivere e leggere!

da ilfattoquotidiano.it

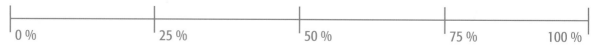

| 0 % | 25 % | 50 % | 75 % | 100 % |

Rimetti al posto giusto queste due citazioni. Vanno alla fine di due paragrafi. Quali?

a "*Internet* ha aperto diversi spazi di scrittura rispetto a quelli già conosciuti, che si usavano prima dell'arrivo del pc. *Twitter* obbliga a un testo breve, che sia però chiaro e diretto: un esercizio alla sintesi estrema, pressoché inesistente nelle scuole. Mentre *Facebook* o la posta elettronica lasciano più spazio all'espressione, spesso spontanea".

b "Alla luce della grande diffusione degli strumenti di scrittura digitali, non sorprende che sempre più spesso i bambini abbiano il loro primo contatto con la lingua scritta in questo modo (…). I risultati dei primi studi su questo argomento indicano che un'accresciuta digitalizzazione della scrittura ha conseguenze negative sulla capacità di lettura di bambini e adulti".

4 In un tweet

Scrivi un tweet (140 caratteri, spazi compresi) che riassuma l'articolo del punto 3.

5 E tu?

Qual è il tuo rapporto con Internet?
Cancella le parole che non riflettono le tue abitudini. Poi confrontati con un compagno.

Twitter	App	Facebook	Wikipedia	Blog	Download	Mail
Linkedin	Google	WhatsApp	I-Tunes	Youtube	TV streaming	Forum

6 Il congiuntivo imperfetto

*Il verbo evidenziato nella frase del riquadro qui sotto è un **congiuntivo imperfetto**. Trova nel paragrafo 4 del testo del punto 3 altri tre verbi in questo tempo e scrivili nella tabella qui sotto.*

Alcuni insegnanti avevano paura che la lingua del web **fosse** troppo "impura".

E 2

congiuntivo imperfetto	infinito

Ora completa la coniugazione del congiuntivo imperfetto.

parlare	prendere	venire	essere	fare
parlassi	prendessi	venissi	fossi	facessi
parlassi	prendessi	venissi	fossi	facessi
____	____	____	____	____
parlassimo	prendessimo	venissimo	fossimo	facessimo
parlaste	prendeste	veniste	foste	faceste
parlassero	prendessero	venissero	fossero	facessero

parole, parole, parole…

7 **Non pensavo che…**

Osserva e completa le frasi con la forma adeguata del congiuntivo imperfetto dei verbi tra parentesi.

a

Finalmente! Temevo che non (*arrivare*) _____ più.

b

Ah, non sapevo che ti (*piacere*) _____ i libri gialli.

c

Però! Non sapevo che (*parlare*) _____ il giapponese.

d

Scusami! Non immaginavo che (*dormire*) _____ già.

e

Buonissimo! Non pensavo che (*sapere*) _____ cucinare così bene.

f

Ah, meno male! Avevo paura che non (*chiamare*) _____ più.

E 3
4·5

8 **Che significa?!**

10

Ascolta il dialogo e rispondi alle domande sull'espressione dialettale usata.
Poi confrontati con un compagno.

Qual è l'espressione?	Di quale zona è l'espressione?	Cosa significa l'espressione?

Ora leggi e verifica.

▼ Certo, Giulio, che ti sei proprio arrabbiato in quella discussione su Facebook.
■ Quale?
▼ Dai, quella dove Francesco appoggiava la riforma della scuola.
■ Ah, sì, sì, ma non me la sono presa davvero. È che Francesco a volte è troppo suscettibile, non si può fare una critica che subito la mette sul personale.
▼ Sì, ma tu gli hai imbruttito però.

■ Cosa ho fatto io?

▼ Gli hai imbruttito, dai, non puoi dire di no.

■ Sì ho sentito la parola, ma che significa?

▼ Che sei stato aggressivo… che hai esagerato… ma davvero non sai cosa significa?

■ Guarda che quando usi questi modi di dire romani… per me è come se parlassi arabo.

▼ Mah… non credo che sia romano.

■ Certo che è romano! Di certo comunque non è toscano!

▼ Boh.

■ E comunque… non sono stato per niente aggressivo.

▼ Se lo dici tu…

9 Come se...

*Collega le frasi e coniuga al **congiuntivo imperfetto** i verbi indicati tra parentesi.*

stare
stessi
stessi
stesse
stessimo
steste
stessero

> Per me è **come se parlassi** arabo.

1 Non parla con nessuno! Si comporta come se

2 Mi spiega sempre le cose mille volte, come se

3 Ma insomma, vi comportate come se

4 Accomodati, fa' come se

5 Mia madre cucina ancora come se

6 Quei due si comportano come se

7 Non lo so, mi ha guardato come se

a (*essere*) _____ a casa tua!

b (*volere*) _____ dirmi qualcosa di importante.

c (*stare*) _____ insieme! Si abbracciano, si tengono per mano…

d (*essere*) _____ arrabbiato con tutti!

e (*avere*) _____ 10 anni!

f (noi - *essere*) _____ in 8!

g non (io - *capire*) _____ niente!

E 6

10 Driiiiin!

11 (ᐧᐧ►

Ascolta tutte le volte necessarie e segna accanto alle seguenti affermazioni la telefonata o le telefonate a cui si riferiscono.

	1	2	3	4
a La persona desiderata non può andare al telefono.				
b La persona desiderata non è presente.				
c La persona che telefona ha sbagliato numero.				
d La persona che risponde non conosce la persona che telefona.				
e La persona che chiama lascia un messaggio.				

E 7

4

Riascolta le telefonate e scrivi le forme che si usano per

chiedere di una persona: _____

presentarsi: _____

chiedere chi è che telefona: _____

rispondere che la persona cercata non c'è: _____

segnalare un errore: _____

rispondere che si comunicherà un messaggio: _____

11 Il discorso indiretto   11 ((►

Ecco alcuni messaggi che si riferiscono alle telefonate che hai ascoltato.
Riascolta e indica a quali telefonate in particolare si riferiscono.

a ☐

> Ha chiamato l'Ingegner Magistri. Ha detto che oggi non si sente bene, quindi non può venire all'appuntamento. Ha detto anche che se vuole però può andare Lei a casa sua: è libero dalle cinque alle sette.

b ☐

> Ha telefonato papà, ha detto che farà tardi. Se può ti richiama prima della riunione.
> Laura
> PS Anch'io non ceno a casa!

E 8·9

Rileggi i biglietti e completa le frasi con il discorso diretto.   12 ((►
Poi ascolta e verifica.

Discorso diretto
a *L'ingegner Magistri dice alla segretaria:*   Oggi non _____ _____ bene, quindi non _____ _____ all'appuntamento. Se per il Dottore va bene, però, _____ _____ lui a casa _____: _____ libero dalle cinque alle sette.
b *Il papà dice alla figlia:*   Stasera probabilmente _____ tardi. E comunque se _____ _____ _____ prima che inizi riunione.

> L'Ingegner Magistri non può **venire** all'appuntamento.
> L'Ingegner Magistri ha detto anche che se vuole però può **andare** Lei a casa sua.

12 Messaggi

*Completa i messaggi modificando gli elementi **evidenziati** nei discorsi indiretti.*

E 10·11

Discorso indiretto	Discorso diretto

1 Giulio ha scritto a Roberto che oggi non **può andare** a giocare a tennis con **lui**. Poi gli ha scritto che se **vuole**, Roberto **lo può** richiamare, così **si mettono** d'accordo per martedì prossimo.

Ciao Roberto,
Oggi non _____ _____ a giocare a tennis con _____. Se _____ _____ _____ richiamare così _____ _____ d'accordo per martedì prossimo.

SMS →

2 Pierluigi ha creato un gruppo su una chat e ha scritto un messaggio a Elena per dirle che non **riesce** a **telefonarle** perché il **suo** telefono non prende. Voleva avvertirla che stasera **lui** e Paola **vanno** da Federica. Anche Federica ha scritto a Elena. Le ha detto che se vuole **andare** a cena a casa **sua**, **la deve** chiamare entro le 7.

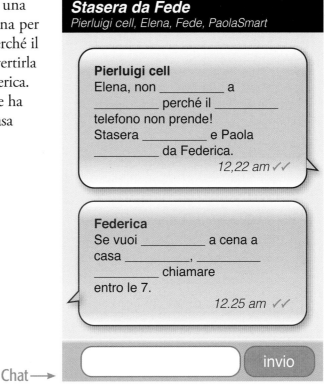

Stasera da Fede
Pierluigi cell, Elena, Fede, PaolaSmart

Pierluigi cell
Elena, non _____ a _____ perché il _____ telefono non prende!
Stasera _____ e Paola _____ da Federica.
12,22 am ✓✓

Federica
Se vuoi _____ a cena a casa _____, _____ _____ chiamare entro le 7.
12.25 am ✓✓

invio

Chat →

3 Anna **ha** letto su *Facebook* che Carlo **va** a Napoli per lavoro la prossima settimana. Così gli ha scritto una mail per dirgli che, se **le** telefona, **prendono** un caffè insieme.

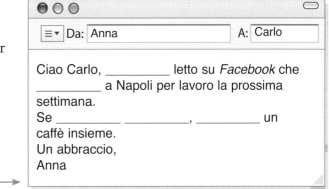

Da: Anna   A: Carlo

Ciao Carlo, _____ letto su *Facebook* che _____ a Napoli per lavoro la prossima settimana.
Se _____ _____, _____ un caffè insieme.
Un abbraccio,
Anna

Mail →

parole, parole, parole...

13 Messaggi per la classe

In coppia scrivete un messaggio a un compagno. Il messaggio sarà poi dato a un altro compagno il quale dovrà riferirlo al destinatario originario.
Potete scrivere un invito, un'informazione interessante, un consiglio, ecc.

> Per Linda
> Da parte di Gianni e Barbara
> Noi sabato sera andiamo in pizzeria. Vuoi venire con noi?

14 Pronto?

In coppia scegliete un ruolo e improvvisate le seguenti telefonate.

E 12

A Telefoni a una scuola di lingue per informarti sulle date e i prezzi dei corsi di italiano. Vuoi parlare con il direttore, ma in questo momento non c'è, quindi chiedi alcune informazioni in segreteria.

B Lavori come segretaria/o in una scuola di lingue. Telefona una persona interessata ai corsi che vorrebbe parlare con il direttore. Lui però non c'è. Gli / Le offri il tuo aiuto.

A Telefoni a casa di un amico. Parli con sua moglie perché lui non è in casa. Gli lasci un messaggio.

B Rispondi al telefono di casa. A chiamare è un amico di tuo marito che al momento non è in casa. Chiedi alla persona che ha chiamato se vuole lasciare un messaggio.

A Vuoi parlare con l'avvocato Panucci, ma sbagli numero. Ti scusi e ti congedi.

B Ti chiama una persona che ha sbagliato numero. Glielo fai presente.

4

comunicazione e grammatica

Andrea, ma dove sei?
Scusa, ho visto solo ora il tuo messaggio.
Scusami se ti rispondo solo adesso…
Non me la sono presa davvero.

Le nostre linee sono momentaneamente occupate…

Mi passa il Dottor Moretti, per favore?
Il Dottor Gagliardi è impegnato sull'altra linea.
Chi lo desidera, scusi?
Guardi che ha sbagliato numero…

Grammatica

Il congiuntivo imperfetto

Francesco pensava che **io fossi** in ritardo.
Avevo paura che **tu** non **arrivassi** in tempo.
Non sapevo che ti **piacessero** i libri gialli.
Credevo che **fossi** troppo stanco.

*Le prime due persone del singolare sono identiche (che io **parlassi**, che tu **parlassi**). Per questo si usa spesso il pronome personale.*

Generalmente il congiuntivo imperfetto si usa in frasi secondarie quando nella principale c'è un verbo all'indicativo imperfetto che vuole il congiuntivo.

Per le tabelle del congiuntivo imperfetto vedi la grammatica a pag. 236

Come se + congiuntivo

Parli **come se fossi** sordo.
Per me è **come se parlassi** arabo.

*Dopo **come se** si usa sempre il congiuntivo. Nel caso di un'azione contemporanea si usa il congiuntivo imperfetto.*

Il discorso indiretto

Marco: "(Io) non mi sento bene."
Marco **dice/ ha detto che** purtroppo (lui) non **si sente** bene.

Marta: "Stasera mio padre farà tardi."
Marta **dice/ ha detto che** stasera **suo** padre **farà** tardi.

*Il discorso indiretto viene introdotto da verbi come **dire**, **affermare**, ecc. Se la frase principale che introduce il discorso indiretto è al presente (o al passato con funzione di presente), allora il tempo del verbo resta invariato. Può cambiare però la persona.*
*Quando passiamo dal discorso diretto a quello indiretto possono cambiare alcuni elementi del discorso, come i pronomi personali, gli aggettivi e i pronomi possessivi: **io → lui, mio → suo.***

I verbi *andare* e *venire* nel discorso indiretto

L'avvocato ha detto che Lei può **andare** all'appuntamento.
Buongiorno Architetto, l'Ingegner Marini ha detto che non può **venire** all'appuntamento. (cioè nel luogo dove si trova l'Architetto)

*Andare, nel discorso indiretto, significa andare in un posto qualunque, **venire** invece significa andare nel posto dove si trova, dove sta per andare o dove andrà la persona che parla o a cui si parla.*

4

VIDEO

1 **Conosci i gesti italiani? Prima di guardare il video abbina le immagini alle frasi corrispondenti.**

| Non mi interessa! | Andiamo via! | Ma cosa dici? | Ma sei matto? |

comunicare a distanza

4

2 Guarda il video e indica se le affermazioni sono vere o false.

	vero	falso
1 Valeria e Paolo hanno un appuntamento con degli amici.	☐	☐
2 Fabio, un loro amico, è malato e non può venire.	☐	☐
3 Paolo vuole andare a mangiare una pizza da solo con Valeria.	☐	☐
4 Valeria preferisce uscire con gli amici.	☐	☐
5 Paolo deve passare in banca prima di andare in pizzeria.	☐	☐
6 La pizzeria dove si sono conosciuti non c'è più: ora c'è una banca.	☐	☐

3 Leggi le frasi al discorso diretto e scrivile al discorso indiretto.

a Fabio dice:
"Sono guarito e voglio venire con voi!"

Aspetta. Ha chiamato Fabio: dice
_____
_____
16:22

Senti, a loro cosa diciamo, però?

Beh, gli diciamo che _____ _____!

b Valeria e Paolo dicono agli amici:
"Fabio è guarito, ma si è ammalato Paolo!"

4 Completa il dialogo con le forme del verbo *essere* al congiuntivo imperfetto.

VALERIA Non pensavo che _____ così romantico… Nella pizzeria dove ci siamo
conosciuti!…. Ti ricordi? Quanti anni sono passati… Era qui vicino, no?

PAOLO Sì, infatti. Mi pare proprio che _____ proprio qui.

VALERIA Sei sicuro? In effetti anche io la ricordavo qui…

PAOLO Ma sì, lo ricordo benissimo. Come se _____ ieri…

VALERIA Eh, ma purtroppo non era proprio ieri…

5 Leggi le due frasi e indica le opzioni corrette.

Perché non andiamo noi due soli
per i fatti nostri?

16:28

1 Con l'espressione evidenziata Paolo vuole dire:
a senza considerare nessun altro.
b dobbiamo fare cose importanti.

2 Cosa intende dire veramente Paolo, con
questa frase?
a In che anno è stata costruita la banca?
b Accidenti, ma qui non c'era la nostra
pizzeria?
c Non conoscevo questa banca!

Ma quando ce l'hanno messa,
'sta banca?

RICORDA

Il primo messaggio dell'episodio è "Ma dove 6"? In italiano si usano spesso numeri o altri elementi
per scrivere più in fretta. Capita anche nella tua lingua? Conosci forme simili in italiano?

 Guarda la videogrammatica dell'episodio

Gli stranieri in Italia
Guarda il grafico e leggi i dati.

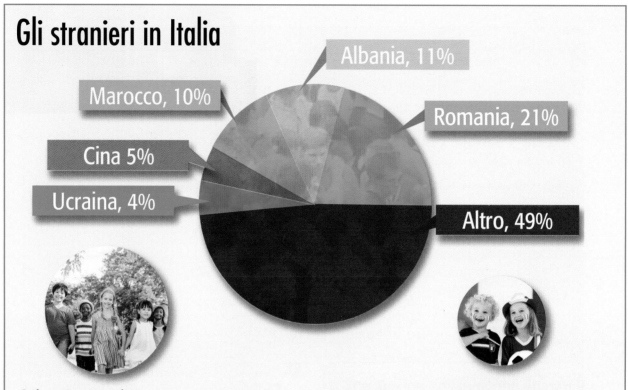

Gli stranieri in Italia

Albania, 11%

Marocco, 10%

Romania, 21%

Cina 5%

Ucraina, 4%

Altro, 49%

Sul territorio italiano sono presenti 196 nazionalità.
Le prime cinque nazionalità rappresentano il 51% della popolazione straniera presente in Italia: rumeni 970.000, albanesi 480.000, marocchini 450.000, cinesi 210.000, ucraini 200.000.
La voce "altro" include principalmente cittadini filippini, moldavi, indiani, polacchi e tunisini.
Le lingue straniere più parlate in Italia sono il rumeno, l'arabo, l'albanese e lo spagnolo. Ma il 4,5% della popolazione straniera sopra i 6 anni è di madrelingua italiana. Gli stranieri sono circa 5 milioni, più o meno l'8% della popolazione complessiva. L'85% lavora al nord o al centro della penisola, principalmente in Lombardia e nel Lazio.

Ora indica se le affermazioni seguenti sono vere o false.

	vero	falso
1 In Italia è presente un numero ristretto di comunità straniere.	☐	☐
2 Il gruppo più ampio di stranieri residenti in Italia proviene da un piccolo numero di paesi.	☐	☐
3 La comunità marocchina è meno numerosa di quella cinese.	☐	☐
4 L'italiano è la lingua materna di una parte degli stranieri che abitano in Italia.	☐	☐
5 Gli stranieri sono distribuiti in modo disomogeneo sul territorio nazionale.	☐	☐

E nel vostro Paese quali sono le principali comunità straniere e dove si concentrano?

Invito alla lettura

5

comunicazione

Cosa mi dici di questo?

Che io sappia, è uno scrittore molto bravo.

Credevo che scrivesse solo gialli.

Il libro verrà pubblicato la prossima estate.

Quasi quasi lo regalo a mio padre.

Di che parla questo libro?

grammatica

La costruzione *che io sappia*

La concordanza dei tempi e dei modi (II)

La forma passiva con *essere* e con *venire*

Il passato remoto

Il presente storico

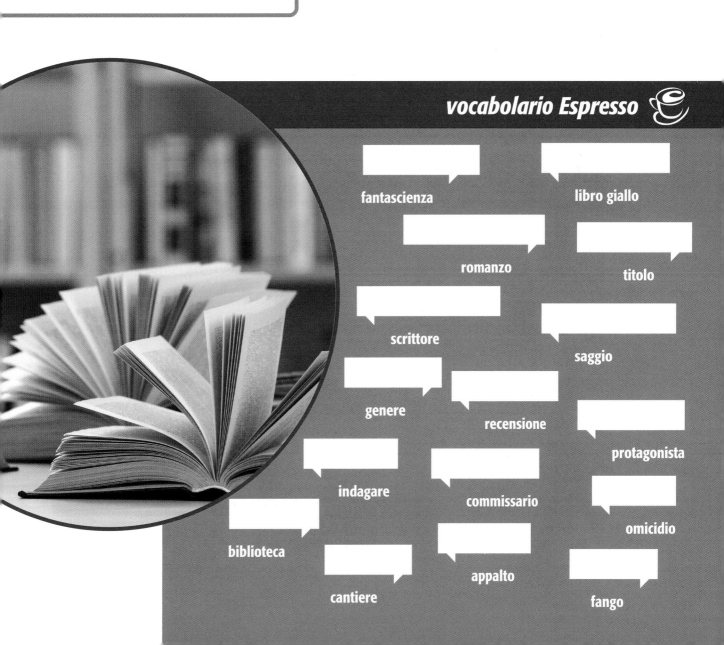

vocabolario Espresso

fantascienza

libro giallo

romanzo

titolo

scrittore

saggio

genere

recensione

protagonista

indagare

commissario

omicidio

biblioteca

appalto

cantiere

fango

invito alla lettura

1 Leggere
Completa il questionario.

---

a Che cosa leggi di solito e con che frequenza?

quotidiani	☐	riviste	☐
fumetti	☐	racconti	☐
romanzi d'amore	☐	romanzi d'avventura	☐
romanzi storici	☐	gialli	☐
libri di fantascienza	☐	poesie	☐
saggi	☐	guide turistiche	☐
libri di cucina	☐	altro: _____	

b Dove leggi di solito?

a letto	☐	a tavola	☐
in treno / in metropolitana / in autobus	☐	dal medico/dal parrucchiere	☐
sul divano	☐	altro: _____	

c Come leggi?

su e-reader o tablet	☐	su carta e in digitale	☐
sul computer	☐	altro: _____	
solo su carta	☐		

d Come scegli le tue letture?

a caso ☐   sulla base di recensioni lette ☐   su consiglio di altre persone ☐

Confronta le tue risposte con quelle di un compagno e, dove possibile, motivale.

Immagina di dover fare un lungo viaggio. Che tipo di letture porteresti con te durante il viaggio?

2 Di che parla?
*Leggi le quattro recensioni nella prossima pagina e prova a indovinare
a quali dei tre libri qui sotto si riferiscono. Attenzione c'è una recensione in più.*

E 1

1

2

3

5

invito alla lettura

a Massimo è il proprietario del bar della piazza di un piccolo paese della Toscana: il tipico bar dove vanno soprattutto gli anziani, a giocare a carte e soprattutto chiacchierare, commentare i fatti e le persone. Ma un giorno in paese avviene un omicidio: viene trovato tra i rifiuti il corpo di una giovane ragazza e la Polizia capisce che dietro ci sono brutte storie di droga e sesso. Il barista Massimo viene convinto dai suoi anziani clienti a indagare sull'omicidio a modo suo: a poco a poco scoprirà molte verità a cui la Polizia non può arrivare...

b Il matrimonio di Chiara è fallito, il suo lavoro non va bene e nello stesso tempo deve trasferirsi dal suo piccolo paese in una grande città. In un momento così difficile della propria vita, Chiara va dall'analista, che le propone un gioco: "Per un mese", dice la sua dottoressa, "e solo per dieci minuti al giorno, faccia una nuova esperienza. Anche piccola, ma dev'essere una cosa che non ha mai fatto prima". Chiara accetta e per un mese sperimenta cose nuove: cucina dolci, balla l'hip-hop, ascolta i problemi della madre. Così scopre una nuova se stessa e una nuova vita.

c Vittorio è un killer professionista. Nessuno l'ha mai visto perché è abilissimo nei travestimenti e può essere contattato solo via Internet. Quando non uccide, passa il proprio tempo a guidare. Grazia è una poliziotta che passa le sue giornate libere con un ragazzo cieco, di cui forse è davvero innamorata. Alex è uno studente che lavora part time in un provider. Quando non controlla la chat, passa il suo tempo ad ascoltare una triste canzone di Luigi Tenco.

d Sono giorni di pioggia a Vigàta, la città del commissario Montalbano. È in una di queste giornate che viene trovato un uomo morto in un cantiere, colpito alle spalle. L'indagine di Montalbano entra nel mondo dei cantieri e degli appalti pubblici, dove il fango della pioggia è solo uno degli ostacoli che il commissario trova nella scoperta della verità.

5

Adesso ascolta il dialogo e verifica.
Poi riascolta e metti una X sull'affermazione corretta.

13 (●▶

L'uomo che chiede consiglio
acquista un libro sui giochi di carte. ☐
pensa di regalare un romanzo poliziesco al padre. ☐
compra un romanzo d'amore. ☐
vorrebbe leggere un libro di letteratura italiana. ☐

L'amica gli consiglia
un libro in parte comico. ☐
un libro di un autore che a lei piace molto. ☐

E 2·3

◆ Nadia, questo lo conosci?

▲ Sì, l'ho letto qualche anno fa, è un giallo divertente.

◆ Ah, è un giallo? Che titolo strano: "La briscola in cinque". Non so nemmeno che gioco è … Di che parla?

▲ Si intitola così perché alcuni dei protagonisti sono dei vecchietti che passano il tempo in un bar a chiacchierare e giocare a carte. Non è un giallo vero e proprio, è soprattutto una storia veramente divertente…

◆ Ah! Quasi quasi lo regalo a mio padre!

▲ Tu potresti comprarti questo, guarda.

◆ Fa' vedere … "Per dieci minuti"…

▲ Sì, si intitola così perché la protagonista - che si chiama Chiara - ogni giorno deve fare per 10 minuti una cosa che non ha mai fatto in vita sua.

◆ Ma dai! E perché?

▲ Beh, questa Chiara sta passando un brutto momento della sua vita e l'analista le propone questa specie di gioco… ma non voglio dirti di più!

◆ Molto interessante! Credo che lo prenderò! Invece, cosa mi dici di questo? È di Camilleri… È quello del commissario Montalbano, no? Che io sappia, è uno scrittore molto bravo.

▲ Sì, ma scrive anche storie di genere diverso. E poi è sempre molto spiritoso, ironico, intelligente…

◆ Ah, io credevo che scrivesse solo gialli… Qui vedo due libri: "Donne" e "La piramide di fango".

▲ Ecco, appunto: "Donne" non è un giallo, ma descrive una serie di personaggi femminili della storia e della fantasia; mentre "La piramide di fango" sì, è un altro giallo con Montalbano. Però se davvero non ne hai mai letto uno, potresti cominciare con questo. Vedrai, ti piacerà: Camilleri non delude mai!

> **Che io sappia**, è uno scrittore molto bravo.

Quale di questi libri ti interesserebbe leggere e quale compreresti per fare un regalo?

5

3 Credevo che...

Osserva queste due frasi e completa la regola con gli elementi della lista, come nell'esempio.

~~indicativo presente~~   congiuntivo imperfetto   congiuntivo presente   indicativo imperfetto

Credo che   scriva solo gialli.

1 ___indicativo presente___   _____

Credevo che   scrivesse solo gialli.

2 _____   _____

Lavora in coppia e scrivi quattro frasi sulle tue abitudini: possono essere vere o false.
Il tuo compagno fa lo stesso. Poi a turno ognuno legge le frasi all'altro, come nell'esempio.

- ■ "Di solito prendo in prestito i libri in biblioteca". Secondo me è falso.
- ▼ No, è vero.
- ■ Credevo preferissi comprarli in libreria. / Credevo che non ti piacesse andare in biblioteca.

E 4·5

5

4 Vorrei regalare un libro

In coppia scegliete un ruolo e improvvisate un dialogo.

A
È il compleanno di un tuo caro amico e
hai deciso di regalargli un libro, ma non
sai ancora quale. Vai in una libreria e ti fai
consigliare.

B
Lavori in una libreria. Un cliente ti chiede
un consiglio per fare un regalo ad
un amico.

5 Per una biblioteca globale

Leggi questo titolo di un articolo di giornale e fai delle ipotesi con un compagno su quale potrebbe essere il contenuto del testo, presente nella prossima pagina.

Lascia un libro dove vuoi: qualcuno lo leggerà!
Grazie al web, la biblioteca diventa globale.

E 6

Ora leggi l'articolo e verifica le tue ipotesi.

Lascia un libro dove vuoi: qualcuno lo leggerà! Grazie al web, la biblioteca diventa globale.

Un sito Usa organizza un sistema di scambio internazionale.
A ogni volume viene associato un numero di riconoscimento.

1 Quando, alcuni anni fa, Judy Andrews trovò un libro abbandonato su una sedia dell'aeroporto di Los Angeles, pensò di essere stata fortunata. Dopo tutto si trattava di uno degli ultimi successi di John Grisham, uno dei suoi autori preferiti. Ma quello che la giovane Judy non sapeva è che si trattava di un incontro non casuale.

2 E infatti guardando più accuratamente vide una piccola nota sulla copertina. Diceva: «Per favore leggimi. Non sono stato perduto. Sto girando il mondo in cerca di amici». Superata la sorpresa, Judy capì che si trattava di qualcosa di più di un semplice libro. Era un invito a partecipare ad un esperimento sociologico globale, organizzato da un sito Internet chiamato *bookcrossing.com*, che ha come scopo trasformare il nostro mondo in una enorme biblioteca.

3 L'idea è quasi banale, e forse proprio per questo rivoluzionaria. Sul sito si chiede a tutti i lettori che amano la letteratura di registrare loro e i loro libri online e cominciare poi a distribuirli nei bar, sulle sedie dei cinema, sui tavoli dei ristoranti. Insomma, ovunque.

4 A ogni libro registrato su bookcrossing viene assegnato un numero di identificazione e un'etichetta di registrazione che viene stampata e attaccata sul volume. La nota spiega brevemente il funzionamento del gioco e chiede a chi ritrova il libro di andare sul sito per indicare dove l'ha trovato e di quale volume si tratta.
In questo modo il nuovo proprietario temporaneo può leggerlo e poi rimetterlo in circolo, mentre quello originario può sempre tenerlo sott'occhio e sapere se finisce in buone mani.

5 Sono stati letti finora più di 3 milioni di libri: i generi variano molto e vanno dalle ricette ai racconti, dai saggi ai romanzi. In Italia il fenomeno conta oltre 30 mila iscritti e l'interesse è in crescita.
Chiaramente non tutti i libri arrivano a destinazione. Al momento solo un 10 o un 15% dei volumi "liberati" viene trovato da una persona che si aggiunge alla catena.

da *la Repubblica*

Abbina i paragrafi ai seguenti titoli.

a I risultati dell'esperimento.
b Libri dispersi nel mondo.
c Un ritrovamento non del tutto casuale.
d Come funziona la biblioteca globale.
e L'esperimento di *bookcrossing.com*

Trova per ogni significato l'espressione corrispondente nel testo, come nell'esempio.

n° paragrafo	significato	espressione del testo
1	lasciato	abbandonato
	programmato	
2	con molta attenzione	
	obbiettivo	
4	controllare	
5	sono diversi	

6 Il passivo

Nell'articolo che hai letto ci sono alcuni esempi di verbi coniugati al passivo.
In coppia con un compagno cercali e completa la tabella.

[paragrafo] forma passiva	tempo	ausiliare	verbo principale
viene associato	presente	venire	associare
[2] _____	passato prossimo		perdere
[4] _____		venire	
[4] _____			stampare
[4] _____			attaccare
[5] _____	passato prossimo		
[5] _____	presente		

Osserva la tabella e completa la regola sugli ausiliari della forma passiva con i verbi della lista.

essere   venire

Nella forma passiva generalmente si usa l'ausiliare _____ con i tempi semplici
e l'ausiliare _____ con i tempi composti.

Torna alle recensioni del punto **2**. *Anche lì ci sono dei verbi al passivo.*
Trovali e poi confronta con un compagno.

invito alla lettura

7 Notizie, notizie...

Ecco alcune brevi notizie tratte da un giornale. Trasformale al passivo secondo l'esempio.

> Solo un 15% dei volumi "liberati" **viene trovato** da una persona.
> **Sono stati letti** oltre 3 milioni di libri.
> Il libro **verrà pubblicato** la prossima estate.

La prossima settimana il Governo presenterà la nuova legge sulla maternità.
La nuova legge sulla maternità sarà/verrà presentata dal Governo la prossima settimana.

a Ogni anno la giuria assegna il premio al film migliore.
b Ogni anno più di 300.000 persone visitano la Biennale di Venezia.
c Gli antichi Romani usavano il vino e la lana per curare il raffredore.
d Gli italiani in media bevono tre tazzine di caffè ogni giorno.
e La radio ha confermato la notizia dello sciopero nazionale.
f Tutto il Paese ha ascoltato il discorso del Presidente in TV.
g La prossima settimana il sindaco inaugurerà la mostra sugli Etruschi.

E 7·8
9·10

8 Viva i libri!

«La biblioteca globale» è una proposta un po' «curiosa» per stimolare la lettura.
Secondo voi che cosa si potrebbe fare per far leggere di più la gente? Lavorate in piccoli gruppi, fate alcune proposte per stimolare la lettura ed esponetele poi in plenum.

9 La traversata dei vecchietti

Leggi il racconto di Stefano Benni e ordina i disegni nella giusta sequenza.

E 11

C'erano due vecchietti che dovevano attraversare la strada. Avevano saputo che dall'altra parte c'era un giardino pubblico con un laghetto. Ai vecchietti, che si chiamavano Aldo e Alberto, sarebbe piaciuto molto andarci.

Così cercarono di attraversare la strada, ma era l'ora di punta e c'era un flusso continuo di macchine.

– Cerchiamo un semaforo – disse Aldo.

– Buon'idea – disse Alberto.

Camminarono finché ne trovarono uno, ma l'ingorgo era tale che le auto erano ferme anche sulle strisce pedonali.

Aldo cercò di avanzare di qualche metro, ma fu subito respinto indietro a suon di clacson e male parole. Allora disse: proviamo a passare in un momento in cui tutti sono fermi. Ma l'ingorgo era tale che, anche se i vecchietti erano magri come acciughe, non riuscirono a passare. (...)

Era quasi sera quando a Aldo venne un'altra idea.

– Mi sdraio in mezzo alla strada e faccio finta di essere morto – disse – quando le auto si fermano tu attraversi veloce, poi mi alzo e passo io.

– Non possiamo fallire – disse Alberto.

Allora Aldo si sdraiò in mezzo alla strada, ma arrivò un'auto nera e non frenò, gli diede una gran botta e lo mandò quasi dall'altra parte della strada.

– Forza che ce la fai! – gridò Alberto.

Ma passò una grossa moto e con una gran botta rispedì Aldo dalla parte sbagliata. Il vecchietto rimbalzò in tal modo tre o quattro volte e alla fine si ritrovò tutto acciaccato al punto di partenza.

– Che facciamo? chiese. (...)

da Il bar sotto il mare di Stefano Benni, Feltrinelli, 1987

10 Il passato remoto

Nel testo Stefano Benni, invece di dire i vecchietti «hanno cercato» di attraversare la strada, scrive «cercarono» di attraversare la strada. Usa cioè un passato remoto, il tempo che nella letteratura sostituisce il passato prossimo. Sottolinea nel testo tutti i verbi che secondo te sono al passato remoto e verifica poi in plenum.

E 12

11 Come continua la storia?

Lavorate a coppie. Ogni coppia immagina come continua la storia e scrive un piccolo testo. Il testo può essere al presente.
Ogni coppia poi espone in plenum la propria versione. Se vuole può drammatizzarla.

12 Raccontiamo!

Lavora in coppia.
Ognuno rilegge i testi del punto 2 e sceglie tre parole con cui inventare una breve storia. Ha dieci minuti di tempo. Poi legge la storia al compagno che deve trovare le tre parole "nascoste" (ad ogni parola indovinata corrisponde un punto).

13 Parliamo di libri

14

Ascolta e poi metti una X sull'affermazione corretta.

1 *Novecento* di Alessandro Baricco è

  a un romanzo.
  b un saggio storico.
  c un testo teatrale.

2 La storia del libro si svolge

  a in una nave.
  b in una città.
  c in una cassa di limoni.

3 Il bambino di nome *Novecento* diventa

  a un pittore.
  b un musicista.
  c un marinaio.

4 *Novecento* in tutta la sua vita

  a non vedrà la terra.
  b non scenderà mai dalla nave.
  c non suonerà mai in pubblico.

'ALMA.tv ▶

Ora vai all'indirizzo *www.alma.tv* e guarda il video "Novecento".

Novecento   CERCA

14 Informarsi

Intervista un compagno. Chiedigli:

- se e quali giornali o riviste legge abitualmente.
- se preferisce leggere su carta o consultare i siti online.
- se ha mai letto, su carta o nel web, un giornale o una rivista italiani (se sì, cosa ne pensa).
- se hai mai scritto una lettera o un articolo per un giornale o una rivista.
- se ha qualche amico che fa il giornalista.

Questo lo conosci?
L'ho letto qualche anno fa.
Quasi quasi lo regalo a mio padre.
Potresti comprarti questo.

Credo che lo prenderò.
Che io sappia, è uno scrittore molto bravo.
Siamo nel bel mezzo di…
Forse molti di voi conoscono già questa storia.

Grammatica

La costruzione *che io sappia*

Che io sappia, è uno scrittore molto bravo.
Che tu sappia, Carlo viene alla festa?
Che voi sappiate, che tempo farà domani?

*L'espressione **che io sappia** significa **secondo me, per le informazioni che ho**. Si può usare, come domanda, anche nelle forme **che tu sappia** e **che voi sappiate**.*

La concordanza dei tempi e dei modi (II)

Ho paura che lui non **arrivi** in tempo.
(ora)   (ora o nel prossimo futuro)
Ho paura che lui **abbia perso** il treno.
(ora)   (prima)
Avevo paura che tu non **arrivassi** in tempo.
(prima)   (nello stesso momento)

Dopo una frase principale con un verbo all'indicativo presente, si usa nella frase secondaria il congiuntivo presente per esprimere un'azione contemporanea o posteriore, il congiuntivo passato per esprimere un'azione anteriore.
Dopo una frase principale con un verbo al passato, si usa il congiuntivo imperfetto per esprimere un'azione contemporanea.

La forma passiva con *essere* e con *venire*

La biblioteca è **illuminata** da cinque grandi finestre.
Sono stati letti oltre 3 milioni di libri.

*Per fare la forma passiva si può usare il verbo **essere** + il participio passato del verbo principale. Il participio passato concorda nel genere e numero con il sostantivo a cui si riferisce.*

Oggi la posta elettronica è **usata da** milioni di persone.

*La persona o la cosa che fa l'azione (agente) è preceduta dalla preposizione **da**.*

La nuova legge **verrà** presentata domani.
La notizia **venne** confermata.

*Per fare la forma passiva si può usare anche il verbo **venire** + il participio passato del verbo principale. Si può usare **venire** solo con i tempi verbali semplici, non con i tempi verbali composti.*

Il passato remoto

Aldo **cercò** di avanzare di qualche metro, ma **fu** subito respinto indietro a suon di clacson e male parole. Allora **disse**: "proviamo a passare in un momento in cui tutti sono fermi".

*Il **passato remoto** si usa di solito in testi letterari, quando si parla di un fatto storico e per esprimere un'azione successa in un passato lontano.*
Nella lingua parlata si usa il passato remoto solo in alcune regioni dell'Italia centro-meridionale. Nelle altre regioni si preferisce usare sempre il passato prossimo.

Dormivo da un paio d'ore, quando **squillò** (è squillato) il telefono.

L'uso del passato remoto e dell'imperfetto è uguale a quello del passato prossimo e dell'imperfetto.

Per le tabelle del passato remoto vedi la grammatica a pag. 234

Il presente storico

Aldo **cerca** di avanzare di qualche metro, ma **viene** subito respinto indietro a suon di clacson e male parole.

*Il **presente storico** si può usare in una narrazione, al posto del passato remoto. Tutta la descrizione in questo caso va fatta al presente. Viene usato per rendere il racconto più attuale.*

1 Prima di guardare il video, abbina i fotogrammi alle frasi.

a ☐ Sì, Nabil, sali: terzo piano!
b ☐ Ma è bellissima! Non dovevi!
c ☐ Ecco fatto… La pasta è pronta!
   Proprio in tempo!

RICORDA

L'ospite straniero dei nostri amici conosce molto bene le nostre abitudini: infatti regala a Monica una pianta, una scelta perfetta per l'occasione. Altre opzioni? Una bottiglia di vino, un gelato, o dei dolci.
Anche nel tuo Paese si usa così?

2 Indica se le frasi sono vere o false.

	vero	falso
1 Nabil è un collega di lavoro di Francesco.	☐	☐
2 Monica conosce Nabil da tempo.	☐	☐
3 Nabil porta come regalo un gelato.	☐	☐
4 Secondo Monica è meglio fare ricerca scientifica all'estero.	☐	☐
5 Nabil resterà in Italia a lavorare.	☐	☐
6 A Nabil non piacciono i romanzi italiani.	☐	☐
7 Nabil ha trovato un sito web molto utile per la lingua italiana.	☐	☐
8 Secondo Francesco, Nabil sa l'italiano meglio di lui e di Monica.	☐	☐

3 Leggi il testo nel balloon e indica l'opzione corretta.

Davvero? Ma tu pensa…!

Cosa significa l'espressione evidenziata?
a Tu non lo sapevi!
b Non lo immaginavo!
c Devi pensare!

parli bene l'italiano!

5

4 Ricostruisci una parte del dialogo: alcune parole non si leggono più bene.

MONICA   Certo. È un peccato però: hai imparato l'italiano così bene…! C⁀ ⁀ hai fatto? Voglio dire, a par ⁀ lezioni, hai letto libri o riviste, hai guard⁀ la televisione italiana…?

NABIL   Sì, a me pi ⁀ggere e appena ho potuto, ho letto subito gli autori italiani, anche se a⁀ inizio ho avuto problemi co⁀ ⁀assato remoto, perché non lo trovo mai nella lingua parlata… Per esempio, n⁀ mai sentito nessuno chiedere: "mangiasti bene, ieri?"

MONICA   Sì, è un verbo che si ⁀va soprattutto nei libri! Comunque il tuo italiano è davvero ottimo!

FRANCESCO   Non a caso al lavoro vien ⁀amato "il genio"!

NABIL   Ma no, mi piace molto imparare le lingue, questo sì: e poi ora con Internet è più facile… C'è per ⁀ ⁀ una web tv dedicata a chi studia l'italiano…

MONICA   Davvero? Ma tu pe⁀

NABIL   Sì, è interessante perc⁀ video sulla lingua, film, musica, interviste, esercizi e anche quiz ling⁀ ⁀ci…

 Guarda la videogrammatica dell'episodio

Itinerario letterario del Novecento

Ecco alcuni grandi capolavori della narrativa italiana contemporanea. Leggi i testi.

La coscienza di Zeno, Italo Svevo (1923)
Zeno Cosini prova un costante senso di inadeguatezza, che interpreta come sintomi di una malattia. Scoprirà che non è lui a essere malato, bensì la società in cui vive. Uno dei primi romanzi psicoanalitici della letteratura mondiale, scritto sull'onda del successo delle teorie di Freud.

Gli indifferenti, Alberto Moravia (1929)
I giovani fratelli Carla e Michele, indifferenti verso tutto e tutti, si lasciano trascinare in intrighi amorosi che coinvolgono anche la madre e il suo amante Leo. Un romanzo trasgressivo e nichilista non aderente alla morale fascista.

Il barone rampante, Italo Calvino (1957)
Durante la rivoluzione francese il giovane Cosimo sale su un albero, da cui non scenderà più per il resto della vita. Il suo diventa un percorso di formazione e maturazione. Uno dei più famosi e apprezzati romanzi di Italo Calvino.

La storia, Elsa Morante (1974)
Il romanzo segue le drammatiche esperienze di Ida Ramundo, timida maestra elementare, in una Roma devastata dalla seconda guerra mondiale. Un'opera sugli umili, ignorati e maltrattati dalla Storia.

Il nome della rosa, Umberto Eco (1980)
Nel 1327 il frate francescano Guglielmo da Baskerville indaga su un mistero racchiuso nella biblioteca di un monastero del Nord Italia. Scoprirà che qui è nascosta l'ultima copia esistente di uno scritto di Aristotele. Best seller internazionale, da cui è stato tratto un film di grande successo.

Quale di questi romanzi ti sembra interessante? Parlane con un compagno.

Bilancio

Dopo queste lezioni, che cosa so fare?

	☺	☺	☺
Descrivere un oggetto	☐	☐	☐
Fare supposizioni	☐	☐	☐
Parlare degli stereotipi culturali	☐	☐	☐
Giustificarmi	☐	☐	☐
Fare un reclamo	☐	☐	☐
Parlare del mio rapporto con Internet	☐	☐	☐
Riferire un messaggio	☐	☐	☐
Sostenere una conversazione telefonica	☐	☐	☐
Raccontare la trama di un libro	☐	☐	☐
Parlare delle mie preferenze in fatto di lettura	☐	☐	☐
Leggere un testo letterario	☐	☐	☐

Cose nuove che ho imparato

Modalità comunicative tipiche degli italiani quando parlano (interruzioni, gestualità, pause, formule di cortesia, ecc.):

Segnali discorsivi che non conoscevo (parole come "ehm", "eh", ecc.):

Un aspetto della mia personalità che si vede solo quando parlo in italiano:

progetto

ALMA.tv

1. La classe si divide in modo da formare 4 gruppi.

2. Ogni gruppo si riunisce davanti ad un computer. Andate alla pagina Internet **www.alma.tv**.
   Poi alla rubrica "L'osteria del libro italiano" in cui Noemi Cuffia, una nota *bookblogger*, introduce alla lettura dei più importanti titoli della letteratura italiana di ieri e di oggi.

3. Leggete i riassunti delle puntate, sceglietene una e guardatela insieme.
   Attenzione: due gruppi non possono scegliere lo stesso video.

4. Ogni studente, autonomamente, approfondisce su Internet le proprie conoscenze sul libro raccontato da Noemi Cuffia.

5. Ogni gruppo si riunisce ancora e mette in comune le informazioni raccolte.

6. Ogni gruppo mostra il proprio video agli altri studenti e poi lo commenta aggiungendo le altre informazioni raccolte.

...fai il test 2 a pag. 184

La famiglia cambia faccia

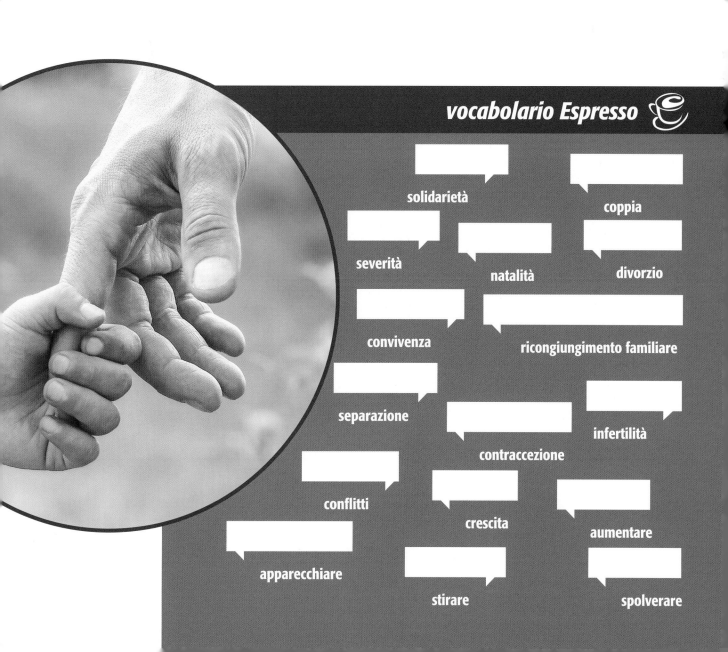

vocabolario Espresso

solidarietà

coppia

severità

natalità

divorzio

convivenza

ricongiungimento familiare

separazione

infertilità

contraccezione

conflitti

crescita

aumentare

apparecchiare

stirare

spolverare

la famiglia cambia faccia

1 La famiglia per me

Indica da 1 a 10 quanto ognuno di questi disegni esprime per te il concetto di famiglia.

Quali delle seguenti parole associ all'idea di famiglia? Ne aggiungeresti altre? Parlane con un gruppo di compagni e trovate insiemi di tre parole che hanno qualcosa in comune.

solidarietà   disponibilità

tradizione   competitività   severità

sicurezza   bambini

controllo

sincerità

coppia   nido   amicizia

calore

conflitti

6

la famiglia cambia faccia

2 La famiglia in Italia

Qui di seguito trovi alcuni passaggi tratti da articoli di giornale. Leggili e abbinali alle foto.

1 In Italia i nonni sono, secondo l'Istat, il 38% della popolazione. La metà ha uno o due nipoti. C'è da dire però che oggi, rispetto a dieci anni fa, sono molti di più i nonni che vanno in viaggio con gli amici, passano la sera al cinema o al ristorante, e hanno meno tempo e pazienza. Per i nipotini resta poco spazio, sebbene proprio i nonni siano figure centrali nello sviluppo del bambino.

2 Si è riaperto nuovamente il dibattito politico per riconoscere legalmente i diritti delle coppie conviventi. Come sempre accade in materia di diritti civili, la legge italiana rimane un passo indietro nella regolazione di un fenomeno sociale e culturale che ormai non si può più ignorare.

3 Si è tenuta ieri a Roma, in piazza San Giovanni, il *Family Day*, una manifestazione che chiedeva la rivalutazione del matrimonio e della famiglia tradizionale come nucleo della società. Secondo gli organizzatori era presente un milione di persone, anche se la Polizia parla di un massimo di 20.000 partecipanti.

4 Il calo delle nascite in Italia registra record negativi da diverso tempo: la crisi economica, i diversi stili di vita… sono tutti fattori che influenzano la decisione di non avere figli, di averne in tarda età o di averne soltanto uno. Oltre a questo si deve anche considerare il diffondersi dell'infertilità, che colpisce sempre più individui.

6

a

b

c

d

Ora ascolta il dialogo e di' a quale notizia si riferisce la discussione. 15 (▶
Poi confrontati con un compagno.

la famiglia cambia faccia

Leggi e verifica.

▲ Hai saputo che Corrado e Paola si sposano?

◆ Davvero? Dopo tutto questo tempo?

▲ Eh sì. Ormai sono vent'anni che stanno insieme.

◆ Eh, infatti! E perché lo fanno?

▲ Mah, Corrado vorrebbe chiedere un trasferimento sul lavoro, e, se non sono sposati, Paola non può chiedere di essere trasferita dove va lui.

◆ Ah, il ricongiungimento familiare.

▲ Sì, ecco, quello.

◆ Certo, comunque, è assurdo.

▲ Cosa, che si sposino?

◆ Ma no, è assurdo il fatto che per ottenere un diritto devono sposarsi, nonostante vivano insieme da vent'anni e abbiano due figli insieme. Che poi sono anche grandi, no?

▲ Sì sì, Flavio ha dodici anni e Valerio sette.

◆ Ecco, appunto.

3 Nonostante...

Le congiunzioni qui sotto hanno lo stesso significato. Scrivi tre frasi, una per ogni congiunzione, per dire qualcosa sulla famiglia nel tuo Paese. Segui gli esempi del riquadro per capire quale modo verbale devi usare dopo ogni congiunzione, poi confrontati con un compagno.

E 1·2
3

Anche se	_____
Nonostante	_____
Sebbene	_____

> **Nonostante** <u>vivano</u> insieme da vent'anni e <u>abbiano</u> due figli insieme, devono sposarsi per ottenere un diritto.
>
> **Sebbene** <u>siano</u> figure centrali nello sviluppo del bambino, i nonni non hanno più molto tempo per i nipotini.
>
> **Anche se** la Polizia <u>parla</u> di un massimo di 20.000 partecipanti, per gli organizzatori era presente un milione di persone.

4 Davvero?

Rileggi il dialogo del punto **2**, *cerca le espressioni della colonna destra e abbinale alla loro funzione nella colonna sinistra, come nell'esempio.*

Funzione

1 Introdurre un nuovo argomento con una domanda.

2 Esprimere sorpresa su qualcosa che ha detto l'interlocutore.

3 Confermare.

4 Argomentare e chiedere conferma.

5 Evidenziare che la risposta dell'altro è esattamente quello che si voleva dire.

Espressione

a Che poi... no?

b Davvero?

c Eh, infatti!

d Sì, ecco, quello.

e Hai saputo che...?

la famiglia cambia faccia

5 La nuova famiglia

Leggi il seguente articolo e indica con una X i temi che tratta.

E 4·5
6

- ☐ Divorzi e separazioni in Italia
- ☐ Natalità in Italia e nel mondo
- ☐ Aumento delle coppie di fatto
- ☐ Politiche familiari dello Stato
- ☐ Individualismo e struttura della famiglia
- ☐ Aumento degli anziani
- ☐ Il ruolo dei nonni
- ☐ Migrazioni e nuove strutture familiari

Nei giorni di sole, le nonne del quartiere Testaccio, a Roma, accompagnano i nipoti ai giardinetti per farli giocare con altri bambini. Maria Ceccani osserva con attenzione il nipotino Fabrizio di tre anni, mentre litiga con un compagno per un giocattolo. «Non ha né fratelli, né sorelle. E nemmeno cugini» spiega con dispiacere. «Hanno sbagliato ad avere solo un figlio. Lo ripeto continuamente a mio figlio: fanne un altro, fanne un altro». Ma il figlio della signora Ceccani e sua moglie non vogliono un altro bimbo, e una delle ragioni è che vivono ancora con lei. «Una volta le famiglie italiane avevano molti bambini», continua la signora Ceccani, «ma oggi le mamme lavorano e non hanno tempo per una famiglia numerosa. È una vergogna». Quella della signora non è la semplice preoccupazione di una nonna. L'Italia, con una media di 1,18 bambini per donna, occupa il posto più in basso della classifica mondiale della natalità. Chi l'avrebbe mai detto? Trenta anni fa si temeva che l'aumento della popolazione mondiale consumasse troppo velocemente le risorse della Terra. Oggi nel mondo siamo 6 miliardi ma il tasso di crescita è sceso all'1,2 per cento. Sono molti i fattori che hanno fatto abbassare il numero delle nascite: la diffusione della contraccezione, le maternità in età sempre più avanzata, un numero maggiore di donne nel mondo del lavoro e una diffusa migrazione dalle campagne alle città. Esiste però anche un'altra ragione perché nascono meno bambini, anche se gli stressati genitori non lo ammettono: con un solo figlio tutto è più semplice e più economico.

Il sociologo francese Jean-Claude Kaufman attribuisce l'aumento delle famiglie con un figlio unico alla «crescita dell'individualismo». Con un figlio solo è più facile portare la famiglia in un ristorante a quattro stelle o in un safari in Tanzania. Vivere in un piccolo appartamento di una metropoli è più facile e se parliamo poi di educazione non c'è confronto: i figli unici hanno molte più possibilità dei loro amici con fratelli di frequentare prestigiose scuole private. Anche l'età della popolazione mondiale aumenta rapidamente: il numero di ultrasessantenni nei prossimi 50 anni triplicherà e gli over 80 saranno cinque volte di più.

da Newsweek/la Repubblica

Il tema dell'articolo è il calo delle nascite. Segna qui sotto le ragioni di cui si parla nell'articolo e scambia le informazioni con un compagno.

un numero **maggiore** = più grande
i figli **minori** = più piccoli

la famiglia cambia faccia

6 La famiglia oggi

Lavorate in gruppo. Partecipate a un talk show televisivo. Il tema è "la famiglia oggi".
Dividetevi i ruoli.

- il presentatore televisivo
- il figlio della signora Ceccani
- il sociologo francese Jean-Claude Kaufman

- la signora Ceccani
- la moglie del figlio della signora Ceccani

7 Ti faccio sentire una cosa!

Con l'aiuto delle immagini, completa le frasi usando la forma adeguata di fare + infinito.

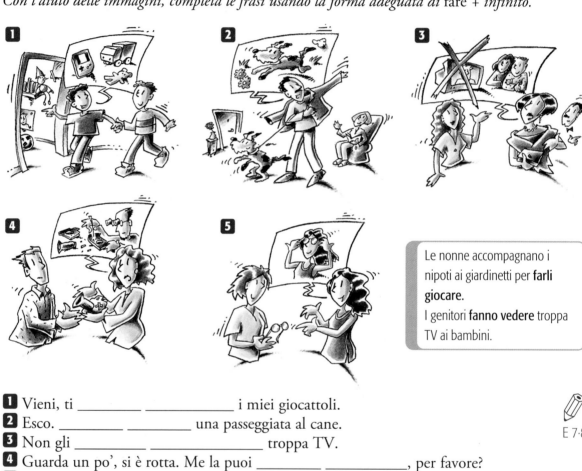

> Le nonne accompagnano i nipoti ai giardinetti per **farli giocare**.
> I genitori **fanno vedere** troppa TV ai bambini.

1 Vieni, ti _____ _____ i miei giocattoli.
2 Esco. _____ _____ una passeggiata al cane.
3 Non gli _____ _____ troppa TV.
4 Guarda un po', si è rotta. Me la puoi _____ _____, per favore?
5 Che belli! Me li _____ _____?

E 7·8

Io faccio scrivere uno studente.

La costruzione *fare* + infinito crea spesso problemi nell'uso delle preposizioni e dei pronomi. Vai su *www.alma.tv*, cerca "Hai fatto mangiare il bambino?" nella rubrica Grammatica caffè e guarda il video del professor Tartaglione che spiega come usare in modo appropriato questa costruzione.

'ALMA.tv ▶

| *Hai fatto mangiare il bambino?* | CERCA |

la famiglia cambia faccia

8 Una statistica

Leggi la seguente statistica e discutine con i compagni. Anche nel tuo Paese si assiste a un fenomeno simile? Quali ne sono, secondo te, i motivi?

In Italia ci si sposa sempre meno e ci si separa di più			
Matrimoni, separazioni e divorzi negli anni 1988–2014			
	1988	2005	2014
Matrimoni	338.296	250.000	207.138
Separazioni	37.224	82.291	88.288
Divorzi	30.778	47.036	51.319

Fonte Istat 2014

> **Ci si** sposa sempre meno e **ci si** separa di più.

9 Gioco a catena

La classe si mette in cerchio e ogni studente viene numerato in modo progressivo. Gli studenti con un numero dispari formano la squadra 1, mentre i pari formano la squadra 2.
L'insegnante inizia dicendo la frase qui sotto. Lo studente 1 continua il pensiero con un'altra frase che deve essere pertinente e deve contenere «ci si». Così via con gli altri studenti.
Chi continua in modo non corretto o non pertinente fa prendere un punto alla propria squadra. Perde la prima squadra che arriva a cinque.

> Quando ci si separa i figli soffrono...

E 9·10

6

10 E i piatti chi li lava?

Quali delle seguenti faccende domestiche ti piace fare? Quali no?

	sì	no
lavare i piatti	☐	☐
riempire la lavastoviglie	☐	☐
apparecchiare la tavola	☐	☐
caricare la lavatrice	☐	☐
stirare	☐	☐
passare l'aspirapolvere / spazzare	☐	☐
spolverare	☐	☐
pulire i vetri	☐	☐
pulire il bagno	☐	☐
cucinare	☐	☐
fare la spesa	☐	☐
portare fuori l'immondizia	☐	☐

Confronta, se possibile, i tuoi risultati con persone di sesso opposto al tuo e prova a cercare delle analogie. Poi discutine in plenum.

la famiglia cambia faccia

11 Una donna racconta

16 (◦▶

Ascolta l'intervista e completa la tabella.

Dati personali:
Lavoro:
Organizzazione vita familiare:
Cosa pensa del contributo che gli uomini danno in casa?
Cosa pensa delle politiche familiari dello Stato?

Secondo te la situazione descritta dalla donna rispecchia quella del tuo Paese?
Le donne di solito lavorano? Che tipo di aiuti ci sono per le coppie che hanno figli?
Parlane in gruppo e poi in plenum.

6

12 Vantaggi e svantaggi

Completa il titolo qui sotto con una delle opzioni della lista. Poi scrivi un testo presentando i vantaggi e gli svantaggi della situazione scelta. Infine scrivi le conclusioni.

essere figlio unico	avere un solo fratello	vivere in una famiglia numerosa

"Vantaggi e svantaggi di ...."

E 11

comunicazione e grammatica

Per comunicare

Non faccio altro che ripeterlo a mio figlio!

Chi l'avrebbe mai detto?

C'è da dire che…
E perché lo fanno?

Davvero?
Hai saputo che…?
Che poi… no?

Eh, infatti!
Sì, ecco, quello.

Grammatica

Sebbene, nonostante, malgrado, benché + congiuntivo; *anche se* + indicativo

Sebbene ieri **facesse** freddo, sono uscito.
Malgrado piova, vorrei andare al parco.
Nonostante vivano insieme da vent'anni, devono sposarsi per ottenere un diritto.
= **Anche se vivono** insieme da vent'anni, devono sposarsi per ottenere un diritto.

*Le congiunzioni concessive **sebbene**, **nonostante**, **malgrado**, **benché** reggono sempre il congiuntivo.*

Anche se invece regge sempre l'indicativo.

Comparativi e superlativi particolari

	comparativo	superlativo relativo	superlativo assoluto
buono	migliore	il miglior(e)	ottimo
cattivo	peggiore	il peggior(e)	pessimo
grande	maggiore	il maggior(e)	massimo
piccolo	minore	il minor(e)	minimo

Per la tabella completa vedi la grammatica a pag. 227.

Alcuni aggettivi hanno due forme di comparativo e superlativo: una forma regolare e una irregolare.

Mettiti alla prova. Vai su *alma.tv* nella rubrica Linguaquiz e fai il videoquiz "Meglio o migliore"?

Fare + infinito

Le nonne accompagnano i nipotini ai giardinetti per **farli giocare**.
Hai già **fatto riparare** il computer?
I genitori **fanno vedere** troppa TV ai bambini.

*Fare + infinito può avere in italiano 3 diversi significati: **lasciare**, **fare in modo che** e **permettere**.*

La forma impersonale di un verbo riflessivo

Ci si sposa sempre meno e **ci si** separa di più.

*La forma impersonale del verbo riflessivo è **ci** + **si** + **verbo** alla 3ª persona singolare.*

▶ VIDEO

1 Prima della visione, leggi le frasi della lista: secondo te, quali sono di Paolo (P) e quali di Valeria (V)? Poi guarda il video e verifica.

P   V

a   No! Allora… sarò padre!

b   È… è una cosa bellissima! E poi, dai, sarai la migliore mamma del mondo!

c   Ma sì, è che… insomma, proprio adesso… Lo sai con i bambini, no? Le notti in bianco e tutto il resto…

d   Eh, divertente per te, che non devi allattare!

e   … Sono sicuro che ce la caveremo benissimo!

2 Indica l'opzione giusta.

1 Paolo arriva all'appuntamento

  a in macchina.   **b** a piedi.   **c** in autobus.

2 Valeria dice a Paolo che

  a è incinta.   **b** è malata.   **c** è stanca di lui.

3 Secondo Valeria non è il momento adatto per

  a cambiare casa.   **b** avere un figlio.   **c** trovare un nuovo lavoro.

4 Paolo pensa che

  a Valeria sarà una pessima mamma.   **b** un figlio è un problema.   **c** fare il padre sarà divertente.

5 Valeria preferisce

  a non dire ancora niente a nessuno.   **b** chiedere consiglio ai genitori.   **c** non avere il figlio.

3 Leggi la frase evidenziata e indica l'opzione giusta.

Ci faremo aiutare un po' dai miei; e anche i tuoi genitori ci daranno una mano, no?

1 Cosa significa l'espressione evidenziata?

  a daranno dei consigli.

  b saluteranno.

  c aiuteranno.

uno in più

6

> Ma sì, è che... insomma, proprio adesso...
> Lo sai con i bambini, no?
> Le notti in bianco e tutto il resto...

2 Cosa significa l'espressione evidenziata?

a passare la notte al freddo, come sulla neve.

b passare la notte svegli, senza dormire.

c passare la notte da soli.

> Nonostante il momento non sia effettivamente quello più adatto, sono sicuro che ce la caveremo benissimo.

3 Cosa significa l'espressione evidenziata?

a non ce la faremo.

b faticheremo moltissimo.

c saremo bravissimi.

4 **Completa le frasi con gli elementi della lista. Attenzione, c'è un elemento in più.**

| farò | farlo | faremo | fai |

1 Ok Valeria, però dai, per la casa ci si adatta: per il resto, ci _____ aiutare un po' dai miei; e poi anche i tuoi genitori, ci daranno una mano, no?

2 Ma no, dai! Secondo me è proprio il contrario! Anzi, sai che ti dico? Sarà divertente! Lo _____ giocare, gli canterò canzoni per _____ dormire…

5 **Scegli l'opzione giusta per completare correttamente le frasi.**

1 E poi, dai, sarai la *buonissima/migliore* mamma del mondo!

2 … La mia preoccupazione è che non sia il momento *migliore/ottimo*... E poi, casa nostra è troppo piccola…

3 Per l'uomo è sempre più facile! Anche se ha sei figli, non dà il *piccolissimo/minimo* aiuto in casa!

RICORDA

In questo episodio troviamo espressioni molto frequenti nella lingua parlata che usiamo quando vogliamo mettere in rilievo il nostro disaccordo con l'altro ("Come sarebbe a dire?"), o precisare il nostro pensiero ("Io non dico questo") o dare più enfasi a ciò che diremo ("Sai che ti dico?").

 Guarda la videogrammatica dell'episodio

6

"Tu" o "Lei"? Istruzioni per l'uso

Capire se dover dare del tu o del Lei a qualcuno non è sempre facilissimo. Anche per gli italiani a volte questa decisione comporta qualche istante di esitazione. Ecco una guida all'uso, ma attenzione: si tratta di regole generali!

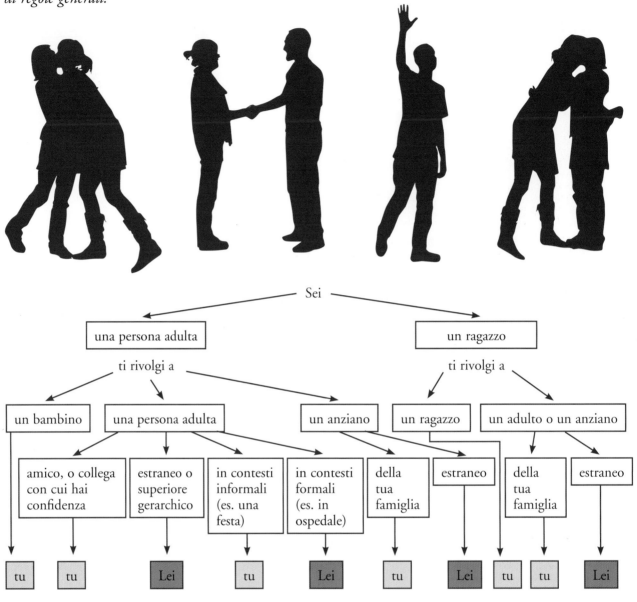

In italiano il "tu" è frequente nelle istruzioni rivolte a utenti generici, per esempio nei comandi del computer o su Internet. Ecco alcuni esempi:

stampa   scrivi   cerca   aggiorna   elimina   clicca

Nella tua lingua esiste una forma di cortesia e/o un registro informale?
Come funziona e come/con chi si usa?

Feste e regali

comunicazione

Mi prendi in giro?

Pensavo che avremmo festeggiato a casa.

Ho fatto una figuraccia.

Non sei mica simpatico!

Natale tradizionale? Per carità!

Lo so che non ti va di venire.

grammatica

L'avverbio *mica*

Il condizionale passato come futuro nel passato

Il periodo ipotetico del II tipo (possibilità)

vocabolario Espresso

Epifania / Befana

presepio

addobbare

mascherarsi

torrone

tombola

riciclare

impacchettare

figuraccia

festaiolo

brindare

1 Feste

Guarda le seguenti foto. Sai di quali feste si tratta? Si festeggiano anche nel tuo Paese? E a te piace festeggiarle? Parlane in plenum.

feste e regali

2 In Italia spesso si fa...

Ecco una serie di «usi» legati ad alcune feste. Abbinali alle feste lavorando prima in coppia, poi in plenum.

Natale (25 dicembre)	Capodanno (1° gennaio)	Epifania (6 gennaio)	Carnevale	Festa della Donna (8 marzo)	Pasqua

1

fare il presepio

2

regalare un mazzetto di mimosa

3

mangiare il panettone

4

riempire le calze dei bambini di dolci e carbone di zucchero

5

fare scherzi

6

giocare a tombola

7

regalare uova di cioccolata

8

aspettare la mezzanotte per brindare con lo spumante

9

mangiare un dolce a forma di colomba

10

addobbare l'albero

11

mangiare il cotechino con le lenticchie

12

mascherarsi

Quali di questi usi ci sono anche nel tuo Paese? Quali no? Parlane in plenum.

3 Viva la tradizione?

Tra le feste di cui si parla ce n'è una che ti piace particolarmente o una che non ti piace per niente? Perché? Conosci dei modi di festeggiarle in maniera «diversa» da quella nota a tutti? Ti sembra importante rispettare le tradizioni? Perché? Parlane in gruppo.

4 **No, per carità!**

Ascolta il dialogo (senza leggere). Perché i due discutono? Parlane con un compagno.

Poi continua a lavorare con lo stesso compagno e completate il dialogo con le espressioni della lista.

| ci tengono | dai | mica | per carità | sia chiaro | ti sbrighi |

◆ Allora, Gianni, _____? Siamo già in ritardo! Non mi va di arrivare in ritardo al pranzo di Natale!

▲ Ma se non è ancora mezzogiorno!

◆ Ma… mi prendi in giro?

▲ Perché?

◆ Guarda che non sei _____ simpatico! Dai, che all'una mamma comincia con gli antipasti.

▲ Non credo che sia un dramma se li saltiamo, no?

◆ Siamo un po' ironici questa mattina, o sbaglio?

▲ No, no, _____!

◆ Senti, lo so che non ti va di venire. L'ho già sentita la storia del Natale in famiglia che non ti piace, ma i miei _____. È possibile che ogni anno dobbiamo fare le stesse discussioni?

▲ No, va bene, è solo che pensavo che stavolta avremmo festeggiato in maniera diversa!

◆ Ma è Natale!

▲ Io ricordo perfettamente che l'anno scorso, dopo quel terribile pranzo di 10 ore, mi avevi promesso che quest'anno saremmo andati a sciare!

◆ Sì, lo so, l'ho detto. Ma non me la sento di lasciare i miei da soli a Natale. _____!

▲ Ho capito, ho capito…Però dopo pranzo andiamo via, eh! Va bene il pranzo, ma poi torniamo a casa!

◆ Ma come si fa? Ci sono i bambini, i tuoi nipotini, che ti adorano.

▲ Oddio, che incubo! Il panettone, il torrone… a tombola però non ci gioco eh! _____!

◆ Sei un mostro!

E 2·3

 'ALMA.tv

Sai cosa significa l'espressione "Prendere in giro"? E sai come e perché gli italiani lo fanno? Vai su *www.alma.tv*, cerca "Prendere in giro" nella rubrica Vai a quel paese e guarda l'interessante spiegazione di Federico Idiomatico.

| Prendere in giro | CERCA |

In Italia a Natale si gioca a Tombola, che è la versione italiana del Bingo. E tu a cosa giochi durante le feste? Parlane con un compagno.

| Non sei **mica** simpatico! |

5 Il condizionale passato

Rileggi le due frasi del dialogo e completa la regola sull'uso del **condizionale passato**.

Pensavo che stavolta <u>avremmo festeggiato</u> in maniera diversa!
(frase principale)   (frase secondaria)

Mi **avevi promesso** che quest'anno <u>saremmo andati</u> a sciare!
(frase principale)   (frase secondaria)

> Il <u>condizionale passato</u> esprime un'azione che si svolge ***prima di / dopo*** un'altra azione
> ambientata nel passato.

6 Ma...

Cosa diresti in queste situazioni? In coppia scrivete delle frasi usando
il **condizionale passato** *come nell'esempio.*

> mi avevi / aveva detto che… / mi avevi / aveva promesso che… / pensavo che…

1 Un tuo amico ti chiama per dirti che non potrà venire alla tua festa
di compleanno (è già la seconda volta che succede).

Mi avevi promesso che quest'anno saresti venuto!

2 Vai dal tecnico, ma il tuo computer dopo una settimana non è ancora stato riparato.

_____

3 Un tuo amico arriva per l'ennesima volta in ritardo.

_____

4 Una tua amica si dimentica di portarti un libro di cui hai assolutamente bisogno.

_____

5 Il tuo migliore amico arriva anche questa volta da solo all'appuntamento
(è da tanto che vuoi conoscere il suo partner).

_____

6 Il negozio dove fai di solito la spesa ha rimandato di nuovo l'apertura
(è chiuso da un mese per lavori di ristrutturazione).

_____

E 4-5
6

7 E se invece...

In coppia dividetevi i ruoli e fate un dialogo.

A Si avvicina Natale. Finalmente il pranzo tradizionale, i regali, i giochi in famiglia. Non vedi l'ora che arrivi il giorno in cui festeggerai insieme a tutta la famiglia, come ogni anno. Tuo fratello però...

B Sei stanco del solito Natale. Quest'anno hai proprio voglia di festeggiare in maniera originale. In famiglia, sì, ma in modo diverso. Tuo fratello però...

8 Una figuraccia

Leggi la conversazione su Facebook e completa la tabella.

E 7·8

Federica Rossi
Figuraccia natalizia!
Ieri pranzo di Natale dai miei. Alla fine scartiamo i regali di famiglia ed ecco lì: mia nonna mi ha regalato una sciarpa arancione. Io amo mia nonna ma... arancione... IO ODIO L'ARANCIONE! E va be', apro il pacchetto, guardo questa sciarpa orribile, sorrido, ringrazio e me la porto a casa per aggiungerla alle altre due sciarpe ricevute durante queste feste.
Ieri poi mi chiama mia cugina dicendo che sarebbe passata dopo mezz'ora a portarmi il regalo. Io però non le avevo fatto niente, così corro in camera, prendo la sciarpa e la impacchetto. Ci scambiamo i regali e... sulla sciarpa era stato cucito a mano il mio nome e non me ne ero nemmeno accorta! Volevo sprofondare!
27 dicembre alle ore 19.12 👍 Mi piace - Condividi

Monika Ka
Oddio Fede! Però dai, l'idea non era male. Un regalo è sempre un pensiero affettuoso, a volte ti piace e a volte meno. Per fare un esempio, se ricevessi una bottiglia di profumo usata, forse non sarei felice, ma se il profumo mi piacesse, sicuramente lo userei. Sì, lo devo ammettere: anche io ho fatto regali riciclati, e proprio alle persone più care, perché sapevo che loro avrebbero apprezzato delle cose che a me invece non piacevano molto.
5 gennaio alle ore 17.31 👍 Mi piace - Condividi

Marcello Olivieri
Evidentemente tua cugina non si chiama come te! E cosa hai fatto? Se una cosa del genere capitasse a me, non saprei proprio cosa fare! E potrebbe capitarmi! Io infatti faccio sempre regali riciclati - amici: siete tutti avvertiti! - Il problema è che ricevo spesso regali che non mi piacciono. Anche io sorrido, ringrazio e poi li conservo nel reparto "riciclo" del mio armadio, in attesa di un nuovo padrone... Poi quando devo fare un regalo vado lì e vedo se c'è qualcosa che posso dare a qualcuno.
6 gennaio alle ore 12.03 👍 Mi piace - Condividi

Federica Rossi
Marcello, sono stata bravissima... le ho detto che era per un'amica che si chiama come me e che evidentemente avevo scambiato i regali! ;-)
8 gennaio alle ore 9.12 👍 Mi piace - Condividi

Ambra Arcani
Beh, sei stata brava. E ci ha creduto? No, perché se un'amica mi regalasse una cosa riciclata ci rimarrei malissimo! Se venisse da una persona qualsiasi non mi importerebbe niente, ma da una persona cara no, non lo accetterei!
9 gennaio alle ore 12.55 👍 Mi piace - Condividi

Cosa pensano le persone dell'usanza di riciclare regali?
Completa la tabella, poi confrontati con un compagno.

	è decisamente contrario/a	ha una posizione neutra /dipende	è favorevole	perché?
Federica Rossi	☐	☐	☐	
Monika Ka	☐	☐	☐	
Marcello Olivieri	☐	☐	☐	
Ambra Arcani	☐	☐	☐	

Sei Federica Rossi.
Scrivi un ultimo post per rispondere ad Ambra Arcani, che è una tua cara amica.
Alla fine leggi il post al resto della classe ed ascolta quelli scritti dai tuoi compagni.

Federica Rossi

10 gennaio alle ore 9.12 👍 Mi piace - Condividi

9 Ipotesi

Monika Ka scrive: "Se ricevessi una bottiglia di profumo usata, forse non sarei felice".
Fa cioè un'ipotesi su come reagirebbe in una certa situazione.
Completa con i verbi le altre frasi ipotetiche presenti nella conversazione del punto **8***,*
come nell'esempio.

Monika Ka	Marcello Olivieri	Ambra Arcani
Se ___ricevessi___ una bottiglia di profumo usata forse non ___sarei___ felice.	Se una cosa del genere _____ a me, non _____ proprio cosa fare.	Se un'amica mi _____ una cosa riciclata ci _____ malissimo!
Se il profumo mi _____, sicuramente lo _____.		Se _____ da una persona qualsiasi non mi _____ niente.

Completa la regola con i tempi verbali della lista. Alla fine confrontati con un gruppo di compagni.

E 9·10
11·12

| congiuntivo imperfetto | condizionale presente |

Per esprimere un'ipotesi possibile nel presente o nel futuro, si usa il _____ nella frase dopo il "se", mentre si usa il _____ nell'altra.

10 Come ti comporteresti se...?

Intervista un compagno. Chiedigli come reagirebbe nelle seguenti situazioni.
Usa il periodo ipotetico.

> qualcuno gli regala qualcosa che non gli piace per niente
>
> Come ti comporteresti/cosa faresti se qualcuno ti regalasse qualcosa che non ti piace per niente?

- è l'unico a essere vestito elegantemente a una cena a cui è stato invitato
- il suo migliore amico ha dimenticato il suo compleanno
- arriva con un'ora di anticipo alla festa a cui è stato invitato
- al ristorante si accorge di non avere il portafoglio
- si accorge che il regalo che gli ha fatto il suo migliore amico è riciclato

11 Cosa accadrebbe se...?

In piccoli gruppi fate delle ipotesi. Alla fine votate le soluzioni più divertenti.

Cosa fareste se...
1. una sera scopriste che non esiste più la TV.
2. tutti fossero obbligati a usare i mezzi pubblici.
3. doveste vivere per un anno in un'isola deserta.
4. vi poteste trasformare in un...
5. poteste diventare invisibili per un giorno.

12 Sei festaiolo?

18 (()

Chiudi il libro e ascolta l'intervista. Poi completa le affermazioni qui sotto.
Confrontati con un compagno, poi ascolta di nuovo e verifica.

1. Ettore | a è festaiolo. | b non è festaiolo.
2. Il fine settimana | a organizza delle feste. | b va a delle feste.
3. La festa più bella | a è stata la più tradizionale. | b è stata la più tranquilla.
4. A Ettore | a non piacciono le feste tradizionali. | b piacciono le feste tradizionali.
5. Ettore | a passa il Natale in famiglia. | b non passa il Natale in famiglia.
6. Se organizzasse una grande festa | a farebbe una festa trasgressiva. | b farebbe una festa per poche persone.

13 Tu e le feste

Ti piace festeggiare? Che tipo di feste preferisci?
Se potessi organizzare una grande festa, cosa ti piacerebbe fare?

comunicazione e grammatica

Per comunicare

Allora, ti sbrighi? Siamo in ritardo!
Ma se non è ancora mezzogiorno!
Ma… mi prendi in giro?
Guarda che non sei mica simpatico!
Non ti va di… (+ infinito)?
Non me la sento di… (+ infinito)

Oddio, che incubo!
Non le ho fatto (regalato) niente.
L'idea non era male.
Sì, lo devo ammettere…

Grammatica

L'avverbio *mica*

Mica sei obbligato a mangiare tutto!

Non sei mica simpatico!
= **Mica sei** simpatico!

*L'avverbio **mica** si usa per negare qualcosa con enfasi.*

*Se **mica** viene dopo il verbo, prima del verbo bisogna aggiungere **non**.*

Il condizionale passato come futuro nel passato

<u>Pensavo</u> che stavolta **avremmo festeggiato** in maniera diversa.
Mi <u>avevi promesso</u> che quest'anno **saremmo andati** a sciare.

*Dopo una frase principale con un verbo all'<u>indicativo passato</u>, nella frase secondaria si usa il **condizionale passato** per esprimere un'azione posteriore.*

Per le tabelle del condizionale passato vedi la grammatica a pag. 239.

7

Il periodo ipotetico del II tipo (possibilità)

Se ricevessi una bottiglia di profumo, **sarei** felice.
Se una cosa del genere **capitasse** a me, non **saprei** proprio cosa fare.

*Se la frase introdotta da **se** esprime una condizione poco probabile, ma possibile, il verbo è al **congiuntivo imperfetto** e il verbo della frase principale al **condizionale presente**.*

'ALMA.tv

Vuoi approfondire un tema grammaticale o una curiosità linguistica?
Vai su *www.alma.tv*, alla rubrica Grammatica caffè e guarda le videolezioni del Prof. Tartaglione, dense, brevi e gustose come un tazzina di caffè.

VIDEO

1 Prima di guardare l'episodio: osserva le immagini e abbinale alle frasi.

a ☐ Guarda, questo è il numero 3000! Tra qualche anno varrà un sacco di soldi!

b ☐ Tanti auguri a teee! Tanti auguri a teee!

c ☐ Visto che ogni volta che stai male rompi un termometro…!

d ☐ Così quando cucini, non ti scotti più! Io ci tengo alle tue mani!

2 Indica se le frasi sono vere o false.

	vero	falso
1 Oggi è il compleanno di Paolo.	☐	☐
2 Gli amici fanno una sorpresa a Paolo.	☐	☐
3 Eleonora regala a Paolo un libro.	☐	☐
4 A Paolo piacciono molto i regali che riceve.	☐	☐
5 I regali degli amici non erano quelli veri.	☐	☐
6 Alla fine Paolo apre i veri regali.	☐	☐

3 Leggi l'espressione nel balloon e indica l'opzione corretta.

Eh, ma mica un Topolino qualsiasi, eh! Guarda, questo è il numero 3000!

Cosa significa la parola evidenziata?
a non proprio
b magari
c certo

tanti auguri a te!

7

4 Scegli l'opzione corretta.

a Pensavi che *venivamo/saremmo venuti/fossimo venuti* senza regalo?

b Non pensavi mica che quelli *fossero/sono/saranno* davvero i nostri veri regali!

c Se io *regalerei/regalassi/regalo* un Topolino a Michele, mi *lascerebbe/lasciava/lasciasse* dopo due minuti.

d Sì, però poi lo *avrei letto/leggerò/leggerei* subito!

RICORDA

In questo episodio trovi una parolina strana: "mica", una particella molto usata nella lingua parlata e che dà alla frase una caratteristica che non è facile spiegare dal punto di vista grammaticale. Se vuoi saperne di più, guarda la Videogrammatica di questo episodio!

↖ **Guarda la videogrammatica dell'episodio**

---

caffè culturale

7

Gelato per tutti i gusti

In Italia puoi assaggiare tantissimi gusti di gelato diversi. Eccone alcuni: abbinali alle fotografie, come nell'esempio.

| bacio | vaniglia | cioccolato | limone | nocciola | pistacchio | fragola | stracciatella |

1 ☐

2 ☐

3 ☐

4 ☐

5 bacio

6 ☐

7 ☐

8 ☐

Ti piace il gelato? Qual è il tuo gusto preferito?

Bilancio

Dopo queste lezioni, che cosa so fare?

Parlare della mia famiglia ideale	☐	☐	☐
Parlare delle politiche familiari	☐	☐	☐
Spiegare l'evoluzione della famiglia in Italia	☐	☐	☐
Formulare ipotesi	☐	☐	☐
Parlare di feste e/o tradizioni tipiche italiane e del mio Paese	☐	☐	☐
Descrivere il mio rapporto con le feste tradizionali e non	☐	☐	☐
Parlare di abitudini in fatto di regali	☐	☐	☐

Cose nuove che ho imparato

Espressioni che mi piace usare in italiano e che non hanno equivalenti nella mia lingua:

Una cosa che mi dà/non mi dà voglia di vivere in Italia:

Uno stereotipo cambiato a proposito dell'Italia e degli italiani:

progetto

Le feste in Italia

1. Lavora con un gruppo di 4 studenti per realizzare un breve fotoromanzo sulle festività natalizie in famiglia.

2. Dividetevi i ruoli, ognuno di voi rappresenterà un personaggio.

3. Scrivete insieme la sceneggiatura. Il titolo è "Le feste in Italia".

4. Fate le fotografie per rappresentare le scene e stampatele.

5. Montate le foto su un cartellone e aggiungete i dialoghi, come in un fumetto, poi attaccate il cartellone al muro.

...fai il test 3 a pag. 200

Italiani nella storia

comunicazione

La verità è che…

Non ci posso credere!

Dicono sia il più grande d'Italia.

È un'opera di valore incalcolabile.

grammatica

Il gerundio modale e temporale

Gli aggettivi in -*bile*

La terza persona plurale in funzione impersonale

La posizione dei pronomi con il gerundio

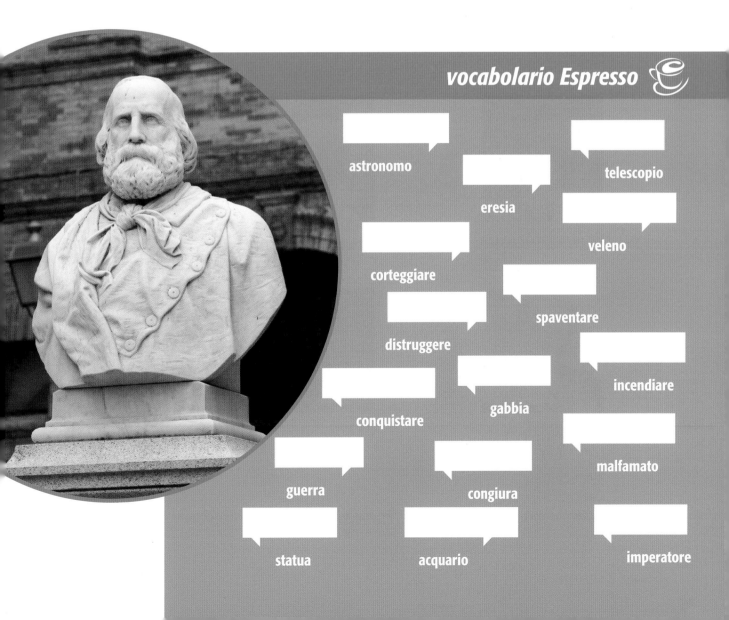

vocabolario Espresso

astronomo

telescopio

eresia

veleno

corteggiare

spaventare

distruggere

incendiare

gabbia

conquistare

malfamato

guerra

congiura

statua

acquario

imperatore

1 Personaggi storici italiani

Indica quali di questi personaggi, secondo te, sono italiani. Poi confrontati con un compagno.

a Leonardo Da Vinci

b Cristoforo Colombo

c Madonna

d Giuseppe Garibaldi

e Napoleone Bonaparte

f Galileo Galilei

g Lucrezia Borgia

h Mahatma Gandhi

i Giulio Cesare

l Federico Fellini

m Marco Polo

n Pablo Picasso

2 Chi parla?

Ascolta le tre testimonianze. Quali personaggi parlano, tra quelli del punto **1**? 19

Ascolta ancora e abbina le parole che compaiono nel testo al loro significato.

1

astronomo	Idea contraria alla Verità della Chiesa cattolica.
telescopio	Rinunciare pubblicamente ad una propria affermazione.
eresia	Scienziato che studia il cielo.
abiurare	Strumento per osservare e studiare il cielo.

2

illegittima	Sostanza che, se bevuta o mangiata, può uccidere.
veleno	Rivolgere gentilezze e complimenti ad una persona amata o desiderata.
corteggiare	Nata fuori dal matrimonio.
bisognosi	Persone povere.

3

sceneggiatore	Film visto da poche persone.
insuccesso	La storia lavorativa di una persona.
carriera	Persona che scrive la storia e i dialoghi di un film.

E 1

3 Il mio personaggio storico

Conosci altri personaggi storici italiani? Cosa sai di loro? Parlane con alcuni compagni, poi con tutta la classe fate una classifica dei personaggi più conosciuti.

4 Leonardo Da Vinci

Cosa sai di Leonardo da Vinci? Quattro di queste affermazioni sono vere. Quali?

a Un genio che faceva scherzi.
b Un genio morto giovanissimo.
c Un artista che amava gli animali.
d Uno scrittore che scriveva al contrario.
e Un artista che dipingeva solo donne.
f Un pittore famoso per le facce dei suoi personaggi.

E 2

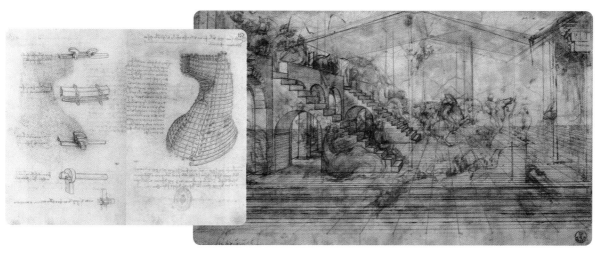

Leggi il testo, verifica quali affermazioni sono vere e abbinale ai paragrafi corrispondenti.

Nato a Vinci (vicino Firenze) nel 1452 e morto in Francia nel 1519, Leonardo Da Vinci è sicuramente tra i più importanti artisti di tutti i tempi. La sua opera più famosa è la Gioconda, conservata a Parigi, al museo del Louvre.

1 ___ Le storie su Leonardo Da Vinci sono molte. Lo storico Giorgio Vasari lo descrive come un uomo che amava gli scherzi, raccontando un fatto curioso. Sembra che Leonardo si divertisse a spaventare gli amici con una piccola lucertola finta e che teneva nascosta in una scatola. Quello che non sappiamo è se gli amici amavano questo genere di scherzi.

2 ___ Leonardo era vegetariano e ambientalista. Giorgio Vasari racconta che Leonardo, camminando per le strade dei mercati, cercava gli animali in gabbia, li comprava e li liberava. Leonardo, nei suoi Appunti, scrive: "Fin dalla giovinezza ho rinunciato all'uso della carne, e verrà un giorno in cui uomini come me considereranno l'omicidio di un animale come l'omicidio di un essere umano".

3 ___ Leonardo scriveva da destra verso sinistra invece che da sinistra verso destra, e non usava una penna normale ma una speciale penna inventata da lui. C'è chi pensa che la scrittura di Leonardo fosse un codice segreto per proteggere i propri scritti dalla censura della Chiesa cattolica.

4 ___ Quando doveva dipingere dei personaggi particolarmente difficili, Leonardo passava intere giornate seguendo gli uomini più mostruosi e strani e prendendo appunti sulla loro fisionomia. Si racconta che per dipingere il personaggio di Giuda cercasse qualcuno con la faccia di un matto. Dopo un anno di inutili ricerche nelle zone più malfamate di Milano, Leonardo organizzò una grande festa per le persone più strane della città. Lui stesso raccontava barzellette per farli ridere, e nello stesso tempo il grande artista studiava le loro espressioni. Sembra che alla fine della festa, Leonardo abbia passato tutta la notte a disegnare le facce di quella serata.

Conoscevi qualcuna delle curiosità scritte nel testo? E cos'altro sai di Leonardo Da Vinci?
Parlane con un compagno.

5 Sinonimi e contrari

Osserva le espressioni contenute nel testo: trova, per ognuna, il sinonimo (S) e il contrario (C) della parola sottolineata nell'espressione.

1 fatto <u>curioso</u>	**a** ordinario (__)	**b** non vero (__)	**c** particolare (__)
2 lucertola <u>finta</u>	**a** vera (__)	**b** brutta (__)	**c** falsa, non vera (__)
3 animale <u>in gabbia</u>	**a** cucinato (__)	**b** libero (__)	**c** prigioniero (__)
4 codice <u>segreto</u>	**a** conosciuto (__)	**b** difficile (__)	**c** nascosto (__)
5 zona <u>malfamata</u>	**a** sconosciuta (__)	**b** pericolosa (__)	**c** tranquilla (__)

italiani nella storia

6 Il gerundio

Nel testo del punto **4** *ci sono quattro verbi al* **gerundio**.
Trovali e completa la formazione di questo modo verbale, come nell'esempio.

-are	-ere	-ire
raccont_ando_ cammin____	prend____	segu____

E 3·4

Inserisci i quattro verbi nella colonna giusta, a seconda della funzione modale o temporale che hanno nel testo del punto **4**, *come nell'esempio.*

Funzione modale Il gerundio risponde alla domanda: *come?*	Funzione temporale Il gerundio risponde alla domanda: *quando?*
raccontando	

7 Curiosità storiche

Completa le curiosità sui personaggi storici italiani con i verbi al gerundio.

1 Cristoforo Colombo ha scoperto l'America (*cercare*) _____ l'India.

2 Marco Polo è arrivato in Cina (*attraversare*) _____ il continente asiatico.

3 Garibaldi guidò la "spedizione dei Mille" (*partire*) _____ da Quarto, vicino a Genova, con 1084 uomini, il 5 maggio 1860. Arrivato in Sicilia dopo sei giorni, liberò tutto il Sud e lo consegnò a Vittorio Emanuele II, il primo Re d'Italia.

4 Nel 49 a.C. Giulio Cesare disse la famosa frase "Il dado è tratto" (*superare*) _____ il fiume Rubicone, che segnava il confine tra la Gallia e l'Italia. (*Entrare*) _____ in Italia in quel modo, Cesare diede il via alla Guerra Civile Romana. La frase significava "Ora comincia l'azione, non è più possibile tornare indietro".

5 Pochi giorni prima del suo omicidio, Giulio Cesare, (*compiere*) _____ un sacrificio, non riuscì a trovare il cuore della vittima. In quel momento capì che qualcuno voleva ucciderlo.

8 Cristoforo Colombo

20 (((•

Ascolta il dialogo più volte e forma delle frasi collegando gli elementi delle tre colonne.

La ragazza	ha visto la casa	era italiano.
Il ragazzo	non ha visto	di Cristoforo Colombo.
Gli spagnoli	dice che Colombo	era catalano.
Un'altra teoria	dicono che Colombo	l'acquario di Genova.
		era portoghese.

Ora leggi e verifica.

▼ Allora? Com'è andata a Genova?

◆ Bellissima! È stato un fine settimana indimenticabile.

▼ Eh, sì, è proprio una bellissima città.

◆ Sì sì.

▼ E cosa hai visto?

◆ Mah, in due giorni non ho potuto girare moltissimo. Ho fatto i soliti giri: il porto, l'acquario.

▼ Ah, l'acquario, bello vero?

◆ Spettacolare. Dicono sia il più grande d'Italia.

▼ Sì lo so. Io purtroppo non sono riuscito ad entrare. Troppa fila!

◆ Sì, ma i biglietti sono acquistabili online, e con i biglietti in mano, sono entrata subito!

▼ Ah, non lo sapevo!

◆ Ah, e poi ho visto la casa di Cristoforo Colombo.

▼ Ah, e ti è piaciuta?

◆ Ma sì, soprattutto per il valore storico.

▼ Anche se…

◆ Cosa?

▼ Boh. Dicono che Colombo in realtà non fosse genovese.

◆ Ma come? E chi lo dice?

▼ Mah, per esempio secondo gli spagnoli era catalano. A Barcellona c'è anche una sua statua molto famosa…

◆ Non ci posso credere!

▼ Sì sì, e un'altra teoria dice che era portoghese.

◆ Ma dai!!! Lo sanno tutti che l'America è stata scoperta da un italiano! Adesso vogliono rubarci quelle poche certezze che abbiamo!

L'acquario di Genova

> indimenticabile = che <u>non</u> **può essere** dimenticato
> acquistabile = che **può essere** acquistato

9 Tris

*Gioca a tris con un compagno. A turno, ciascuno sceglie una casella e forma una frase trasformando il verbo in un aggettivo in -**bile**. Quando c'è un verbo al negativo, dovete formare un aggettivo negativo (come nell'esempio). Se il compagno accetta la frase, si può occupare la casella corrispondente. Vince chi collega tre caselle in orizzontale, verticale o diagonale.*

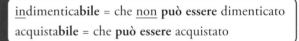

> non calcolare → Un quadro di Leonardo Da Vinci ha un valore *incalcolabile*.

E 5·6

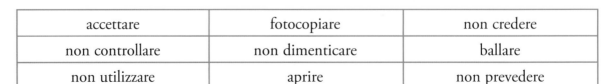

accettare	fotocopiare	non credere
non controllare	non dimenticare	ballare
non utilizzare	aprire	non prevedere

italiani nella storia

10 Dicono che Genova...

Guarda il riquadro, poi trasforma le informazioni su Genova in frasi impersonali plurali, usando quattro volte l'espressione "Dicono che".

E 7·8

Costruzione personale	Costruzione impersonale
Cristoforo Colombo era genovese.	**Dicono che** Colombo in realtà non fosse genovese. = **Si dice che** / **Qualcuno dice che** in realtà non fosse genovese.
L'acquario di Genova è il più grande d'Italia.	**Dicono che** l'acquario di Genova sia il più grande d'Italia. = **Si dice che** / **Qualcuno dice che** l'acquario di Genova sia il più grande d'Italia.

Genova - Il nome della città deriva dal nome del dio romano Giano.
Genova infatti, proprio come il Giano bifronte, ha due facce: una rivolta a sud, verso il mare, l'altra a nord, oltre i monti che la circondano. Nel Medioevo i genovesi erano un popolo di navigatori e mercanti e nel 1300 le loro conquiste arrivavano fino al Mar Nero.

Dicono che...

11 I grandi personaggi dell'antica Roma

Leggi i testi e abbinali ai nomi dei personaggi della lista.

E 9·10

a Giulio Cesare   **b** Nerone   **c** Spartaco   **d** Cicerone   **e** Adriano

1 ☐ Era un gladiatore poi diventato schiavo. Chiamato anche "lo schiavo che ha sfidato l'impero", ha guidato la più importante rivolta degli schiavi dell'antichità. Dalla sua storia è stato tratto nel 1961 un famosissimo film che porta il suo nome.

2 ☐ Il nome di questo Imperatore romano è legato per sempre all'incendio che nel 64 a.C. ha colpito la città di Roma per nove giorni, distruggendola. La leggenda dice che sia stato lui a dare l'ordine di incendiare la città, a causa della sua pazzia. Ma probabilmente si tratta di un'accusa ingiusta.

3 ☐ È stato uno degli Imperatori più amati a Roma, anche perché ha portato un lungo periodo di pace. Era amante della cultura greca e sotto il suo regno l'Impero Romano ha raggiunto la sua massima estensione.

4 ☐ È forse il personaggio più famoso di Roma antica. Generale romano, dopo aver vinto molte battaglie, è diventato Dittatore di Roma, ottenendo un grandissimo potere. Nel momento più alto della sua carriera militare e politica, un gruppo di senatori ha organizzato una congiura contro di lui, uccidendolo con 23 coltellate il 15 marzo del 44 a.C.

5 ☐ Scrittore e filosofo, era una figura importantissima nel Senato romano, dove attaccava i politici corrotti e violenti. Per i romani era un modello di moralità e di saggezza. I suoi discorsi sono ancora un esempio di retorica.

> L'incendio del 64 a.C. ha colpito la città di Roma, distruggendo**la**.
> Un gruppo di senatori ha organizzato una congiura contro di lui, uccidendo**lo** con 23 coltellate.

12 Una famosa Villa romana   21 (◣

Ascolta la visita guidata in una famosa Villa romana.
Di quale personaggio del punto **11** *si parla?*

Ora lavora con un compagno. Ascoltate di nuovo l'audio e guardate le immagini.
Alla fine confrontatevi: secondo voi cosa rappresentano?

Continua a lavorare con lo stesso compagno. Ascoltate di nuovo la visita guidata.
Poi completate le descrizioni qui sotto e abbinatele alle foto. Ascoltate tutte le volte necessarie.

E 11

1 ☐ **Villa Adriana.** Costruita tra il _____ e il 133 d.C. Dimensioni: ___ ettari.

2 ☐ **Antinoo.** Era _____ di Adriano. Morì nel ___ d.C. e Adriano gli intitolò una città: _____.

3 ☐ **Il Teatro Marittimo.** Era un' _____ all'interno della _____.

4 ☐ **Sabina.** Era la _____ di Adriano.

5 ☐ **L'Imperatore Adriano.** Amava la cultura della _____, morì nel ___ d.C.

13 L'Imperatore Adriano

Il testo n°3 del punto **11***, sull'imperatore Adriano, è formato da 37 parole. Trasformalo*
in un testo di almeno 250 parole, usando le informazioni dell'ascolto del punto **12***.*

14 Le interviste impossibili

Scegli un personaggio storico che conosci (italiano o straniero) e chiedi ad un compagno
il nome del suo personaggio.

E 12

Poi prepara, in cinque minuti, una serie di domande sul personaggio storico scelto dal tuo
compagno, per conoscerlo o saperne qualcosa di più. Quando avete finito, intervistatevi a turno.

comunicazione e grammatica

La verità è che…
Questo è un fatto curioso.
Mi sento un animale in gabbia.
Allora, com'è andata?
E cosa hai visto?

Ho fatto i soliti giri.
Ah, non lo sapevo!
E chi lo dice?
Ah, ti è piaciuta?
Non ci posso credere!
Lei ha detto che…

Grammatica

Il gerundio modale e temporale

Leonardo **passava** intere giornate **seguendo** gli uomini più mostruosi e strani.

Se le azioni espresse nella frase principale e nella secondaria succedono nello stesso momento e il soggetto delle due frasi è lo stesso, nella frase secondaria si usa il gerundio presente.

Marco Polo è arrivato in Cina (come, in che modo?) **attraversando** il continente asiatico.

Il gerundio modale risponde alla domanda "come?".

Leonardo, (quando, in che momento?) **camminando** per le strade dei mercati, cercava gli animali in gabbia, li comprava e li liberava.

Il gerundio temporale risponde alla domanda: "quando"?

La posizione dei pronomi con il gerundio

Nel 64 a. C. un grande incendio ha colpito la città di Roma, distruggendo**la**.

I pronomi complemento oggetto (diretti) seguono il verbo al gerundio, formando un'unica parola.

Gli aggettivi in -*bile*

I biglietti sono **acquistabili** (che possono essere acquistati) online.
È stato un fine settimana **indimenticabile** (che non può essere dimenticato).

*Gli aggettivi in -**bile** hanno un significato passivo ed esprimono una possibilità.*
*Per formare il negativo dell'aggettivo in -**bile**, bisogna aggiungere il prefisso **in**-, secondo le regole spiegate nella Lezione 1.*

La terza persona plurale in funzione impersonale

In quel cinema **fanno** un film storico.
Con l'aperitivo **danno** qualcosa da mangiare.
Dicono che Colombo in realtà non **fosse** genovese.
Dicono che l'acquario di Genova **sia** il più grande d'Italia.

*In alcuni casi la forma impersonale può essere espressa con la **terza persona plurale**.*

*Quando il verbo **dire** è usato in una frase principale come impersonale alla terza persona, il verbo della secondaria va al congiuntivo.*

8

VIDEO

se fossi un personaggio famoso

8

1 Prima della visione, osserva le due immagini: sai chi sono questi due personaggi della storia italiana? Abbina le foto a due dei nomi della lista. Poi guarda il video e verifica.

a Leonardo Da Vinci
b Niccolò Machiavelli
c Monna Lisa
d Galileo Galilei
e Lucrezia Borgia

2 Scegli la risposta giusta.

1 Perché Paolo vuole mangiare fuori?
   a Perché è il compleanno di Valeria.
   b Perché il frigo è vuoto.

2 Perché Valeria sta ancora lavorando?
   a Perché deve finire un lavoro prima di domani.
   b Perché non ha fatto niente fino a quel momento.

3 Cosa pensa Valeria di Machiavelli?
   a Che era una persona noiosa e troppo seria.
   b Che era un uomo interessante e simpatico.

4 Se Paolo potesse essere un personaggio storico...
   a Vorrebbe essere Garibaldi.
   b Vorrebbe vivere l'impresa dei Mille.

5 Perché a Valeria piace Lucrezia Borgia?
   a Perché era una donna intelligente e abile.
   b Perché era spietata con i suoi nemici.

3 Completa le frasi con i verbi al gerundio. Attenzione alla forma con il pronome!

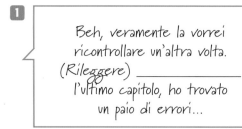

1 Beh, veramente la vorrei ricontrollare un'altra volta. (Rileggere) _____ l'ultimo capitolo, ho trovato un paio di errori...

2 Ma dai, non lo sapevo! (Leggere) _____ quello che scriveva non si direbbe, sembra così serio...

3 Sai che, (fare) _____ questa traduzione, ho imparato un sacco di cose su di lui che non sapevo...

4 Ma lo sai che (guardare-la) _____ bene...

4 Scegli l'opzione giusta.

Cosa significa l'espressione evidenziata?

a non abbiamo mangiato niente.
b non voglio mangiare niente.
c non c'è niente che si può mangiare.

Senti, nel frigo non c'è niente di mangiabile. Non facciamo la spesa da giorni...

5 Ricostruisci una parte del dialogo: alcune parole non si leggono più bene.

PAOLO   E tu, che person﹍ ﹍io storico ti piacerebbe e﹍ ﹍re?

VALERIA   Guarda, ser﹍ ﹍ubbio Lucrezia Borgia! Gu﹍ ﹍ala qua: ma lo sai che era una donna incredibile? ﹍ ﹍lano di lei come una don﹍ ﹍pietata, che avvelenava i suoi nemici, ma non è vero: a﹍ ﹍i, era una donna sag﹍ ﹍ molto responsabile!

PAOLO   Ma lo sai che guarda﹍ ﹍'ola bene... no﹍ ﹍na certa somiglianza?

VALERIA   Vero? Guarda!

6 Abbina gli elementi delle due colonne.

1 ti va di andare   tavolo
2 un paio   di lei
3 gioco da   certa somiglianza
4 parlano   a mangiare qualcosa fuori?
5 noto una   di errori

8

RICORDA

Hai forse notato che Valeria, parlando di Lucrezia Borgia, dice: "Parlano di lei come una donna spietata che avvelenava i suoi nemici, ma non è vero: anzi, era una donna saggia e molto responsabile!".

"Anzi" è un avverbio molto usato in italiano, e serve soprattutto quando vogliamo modificare ciò che abbiamo detto prima ("Vorrei un caffè; anzi, due!"), o, come in questo caso, affermare l'esatto contrario.

 Guarda la videogrammatica dell'episodio

caffè culturale

Gli italiani che hanno fatto la Storia

Leggi il ritratto dei seguenti personaggi storici e ordinali lungo la linea del tempo, come negli esempi.

Augusto
È stato il primo imperatore romano. L'età di Augusto ha rappresentato un momento di svolta nella storia di Roma e il definitivo passaggio dal periodo repubblicano all'impero.

Anna Magnani
Icona del cinema italiano, protagonista di film indimenticabili come "Roma città aperta" di Rossellini e "Bellissima" di Visconti. Nel 1956 è stata la prima attrice non di lingua inglese a vincere l'Oscar per "La Rosa Tatuata".

Marco Polo
Mercante veneziano, è stato uno dei più grandi esploratori di tutti i tempi. Viaggiò lungo la via della seta arrivando in Cina, dove diventò ambasciatore. Le sue memorie di viaggio furono raccolte nel celebre libro "Il milione", che ispirò fortemente Cristoforo Colombo.

Benito Mussolini
Anche detto il Duce, fondò il fascismo e assunse il ruolo di dittatore per quasi vent'anni. Fu ucciso dai partigiani dopo la sconfitta delle forze italotedesche nella seconda guerra mondiale.

Maria Montessori
Prima donna laureata in medicina in Italia, pedagoga, diventò famosa per il suo metodo basato sulla libertà, la creatività e l'autodisciplina del bambino, adottato in oltre 20.000 scuole nel mondo.

Michelangelo
È stato uno dei maggiori protagonisti del Rinascimento italiano, riconosciuto, già al suo tempo, come uno dei più grandi artisti di sempre. Ha dipinto la Cappella Sistina ed è l'autore di alcune delle più importanti sculture della storia dell'arte, tra cui il "David" e la "Pietà".

Galileo Galilei
Fisico, filosofo, astronomo e matematico, è considerato il padre della scienza moderna. Introdusse il metodo scientifico sperimentale e contribuì alla diffusione delle rivoluzionarie teorie di Copernico. Accusato di eresia dalla Chiesa, fu costretto a rinnegare le proprie idee ed esiliato.

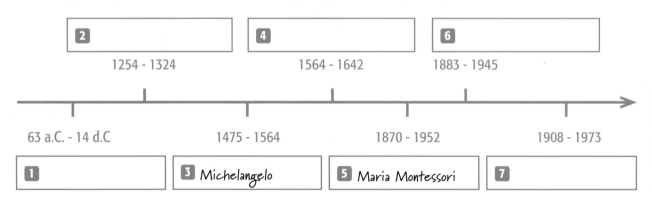

2		4		6	
1254 - 1324		1564 - 1642		1883 - 1945	

63 a.C. - 14 d.C   1475 - 1564   1870 - 1952   1908 - 1973

| 1 | | 3 Michelangelo | | 5 Maria Montessori | | 7 |

Soluzione: 1. Augusto, 2. Marco Polo, 3. *Michelangelo*, 4. G. Galilei, 5. *M.Montessori*, 6. B. Mussolini, 7. A. Magnani

8

Italia da scoprire

comunicazione

È questione di gusti.

Mi chiedo dove sia Recanati.

Come mai?

Prima che sia troppo tardi…

Vorrei segnalarvi un posto…

grammatica

La frase interrogativa indiretta

Il discorso indiretto con frase principale al passato

prima che - prima di

vocabolario Espresso

collina

paesaggio

incontaminato

costa

flora

fauna

bellezze

ambiente

stambecco

volpe

prato

grotta

torrente

1 Mare, monti...

Osserva il disegno e abbina le parole al numero corrispondente.

a collina	**d** lago	**g** paese
b fiume	**e** mare	**h** spiaggia
c ponte	**f** montagna	**i** strada

E 1

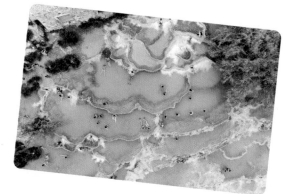 

2 Consigli di viaggio

Completa il testo con alcune delle parole della lista del punto **1**.
Attenzione: le parole possono andare al plurale.

Le Marche: l'Italia in una regione

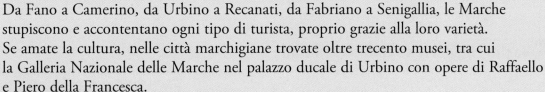

Sicuramente sapete dov'è Roma, o Venezia, o anche Siena. Città famosissime e che tutti conoscono. Ma probabilmente non sapete rispondere a chi vi chiede se conoscete Ancona, o Pesaro, o Macerata. Non preoccupatevi, non siete soli: provate a chiedere a un italiano dove siano posti meravigliosi come il Conero, città d'arte come Urbino o piccoli ma bellissimi _____ come Recanati; non tutti sapranno rispondervi.

Questo perché per molto tempo le Marche sono state considerate una regione poco significativa e lontana dai percorsi che frequentano di solito i turisti.

Fortunatamente negli ultimi anni molti stanno riscoprendo le bellezze di questa regione.

Da Fano a Camerino, da Urbino a Recanati, da Fabriano a Senigallia, le Marche stupiscono e accontentano ogni tipo di turista, proprio grazie alla loro varietà.

Se amate la cultura, nelle città marchigiane trovate oltre trecento musei, tra cui la Galleria Nazionale delle Marche nel palazzo ducale di Urbino con opere di Raffaello e Piero della Francesca.

Se siete invece più interessati al sole e al _____, vi aspettano la Riviera del Conero e le sue _____ incredibili.

Volete rilassarvi fuori dalle città? La tranquilla campagna marchigiana vi sorprenderà e vi affascinerà con i suoi colori, le sue dolci _____ e i suoi paesaggi.

Per gli amanti della _____ e della natura, invece, è d'obbligo salire sui sentieri del Parco Nazionale dei Monti Sibillini, o scendere nelle splendide Grotte di Frasassi.

Se amate il buon cibo, forse vi state chiedendo se nelle Marche si mangia bene.

La risposta in due parole: olive ascolane. Sono olive fritte con ripieno di carne e sono nate proprio nelle Marche, ad Ascoli. Per i vini, sono marchigiani il famoso Verdicchio o il rosso Piceno.

Insomma, un giro nelle Marche tra mare, arte, natura e cucina, è un vero "giro d'Italia" in piccolo.

Rileggi ed elimina tutte le informazioni che ti sembrano poco utili al messaggio che vuole comunicare l'autore del testo. Poi confrontati con un compagno.

3 La frase interrogativa indiretta

*Osserva le tre frasi estratte dal testo del punto **2**: sono interrogative indirette.*
Trasformale in una domanda diretta, come nell'esempio.

1 Ma probabilmente non sapete rispondere a chi **vi chiede se conoscete** Ancona, o Pesaro, o Macerata.
Qualcuno vi chiede: *"Conoscete Ancona, Pesaro o Macerata?"* .

2 **Provate a chiedere** a un italiano **dove siano** posti meravigliosi come il Conero o città d'arte come Urbino.
Chiedete a un italiano: "_____?"

3 Vi **state chiedendo** se nelle Marche **si mangia** bene.
Vi state chiedendo: "_____?"

Come vedi, nelle frasi interrogative indirette si usa l'indicativo o il congiuntivo. Secondo te, da cosa dipende la scelta del modo verbale? Fai delle ipotesi con un compagno, poi ricostruite la frase qui sotto, facendo attenzione alla punteggiatura.

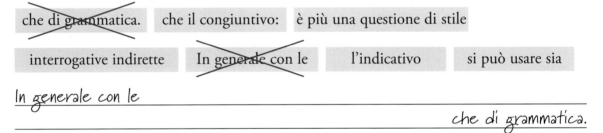

~~che di grammatica.~~	che il congiuntivo:	è più una questione di stile
interrogative indirette	~~In generale con le~~	l'indicativo	si può usare sia

In generale con le _____

_____ *che di grammatica.*

4 Voglio chiedervi se conoscete l'Italia

Ogni studente della classe detta all'insegnante almeno un termine che abbia a che fare con l'Italia. L'insegnante trascrive tutte le parole alla lavagna (più ce ne sono, meglio è), come nell'immagine qui a fianco.
Poi la classe si divide in due squadre, A e B.
Ogni squadra scrive su un foglio dieci domande indirette che abbiano per risposta una delle parole presenti sulla lavagna, come nell'esempio.
Ogni squadra consegna il foglio con le domande all'insegnante, che rivolge a turno una domanda a ciascuna squadra, utilizzando la lista della squadra avversaria.
Vince la squadra che risponde a più domande.

E 2

> Vi chiediamo come **si chiami / si chiama** una spiaggia famosa dell'Emilia Romagna (Rimini).

9

5 La frase interrogativa indiretta al passato

Cosa succede quando riportiamo una domanda del passato?
Guarda il riquadro e trasforma le frasi al congiuntivo, come nell'esempio.

> **Chiedo** a un italiano dove **sia** Urbino. → Gli **ho chiesto** dove **fosse*** Urbino.
> *la scelta tra congiuntivo e indicativo è la stessa dell'interrogativa indiretta al presente.

1 Dove sono le Marche?
Ho chiesto a un mio studente _____*dove fossero*_____ le Marche.

2 Recanati è nelle Marche?
Ho domandato a un amico _____ nelle Marche.

3 Qual è il capoluogo delle Marche?
Ieri a cena ci siamo chiesti _____ delle Marche.

4 Quanti abitanti hanno le Marche?
Una volta a scuola mi hanno chiesto _____ le Marche.

5 Le Marche hanno il mare?
Da giovane non sapevo nemmeno _____ il mare.

6 Come si chiamano gli abitanti delle Marche?
Una volta mi sono chiesto _____ delle Marche.

E 3·4

Scegli una risposta per ogni domanda. Poi verifica con l'insegnante o controlla
su Wikipedia (alla voce "Marche").

1 ☐ Nell'Italia centrale / ☐ Nell'Italia meridionale
2 ☐ Sì / ☐ No
3 ☐ Urbino / ☐ Ancona
4 ☐ Circa 1.500.000 / ☐ Circa 7.000.000
5 ☐ Sì / ☐ No
6 ☐ Marchesi / ☐ Marchigiani

6 Impressioni

Formate dei gruppi di persone che hanno visitato gli stessi posti (in Italia o in un altro Paese).
Confrontate gli itinerari fatti, i monumenti visitati, le impressioni ecc.

Italia da scoprire

7 Italia da scoprire

Lavora con un compagno. Completate la cartina dell'Italia con i luoghi del riquadro di questa pagina e di quella successiva, come nell'esempio.

E 5

1 Abruzzo
Il **Gran Sasso**, la montagna più alta degli Appennini (2912 m).

2 Basilicata
I **Sassi di Matera**, la città scavata nella roccia.

3 Calabria
I **Bronzi di Riace**, del V secolo a.C.

4 Campania
La **Reggia di Caserta**, residenza dei Re Borboni nel '700.

5 Emilia Romagna
Ravenna, la città dei Mosaici.

6 Friuli Venezia Giulia
Piazza dell'Unità d'Italia a Trieste, la più grande piazza d'Europa di fronte al mare.

7 Lazio
Il **Colosseo**, costruito nel I secolo d.C.

8 Liguria
Le **Cinque terre**, cinque piccoli paesi sul mare.

9 Lombardia
Il **Duomo di Milano**, uno dei simboli dell'Italia.

10 Marche
Il **Palazzo Ducale** di Urbino, la culla del Rinascimento italiano.

Italia da scoprire

8 Olio extra vergine d'oliva

22

*Ascolta l'audio e indica con una X sulla cartina del puno **7** di quali regioni d'Italia si parla.*

Ora leggi e verifica.

- ■ Ecco qui. Il pane per la bruschetta è pronto. Gianni, tu mi hai detto che la vuoi senza pomodoro, giusto?
- ▼ Sì, sì, per me la bruschetta è senza pomodoro. Solo aglio, sale e olio buono.
- ■ Questo lo fanno i miei, giù in Sicilia. Ti va bene?
- ▼ Mmhh… olio siciliano, bello forte.
- ■ Sì, questo è olio nuovo, è arrivato la settimana scorsa, ancora non l'ho assaggiato. Mio padre mi ha detto che quest'anno ne hanno fatto poco, ma è venuto particolarmente buono.
- ▼ E come mai?
- ■ Ha detto che c'erano poche olive. Tu assaggialo, se ti sembra troppo forte, ne ho un altro tipo un po' più leggero.
- ▼ Li provo tutti e due, dai. Comunque l'olio più buono per me è quello pugliese.
- ■ Mah, è questione di gusti. E poi non è semplice dire pugliese, calabrese o toscano. Non dipende solo dalla regione ma spesso cambia da zona a zona, dal tipo di olive usate. Quello dei miei per esempio è un po' forte. A me piace, però non tutti lo amano.
- ▼ Mmmhhh… ma è buonissimo! Sì, hai ragione, però è vero anche che un olio con questa personalità lo trovi solo al sud.
- ■ Sì, forse sì. Assaggia anche questo, è toscano, l'ho preso in una piccola azienda vicino Capalbio… è buonissimo. Gli altri hanno detto che volevano il pomodoro, giusto?
- ▼ Mi pare di sì.
- ■ Ma dove sono? Qui diventa tutto freddo.
- ▼ Boh, gli ho già detto di venire. Aspetta che vado a chiamarli.
- ■ Sì, forse è meglio.

E 6

---

11 Molise
La Festa del Grano, una processione religiosa con carri decorati con il grano.

12 Piemonte
La Mole Antonelliana a Torino, alta oltre 160 m.

13 Puglia
I Trulli, le tipiche costruzioni in pietra di Alberobello.

14 Sardegna
I Nuraghi, costruzioni in pietra del II millennio a.C.

15 Sicilia
La Valle dei Templi a Agrigento, del VI secolo a.C.

16 Toscana
Ponte Vecchio a Firenze, uno dei ponti più famosi del mondo.

17 Trentino Alto Adige
Le Dolomiti, con le famose rocce di colore rosa.

18 Umbria
Assisi, la città di San Francesco.

19 Valle d'Aosta
Il Monte Bianco, il più alto d'Europa (4810 m.)

20 Veneto
Venezia, la città più romantica del mondo.

9 Il discorso indiretto con frase principale al passato prossimo

Completa i discorsi indiretti seguendo le regole nei riquadri, come nell'esempio.
Non guardare la trascrizione del dialogo del punto **8**.

Quando il discorso indiretto è introdotto nella frase principale da un verbo al passato prossimo, nella frase secondaria:

> • se nel discorso diretto c'è un **passato prossimo**, si può usare il **passato prossimo**

1 D. DIRETTO: Mio padre mi ha detto: "Quest'anno ne (di olio) **abbiamo fatto** poco, ma **è venuto** particolarmente buono."

D. INDIRETTO: Mio padre mi ha detto che quest'anno ne _____hanno fatto_____ poco, ma _____ particolarmente buono.

> • se nel discorso diretto c'è un **passato prossimo**, si può usare il **trapassato prossimo***

2 D. DIRETTO: Mio padre mi ha detto: "Quest'anno ne (di olio) **abbiamo fatto** poco ma **è venuto** particolarmente buono."

D. INDIRETTO: Mio padre mi ha detto che quest'anno ne _____ poco, ma _____ particolarmente buono.

> • se nel discorso diretto c'è un **presente**, si può usare il **presente**

3 D. DIRETTO: Gianni ha detto: "La **voglio** senza pomodoro."
D. INDIRETTO: Gianni, tu mi hai detto che la _____ senza pomodoro, giusto?

> • se nel discorso diretto c'è un **presente**, si può usare anche l'**imperfetto***

4 D. DIRETTO: Gli altri hanno detto: "**Vogliamo** il pomodoro."
D. INDIRETTO: Gli altri hanno detto che _____ il pomodoro vero?

> • se nel discorso diretto c'è un **imperfetto**, si usa l'**imperfetto**

5 D. DIRETTO: Mio padre ha detto: "**C'erano** poche olive."
D. INDIRETTO: Mio padre ha detto che _____ poche olive.

> • se il discorso diretto è un **imperativo**, si usa *di* + infinito

6 D. DIRETTO: Ho già detto: "**Venite!**"
D. INDIRETTO: Gli ho già detto _____.

Confronta le frasi che hai completato con il testo del dialogo del punto **8** *e verifica.*

---

* Per approfondire la differenza tra l'uso del presente e dell'imperfetto e tra l'uso del passato prossimo e del trapassato prossimo nel discorso indiretto con frase principale al passato, vedi la grammatica a pagina 125.

10 Cosa hanno detto?

Trasforma le frasi di questi personaggi famosi in discorsi indiretti.
Aiutati con il riquadro in fondo alla pagina.

> Dio è morto, Marx è morto, e io mi sento poco bene.

1 Woody Allen ha detto che _____
_____
_____ .

> Proletari di tutto il mondo, unitevi!

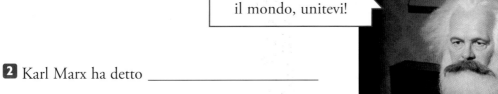

2 Karl Marx ha detto _____
_____
_____ .

> Questo è un piccolo passo per un uomo, ma è un grande salto per l'umanità.

3 Il primo uomo sulla luna ha detto che _____
_____
_____ .

> Si deve eliminare la fame nel mondo.

4 Il Papa ha detto che _____
_____
_____ .

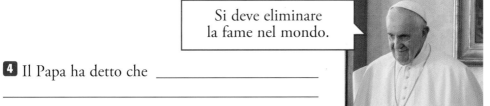

E 7·8
9·10

Le cose che cambiano maggiormente nel discorso indiretto sono:

il soggetto: io → lui/lei; noi → loro;
i pronomi: mi → lo/la (dir), gli/le (indir); ci → si; vi → li (dir), si (indir);
i possessivi: mio → suo/sua;
gli avverbi di luogo: qui → lì;
gli avverbi di tempo: ora → allora; oggi → quel giorno; ieri → il giorno prima;
domani → il giorno dopo;
i dimostrativi: questo → quello.

Italia da scoprire

11 I luoghi del cuore

Il FAI, Fondo Ambiente Italiano, ha promosso un'iniziativa chiamata "I luoghi del cuore": chi vuole può segnalare luoghi naturali che devono essere protetti dal turismo di massa.
Qui di seguito trovi alcune segnalazioni. Leggile.

▶ **NURRA** - Sassari - Sardegna
Vorrei segnalare un posto che ricorda il rapporto primitivo tra l'uomo e il mare. Si tratta della Nurra, in provincia di Sassari. Luogo di bellezza incredibile e incontaminato, amato da moltissimi uccelli migratori. Almeno fino ad oggi perché quest'estate, poco prima di partire, ho visto degli strani movimenti: evidentemente stavano costruendo qualcosa, forse un resort. Penso che dobbiamo intervenire prima che sia troppo tardi, o quel posto meraviglioso verrà rovinato irrimediabilmente!

Giovanni, Oristano

▶ **LO STRETTO DI MESSINA** - Reggio Calabria e Messina (Calabria e Sicilia)
È un luogo paesaggistico unico nel suo genere che comprende ben due regioni, due coste marine, una parte composta da laghi (Ganzirri) e una flora e fauna che meritano di essere salvate. Potrebbe essere completamente distrutto dal ponte che, come il tunnel nella Manica, rischia di essere assolutamente inutile.

Clelia

▶ **PONT** - Valsavaranche - Valle d'Aosta
Vi segnalo la località Pont in alta Valsavaranche (AO). È un prato, dove finisce la strada, delimitato da un parcheggio e da un piccolo albergo. Nei mesi caldi il prato è un campeggio piccolo e ordinato. C'è solo gente amante della montagna, silenziosa, motivata e rispettosa. In primavera nel parcheggio ci sono solo gli stambecchi e le volpi vengono alla porta del camper a chiedere cibo. Di notte c'è solo il rumore del torrente. È il posto più bello del mondo.

Gianni

▶ **MULES** - Bolzano - Trentino Alto Adige
Sono stata a Mules in estate con mio marito e nostra figlia Simona, di 14 anni: quando siamo arrivati in questo piccolo paese nella Valle d'Isarco, immerso nel verde e nella quiete della natura, siamo subito rimasti affascinati dal paesaggio e dalle meraviglie di questa località lontana dalla frenesia del mondo, ma che offre moltissime cose da fare e da vedere. Un vero e proprio paradiso che consiglio a tutti di visitare almeno una volta nella vita! Anche perché, con il tunnel ferroviario del Brennero che stanno costruendo, temo che questo paradiso possa scomparire.

a.b.

▶ **LAGO DI VICO** - Viterbo - Lazio
Desidero segnalarvi il luogo a cui, in questo momento, sono più legata. Si tratta del Lago di Vico, sui Monti Cimini, tra Viterbo e Roma. Solo per tre quarti è una riserva naturale ricca di fauna tipica; il resto è, purtroppo, un centro residenziale in continua espansione.

Francesca

> Penso che dobbiamo intervenire **prima che sia** troppo tardi.
> … quest'estate, poco **prima di partire**, ho visto degli strani movimenti.

E 11·12
13

Italia da scoprire

Completa la tabella.

luogo segnalato	aspetti positivi segnalati	pericoli
Nurra		
Stretto di Messina		
Pont		
Mules		
Lago di Vico		

12 Il FAI

23

Ascolta e scegli l'opzione corretta.

1
- **a** Il FAI
- **b** L'iniziativa "I luoghi del cuore" esiste da 10 anni.
- **c** Il Ministero dei Beni Culturali

2 La raccolta dei luoghi da salvare dal FAI è una lista fatta
- **a** da importanti studiosi.
- **b** dai cittadini.
- **c** dal Ministero dei Beni Culturali.

3 Secondo il Ministro dei Beni Culturali, il Ministero e il FAI dovrebbero
- **a** collaborare.
- **b** occuparsi di cose diverse.
- **c** fare di più per il patrimonio ambientale italiano.

4 Il Ministro dei Beni Culturali dice che il suo luogo del cuore
- **a** sono tutte le città italiane.
- **b** è la sua città, Ferrara.
- **c** è una piazza della sua città.

13 Il tuo luogo del cuore

Un'importante istituzione del tuo Paese ha promosso un'iniziativa simile a quella del FAI.
Intervieni segnalando il tuo luogo del cuore: un posto da proteggere.

Trieste, Castello di Miramare

comunicazione e grammatica

Per comunicare

Non preoccupatevi: non siete i soli!
E come mai?
Mah, è questione di gusti.
Sì, hai ragione, però…

Mi pare di sì.
Forse è meglio
Prima che sia troppo tardi…
Qui stiamo parlando di…

Grammatica

prima che - prima di

Quest'estate, poco **prima di partire**, ho visto degli strani movimenti. Penso che dobbiamo intervenire **prima che sia** troppo tardi.

*Se il soggetto della frase principale e di quella secondaria temporale è lo stesso, si usa **prima di + infinito**.*
*Se il soggetto è diverso si usa **prima che + congiuntivo**.*

La frase interrogativa indiretta

Ma probabilmente non sapete rispondere a chi **vi chiede se conoscete** Ancona.
Provate a chiedere a un italiano **dove siano** posti meravigliosi come il Conero.
Ci chiediamo come **si chiami / si chiama** una spiaggia famosa dell'Emilia Romagna.
Vorrei sapere **quanto costa / costi** questo albergo.
Gli **ho chiesto** dove **era / fosse** Urbino.
Da giovane non **sapevo** nemmeno dove **erano / fossero** le Dolomiti.

*Per le frasi interrogative indirette valgono le stesse regole del discorso indiretto. La frase secondaria è introdotta dalla congiunzione **se** o da altre congiunzioni, ad esempio **come**, **dove**, **quando**. Il verbo della frase secondaria può essere al congiuntivo o all'indicativo. La scelta dipende più da una questione di stile che di grammatica.*

Quando viene riportata una domanda del passato, generalmente nella secondaria si usa l'imperfetto, indicativo o congiuntivo, se l'azione è contemporanea.

Il discorso indiretto con frase principale al passato

Mio padre mi ha detto che quest'anno **hanno fatto / avevano fatto** poco olio, ma **è venuto / era venuto** particolarmente buono.

Quando il discorso indiretto è introdotto nella frase principale da un verbo al passato prossimo, cambiano i tempi verbali.

"**Voglio** una pizza Margherita." → Mi ha detto che **voleva** una pizza Margherita.
"**Voglio** una pizza Margherita." → Mi ha detto che **vuole** una pizza Margherita.

*Il **presente** indicativo diventa **imperfetto** indicativo quando si vuole sottolineare che l'azione è collocata nel passato.*
*Il **presente** indicativo resta **presente** indicativo quando si vuole sottolineare il fatto che l'azione è ancora valida nel presente.*

"**Ho preso** una pizza Margherita." → Mi ha detto che **ha preso** una pizza Margherita.
"**Ho preso** una pizza Margherita." → Mi ha detto che **aveva preso** una pizza Margherita.

*Il **passato prossimo** resta **passato prossimo** quando ci si riferisce ad un passato molto vicino.*
*Il **passato prossimo** diventa **trapassato prossimo** quando ci si riferisce ad un passato lontano.*

"**Preferivo** una pizza Margherita." → Mi ha detto che **preferiva** una pizza Margherita.

*L'**imperfetto** resta **imperfetto**.*

"**Prendi** una pizza Margherita!" → Mi ha detto **di prendere** una pizza Margherita.

*Se il discorso diretto è un **imperativo**, si usa **di + infinito**.*

Per le altre parti del discorso che cambiano nel discorso indiretto, vedi la grammatica a pagina 244.

VIDEO

1 Prima di guardare il video, osserva le immagini e indica quali elementi della lista vedi.

la biglietteria · il marciapiede · il sottopassaggio · il tabellone degli arrivi

l'ufficio informazioni · il binario · la panchina · il tabellone delle partenze

il biglietto del treno

9

PARTENZE			
Treno	Orario	Destinazione	Binario
9491	11:50	Roma	1
9811	12:00	Napoli	8
9813	12:15	Parma	4
9863	12:30	Firenze	6
9655	12:45	Torino	3
9411	12:55	Roma	1

ARRIVI			
Treno	Orario	Destinazione	Binario
9391	10:50	Napoli	10
9644	11:00	Napoli	4
9823	11:15	Roma	2
9163	11:30	Firenze	5
9455	11:45	Torino	3
9410	12:05	Roma	1

2 Indica se le affermazioni sono vere o false.

	vero	falso
1 Monica e Francesco aspettano il treno per Parma.	☐	☐
2 A Monica non piacciono gli amici di Francesco.	☐	☐
3 Monica vuole sedere vicino al finestrino.	☐	☐
4 Francesco conosce bene Parma e Treviso.	☐	☐
5 Francesco ha comprato un biglietto sbagliato.	☐	☐
6 I due ragazzi decidono di non andare più a Rimini.	☐	☐
7 È previsto uno sciopero di 24 ore.	☐	☐
8 Il treno che prenderanno arriverà prima che inizi lo sciopero.	☐	☐

3 Osserva le immagini e indica l'opzione corretta.

Ci sono altre città che sarebbe bello visitare.
Che so: Parma, Treviso, Ferrara…

1 Cosa vuole dire Monica con l'espressione evidenziata?
- **a** Io conosco bene.
- **b** Per esempio.
- **c** Non lo so.

Va bene, ho capito, la prossima volta potremmo andare a Treviso o a Parma, vediamo.

2 Cosa vuole dire Francesco con l'espressione evidenziata?
- **a** Controlliamo se c'è un treno per Parma.
- **b** Dipende da quanto costa il biglietto.
- **c** Decideremo quando sarà il momento.

4 Scegli l'opzione corretta.

1 Giovanna una volta mi ha detto che l'autunno scorso *abbiano fatto/hanno fatto/facevano* due gite, una a Treviso, e una a Parma e che *stavano/stessero/sono stati* benissimo…

2 A volte mi domando se tu *sei/eri/sia* veramente così ignorante o fai finta per farmi arrabbiare… Treviso è una piccola Venezia, c'è un centro storico meraviglioso! E poi Giovanna mi ha detto che *dormivano/hanno dormito/dormiranno* in un albergo sulla…

3 Una volta mi hai chiesto se *vorrei/voglio/volessi* un regalo speciale per il compleanno. Ti ricordi?

RICORDA

Se viaggi in Italia, devi sempre prendere informazioni su possibili scioperi: non è raro trovarsi nella stessa situazione di Monica e Francesco!

 Guarda la videogrammatica dell'episodio

Stereotipi

In Italia esistono molti stereotipi sugli abitanti delle varie regioni o città. Osserva la cartina e scoprine alcuni.

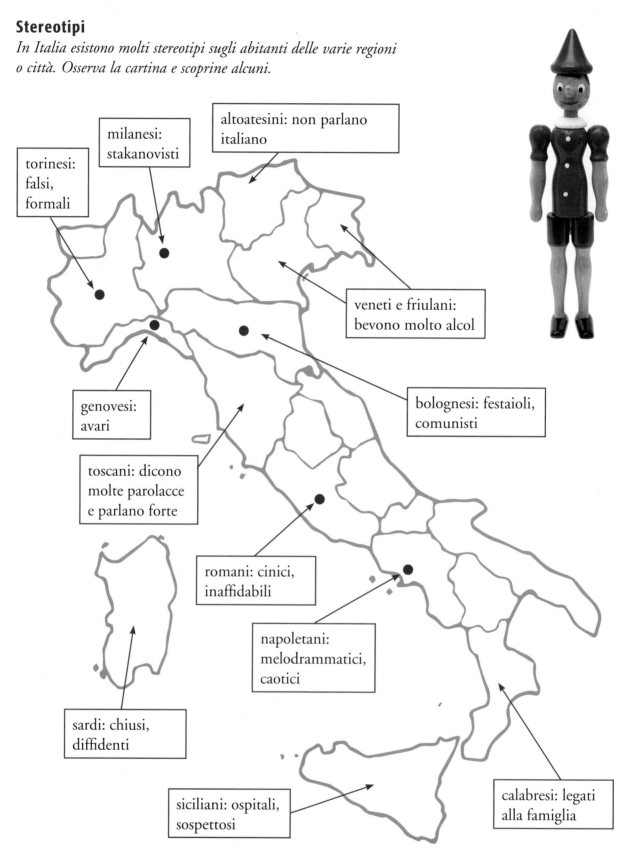

torinesi: falsi, formali

milanesi: stakanovisti

altoatesini: non parlano italiano

veneti e friulani: bevono molto alcol

genovesi: avari

bolognesi: festaioli, comunisti

toscani: dicono molte parolacce e parlano forte

romani: cinici, inaffidabili

napoletani: melodrammatici, caotici

sardi: chiusi, diffidenti

siciliani: ospitali, sospettosi

calabresi: legati alla famiglia

Nel tuo Paese esistono stereotipi sugli abitanti delle varie aree geografiche? Quali?

L'italiano oggi

comunicazione

Mettiamoci l'anima in pace.

Va fatta una distinzione.

Che c'entra?

Ti attacco il telefono in faccia!

Il punto è che…

Andiamo a farci una pizza!

grammatica

La forma passiva con *andare*

Il congiuntivo trapassato

Il periodo ipotetico del III tipo (nel passato)

Alcune espressioni avverbiali

Il gerundio passato

L'infinito passato

dopo + infinito passato

vocabolario Espresso

apostrofo

punteggiatura

ortografia

dilagare

distinzione

linguista

corrompere

estinzione

registro

interlocutore

mutare

1 Gli errori degli italiani

Ecco gli 8 errori più frequenti degli italiani. E tu, che errori fai? Parlane con un compagno.

Gli 8 errori grammaticali più frequenti commessi dagli italiani

1. Errori nell'uso degli apostrofi (es: *un* / *un'*)
2. Errori nell'uso degli accenti (es: *da* / *dà*)
3. *Qual'è* invece di *Qual è*
4. Uso dell'indicativo invece del congiuntivo
5. Errori di ortografia come *Pultroppo* o *Propio*
6. Confusione nelle congiunzioni: *e* / *ed*, *a* / *ad*
7. Uso sbagliato della punteggiatura
8. Il pronome indiretto *gli* usato anche al femminile invece di *le*

2 Insegnanti discutono

L'immagine degli 8 errori è stata condivisa, su Facebook, in un gruppo di insegnanti. Leggi i loro commenti.

E 1

Andrea Gioele *Ed* o *Ad* davanti a vocale non è un errore, ma effettivamente spesso è molto brutto. Soprattutto quando viene usata davanti a parole che iniziano con vocali diverse: "ed adesso…" a me sembra orribile, anche se forse non è sbagliato…

20 novembre alle ore 12.27 · 👍 Mi piace · 2

Federica Calimani Beh, la d davanti a consonante non va messa!

20 novembre alle ore 12.39 · 👍 Mi piace

Andrea Gioele
Ahahah, sì Federica, ma nessuno direbbe o scriverebbe "Alberto ed Marina"!!! Piuttosto, secondo me l'uso della d è pesante quando la vocale successiva è seguita da un'altra d, come nell'esempio che ho fatto nel primo post (ed adesso).

20 novembre alle ore 13.00 · 👍 Mi piace · 2

Monica Bari Beh, ci sono anche altri errori che si leggono in giro. Ad esempio proprio ieri ho letto su un giornale "donne in cinta" scritto staccato e utilizzato solo al singolare. Due errori in una sola parola!

20 novembre alle ore 13.56 · 👍 Mi piace

Eleonora Conti A Roma si dice anche che le donne STANNO in cinta. Tre errori insieme!!!

20 novembre alle ore 14.04 · 👍 Mi piace · 2

Elena Ciao Mah, secondo me va fatta una distinzione tra errori veri e propri (come qual'è, o propio) e brutture, che a volte sono anche soggettive. Molti qui dicono che la D con una vocale diversa sia brutta, ma ci sono formule standardizzate, come "ad esempio", che nessuno considera scorretta. Anzi "a esempio" suonerebbe strano, mi pare.

20 novembre alle ore 15.25 · 👍 Mi piace · 1

Monica Bari Ormai alcune forme scorrette, o semplicemente brutte, dilagano e vengono utilizzate anche sui quotidiani... Frasi come "io penso che è... " sono sempre state usate e purtroppo un sacco di gente continuerà a dirle e anche a scriverle, mettiamoci l'anima in pace... Povero congiuntivo...

20 novembre alle ore 16.05 · 👍 Mi piace · 1

Correggi le imprecisioni e gli errori citati nel testo, come nell'esempio.

Stanno in cinta → <u>Sono incinte</u>   Qual'è → _____
Ed adesso → _____   Propio → _____
Alberto ed Marina → _____   Io penso che è... → _____

3 Non va messa

Osserva le due frasi della discussione. Secondo te cosa significa la forma <u>sottolineata</u>? Scegli le risposte corrette con un compagno.

1 La "d" davanti a consonante **non va messa**!   **a** non la voglio mettere
b non deve essere messa

2 Secondo me **va fatta** una distinzione.   **a** voglio fare
b deve essere fatta

4 Il passivo

Trova nei testi del punto **2** *i verbi alla forma passiva e completa la tabella.*

con *essere*	con *venire*	con *andare*
		va messa
		va fatta

Completa la regola del passivo unendo le frasi delle due colonne.

1 La forma passiva
con il verbo *essere* si può usare

2 La forma passiva
con il verbo *venire* si può usare

3 La forma passiva
con il verbo *andare* si può usare

a solo con i tempi semplici e ha un
significato di dovere (*deve essere...*).

b solo con i tempi semplici.

c sia con i tempi semplici che con quelli
composti.

5 Quanti errori vengono fatti!

Completa con le forme passive (con essere, venire e andare) le frasi sugli errori più comuni,
come nell'esempio. Attenzione: una forma passiva va in un tempo passato.

1 Spesso l'apostrofo (*mettere*) ___viene messo___ nell'espressione interrogativa "Qual'è".
Attenzione: in questo caso l'apostrofo non (*inserire*) _____.

2 Con l'articolo indeterminativo l'apostrofo (*mettere*) _____ solo con le parole
femminili, quindi: "un'amica" sì, "un'amico" no.

3 Il congiuntivo, soprattutto nella lingua parlata, spesso (*sostituire*) _____
dall'indicativo.

4 Prima di oggi sicuramente la punteggiatura (*usare*) _____ male da ognuno
di noi, e anche in futuro continueremo a fare errori.

5 Sembra facile, ma non lo è. Una volta su tre il pronome indiretto "gli"
(*usare*) _____ in modo sbagliato, al posto di "le".

E 2·3

6 Le difficoltà dell'italiano

Sei arrivato alla fine del terzo volume di NUOVO Espresso. Quali sono le difficoltà maggiori che
ancora incontri nella lingua italiana? Scegline due, prendi appunti e parlane con alcuni compagni.

☐ ascoltare   ☐ grammatica   ☐ leggere   ☐ parlare   ☐ scrivere

7 Se io...

24 ((►

Ascolta e rispondi alle domande con un compagno. Riascolta tutte le volte necessarie
e confrontati anche con altri compagni.

1 Quale errore grammaticale fa il signore della ditta del gas?
2 Cosa pensa lui degli errori?
3 Di cosa parla l'articolo che legge lei?
4 Alla fine lui fa dell'ironia. In che modo?

E 4

10

8 Il congiuntivo trapassato

Osserva i verbi evidenziati nella trascrizione dell'ultima parte del dialogo. Sono al **congiuntivo trapassato**. *Poi completa la tabella.*

■ E poi cos'è un errore? Se dico...
che ne so... "Ieri, se non pioveva,
andavo a giocare a calcetto"... io lo so
che non è la forma più elegante, ma se
parlo con i miei amici non posso mica
dire "ieri, se non **avesse piovuto**, sarei
andato a giocare a calcetto". Mi ridono
in faccia!

dire	andare
_____ detto	fossi andato/a
avessi detto	fossi andato/a
_____ detto	_____ andato/a
avessimo detto	_____ andati/e
aveste detto	foste andati/e
avessero detto	fossero andati/e

▽ Va be', quello non è proprio un errore,
ma se uno mi dice, come ha detto quello, "se le direi...", eh no... "Se le direi" no!
Ti attacco il telefono in faccia, mi dispiace!

■ Va beh... senti... se **fossimo andati** a fare la spesa, avremmo potuto cucinare qualcosa,
ma purtroppo il nostro frigorifero è vuoto... che si fa?

▽ Andiamo a farci una pizza, dai.

■ Farci una pizza??? Ma come parli? Mi si abbassa la libido eh?!

▽ Scemo!

■ Forse se **avessi detto** "Potremmo andare al ristorante a mangiare una pizza",
saresti sembrata più sexy...

▽ E dai!

10

9 L'ipotesi nel passato (III tipo)

*Il congiuntivo trapassato si usa nelle frasi ipotetiche nel passato, quando si fanno delle ipotesi
che non si sono realizzate. Rileggi la trascrizione del punto **8** e completa la regola.
Se necessario consultati con dei compagni.*

> Le frasi ipotetiche nel passato si costruiscono con la congiunzione _____
> + verbo al congiuntivo trapassato + verbo al _____.

'ALMA.tv

Vuoi sapere qualcosa di più sul periodo ipotetico del III tipo?
Vai su *www.alma.tv*, cerca "Ipotesi fantascientifiche" nella rubrica
Grammatica caffè e guarda l'interessante spiegazione del Prof. Roberto
Tartaglione.

| Ipotesi fantascientifiche | CERCA |

10 **Come sarebbe cambiata la mia vita...**

Prova a immaginare come sarebbe cambiata la tua vita se non avessi imparato una certa lingua (l'italiano o un'altra lingua). Vedi l'esempio che segue, poi completa lo schema sotto.

E 5·6
7

Se non avessi frequentato il corso di tedesco...

| Non avrei conosciuto il mio amico Guillermo. | non avrei mai trascorso del tempo nel nord della Germania. |

Se non avessi conosciuto il mio amico Guillermo...

Se non avessi trascorso del tempo nel nord della Germania...

| non avrei imparato lo spagnolo. | Non avrei deciso di passare un anno ad Amburgo. |

Se non avessi imparato...

l'italiano oggi

11 La lingua
Scegli uno dei tre profili e scrivi la tua opinione in proposito.

Purista
Bisognerebbe studiare l'italiano standard, quello che parlano al telegiornale, e non l'italiano della strada, che è pieno di errori!

Aperto
La lingua è qualcosa che cambia continuamente, bisogna adattarsi ai cambiamenti e accettare anche le novità che non ci piacciono.

Equilibrato
È vero che la lingua è una cosa viva, che muta con il tempo, ma bisogna lottare in modo che migliori e aumenti le proprie possibilità espressive, invece troppo spesso diventa più brutta e povera.

12 Il professore... si suicidò.
Riordina la frase del giornalista Leo Longanesi, poi discutine il significato con un compagno. Fai attenzione alla punteggiatura.

conosceva,	lingue morte,	finalmente parlare	le lingue che	per poter

Il professore di _____ si suicidò.

13 Comunque anche Leopardi diceva le parolacce
Riscrivi l'inizio di questo articolo correggendo l'ordine delle lettere all'interno delle parole sbagliate. Attenzione: la prima e l'ultima lettera di ogni parola sono sempre giuste. Poi confrontati con un compagno.

MALINO - Dpoo areve ripetuto connuatimente che la nsotra lungia si sta corrompendo, minacciata dall'inlegse e da Inrentet, ora anculi linguisti dnocio che il coginuntivo è mroto, il putno e virgola è mroto e che l'itilanao è omari una lungia in esnitzoine. Ma siamo surici che le cose sniato darvevo così? Lo abbiamo chesito a Giuseppe Antonelli, prososfere di Luignistica italiana e aurote del lirbo "Comunque anche Leopardi diceva le parolacce".

Ora leggi l'articolo completo, poi rispondi alla domanda confrontadoti con un gruppo di compagni.

Comunque anche Leopardi diceva le parolacce

MILANO - Dopo avere ripetuto continuamente che la nostra lingua si sta corrompendo, minacciata dall'inglese e da Internet, ora alcuni linguisti dicono che il congiuntivo è morto, il punto e virgola è morto e che l'italiano è ormai una lingua in estinzione.

Ma siamo sicuri che le cose stiano davvero così? Lo abbiamo chiesto a Giuseppe Antonelli, professore di Linguistica italiana e autore del libro "Comunque anche Leopardi diceva le parolacce".

Tanti dicono che l'italiano è una lingua che sta morendo a causa di Internet, SMS, televisione. Cosa ne pensa?

Penso che solo le lingue morte non cambino: restano lì, come il greco antico e il latino classico, nella loro perfezione. Invece l'italiano, per nostra fortuna, è vivo più che mai. Nella seconda metà del Novecento è diventato finalmente la lingua parlata da tutti gli italiani; oggi sta diventando anche la lingua scritta da tutti gli italiani. Nel primo caso il merito è stato in buona parte della televisione; nel secondo, della telematica.

Secondo lei perché gli italiani non imparano le regole di base della propria lingua? È davvero colpa dei nuovi sistemi di comunicazione?

Forse in certi casi non le imparano, in certi casi le disimparano, in altri le trascurano. Qualche tempo fa, Roberto Saviano usò un apostrofo sbagliato in un messaggio su Twitter: «Qual'è il peso specifico della libertà di parola?». Capita, può capitare, specie quando si scrive rapidamente su una tastierina piccola come quella di un telefono. Ma Saviano per rispondere alle critiche, scrisse: «Ho deciso :-) continuerò a scrivere *qual'è* con l'apostrofo come #Pirandello e #Landolfi». E allora perché non anche la *j* in parole come *ajuto*, *bujo*, *guajo*, *vassojo* o i pronomi combinati *glie lo*, *su le* («lo scialletto che teneva su le spalle») come faceva Pirandello?
Non è così che funziona: la lingua, appunto, cambia nel tempo. Quello che un tempo era corretto oggi può essere sbagliato.

Parliamo di Leopardi. Devo confessarle una cosa: avendo avuto una formazione classica, ho avuto un momento di sconforto quando ho letto il titolo del suo libro. "Comunque anche Leopardi diceva le parolacce"... significa che siamo tutti assolti? Ci possiamo appellare al grande poeta quando sbagliamo a scrivere qualcosa?

Il punto è che Leopardi non sbagliava. Non sbagliava quando usava le parolacce, perché le usava solo nelle sue lettere private, per rendere espressivamente emotività, frustrazione, rabbia, divertimento. E dunque mostrava di saper dominare tutti i registri della lingua, da quello sublime a quello più basso. Questo, d'altra parte, significa conoscere e saper usare una lingua: selezionare di volta in volta le forme e le espressioni più adatte al contesto, all'interlocutore, all'argomento, all'effetto che vogliamo ottenere.

*Il libro di Giuseppe Antonelli si intitola "**Comunque anche Leopardi diceva le parolacce**".*
Perché, secondo te, l'autore ha voluto mettere la parola "comunque"?

1 Per indicare che anche il grande poeta, come tutti gli esseri umani, diceva le parolacce.
2 Per indicare che il grande poeta era superiore e non diceva le parolacce.

l'italiano oggi

14 In buona parte

Scegli, per ogni espressione avverbiale evidenziata, un sinonimo corrispondente.

1 Nel primo caso il merito è stato **in buona parte** (□ *da un certo punto di vista* □ *soprattutto* □ *un po'*) della televisione; nel secondo, della telematica.

2 Forse **in certi casi** (□ *quasi sempre* □ *quasi mai* □ *qualche volta*) non imparano le regole.

3 Capita, può capitare, **specie** (□ *soprattutto* □ *raramente* □ *solamente*) quando si scrive rapidamente su una tastierina piccola come quella di un telefono.

4 E **dunque** (□ *quindi* □ *però* □ *qualche volta*) (Leopardi) mostrava di saper dominare tutti i registri della lingua, da quello sublime a quello più basso.

5 Questo, **d'altra parte** (□ *in un altro brano del testo* □ *sempre* □ *inoltre*), significa conoscere e saper usare una lingua.

E 8

15 L'infinito passato e il gerundio passato

Guarda i due esempi del testo del punto **13** *e seleziona l'elemento corretto per ricostruire la regola di formazione di questi modi verbali.*

E 9·10
11·12·13

Infinito passato   Dopo **avere ripetuto** che…, ora alcuni linguisti <u>dicono</u> che…
                    (frase **secondaria**)   (frase <u>principale</u>)

Gerundio passato **Avendo avuto** una formazione classica, <u>ho avuto</u> un momento…
                  (frase **secondaria**)   (frase <u>principale</u>)

10

	Infinito passato	Gerundio passato
formazione	*Si forma con il **participio passato** / l'infinito presente dell'ausiliare + **il participio passato** / l'infinito presente del verbo.*	*Si forma con il **participio passato** / il gerundio presente dell'ausiliare + **il participio passato** / il gerundio presente del verbo.*
uso	**Dopo** + infinito passato indica che l'azione della frase secondaria avviene prima di quella della frase principale (*Dopo che noi… noi…*).	Sostituisce una frase secondaria causale (*Poiché…*) e si usa quando l'azione della frase secondaria avviene prima di quella della frase principale.

16 A scuola!

Forma delle frasi seguendo gli esempi. Decidi se usare il gerundio passato (frase causale) o l'infinito passato (frase temporale). Poi confrontati con un compagno.

non fare troppi errori – prendere un bel voto / *Non avendo fatto troppi errori, ho preso un bel voto.*
fare l'esame – aspettare il risultato / *Dopo aver fatto l'esame, ho aspettato il risultato.*

1 non studiare niente – prendere un brutto voto
2 vedere il nuovo professore di matematica – avere paura
3 non studiare mai la grammatica – faccio molti errori quando scrivo
4 studiare a casa – generalmente uscire con gli amici
5 tornare a casa tardi ieri sera – stamattina non riuscire ad alzarsi per andare a scuola
6 uscire da scuola – ieri andare al mare

17 Complessi linguistici

25 (◆

Ascolta l'intervento del Prof. Roberto Tartaglione, poi rispondi alle domande,
confrontandoti con un compagno. Alterna ascolti e confronti, cambiando ogni volta compagno,
fino a quando non sei soddisfatto di quanto hai capito.

1 Cosa sono i complessi linguistici secondo il Prof. Tartaglione?
2 Perché gli italiani hanno i complessi linguistici?
3 Qual è il complesso linguistico sul verbo "pigliare"?
4 Qual è il complesso linguistico sul verbo "arrabbiarsi"?
5 Qual è il complesso linguistico sul pronome indiretto plurale "gli"?
6 Cosa dovrebbero fare gli italiani riguardo ai complessi linguistici?

'ALMA.tv ▶

Ora vai all'indirizzo *www.alma.tv*
e guarda il video di "Complessi linguistici".

complesso
linguistico

| *Complessi linguistici* | CERCA |

18 L'italiano

Completa il questionario, poi confrontati con tutta la classe.

• Dove hai sentito l'italiano per la prima volta? _____
_____
_____

• Se tutte le parole italiane sparissero dal vocabolario tranne due, quali sceglieresti?
1 _____ **2** _____
• Una parola italiana con un suono che "fa male": _____
• Una parola italiana con un suono dolcissimo: _____
• Una parola italiana che viene pronunciata male nel tuo Paese: _____
• Una parola italiana che introdurresti nella tua lingua (eventualmente con qualche
modifica): _____
• Parole che hai imparato a pronunciare bene da poco: _____
_____
• Parole che ti costa tanta fatica pronunciare: _____

Segna su questa linea le lingue con cui sei venuto a contatto da quando eri bambino (compresa la
tua lingua madre), a seconda che ti piacciano poco (0) o molto (10). Quale posto occupa l'italiano?

0 ━━━━━━━━━━━━━━━━━━━━━━━━━━━━▶ 10

10

comunicazione e grammatica

Proprio ieri ho letto / sentito…
Ma chi era al telefono?
Rilassati un po'…
Che c'entra?
Ma ti dico di più.

Ma che scemenza!
Mi pare una stupidaggine, sinceramente.
E invece proprio no!
Mi ridono in faccia!
Non è così che funziona!

Grammatica

La forma passiva con *andare*

Le auto **vanno** lasciate nei parcheggi.
(= **devono essere** lasciate)
Il problema **andrà** discusso. (= **dovrà essere**
discusso)
L'errore **va** corretto. (= **deve essere** corretto)

*Per formare il passivo si può usare anche il verbo **andare** + il
participio passato del verbo principale.*
*Questo passivo ha però un significato di **dovere** o **necessità** e può
essere usato solo con i **tempi semplici** (ad eccezione del passato
remoto).*

Il congiuntivo trapassato

Pensavo che l'**avessi** già **letto**.
Credevo che **fosse** già **partito**.

*Il congiuntivo trapassato si forma con il congiuntivo imperfetto di
essere o **avere** + il participio passato del verbo principale.*

Per le tabelle del congiuntivo trapassato vedi la grammatica a pag. 236.

Il periodo ipotetico del III tipo (nel passato)

Se non **avesse piovuto, sarei andato** a giocare
a calcetto. (ma ha piovuto)
Se fossimo andati a fare la spesa, **avremmo
potuto** cucinare. (ma non siamo andati)

*Se la frase introdotta da **se** esprime una condizione che non si è
potuta realizzare nel passato, il verbo è al **congiuntivo trapassato** e
il verbo della frase principale al **condizionale passato**.*

Il gerundio passato

Avendo avuto (= **Poiché ho avuto**…)
una formazione classica, ho avuto un
momento di sconforto quando ho letto il
titolo del suo libro.

*Il gerundio passato si forma con il gerundio presente di **essere** o
avere (**essendo, avendo**) + il participio passato del verbo principale.
Sostituisce una frase secondaria causale (Poiché…) e si usa quando
l'azione della frase secondaria avviene <u>prima</u> di quella della frase
principale.*

Non **essendo andata** al corso, **Mara** la volta
dopo non capì niente.

*Se l'ausiliare è **essere**, il participio passato concorda in genere e
numero con il soggetto.*

Dopo + infinito passato

Dopo averci ripetuto che la nostra lingua si
sta corrompendo, ora ci dicono che l'italiano è
ormai una lingua in estinzione.
Dopo essere stati in ufficio, siamo tornati a
casa. (= dopo che noi… noi)

*L'infinito passato si forma con l'infinito presente di **avere** o **essere**
+ il participio passato del verbo principale.*

***Dopo** + infinito passato indica che l'azione della frase secondaria
avviene <u>prima</u> di quella della frase principale. Questa costruzione è
possibile solo se il soggetto delle due frasi è lo stesso.*

10

VIDEO

1 Nell'episodio i protagonisti dicono alcune parole in dialetto.
Prima della visione, prova ad abbinare le parole dialettali al loro significato in italiano,
come nell'esempio. Poi guarda il video e verifica.

| camicia | in fretta | occhio | lavora | niente | ~~sedia~~ |

1 laüra = _____
2 camisa = _____
3 nagott = _____
4 ocio = _____
5 cadrega = _sedia_
6 ambressa = _____

2 Indica le affermazioni giuste.

1 ☐ Paolo sta parlando con un collega di lavoro.
2 ☐ Paolo è di Milano.
3 ☐ Valeria è gelosa.
4 ☐ Paolo ha un'amica che si chiama Laura.
5 ☐ Valeria non conosce il dialetto milanese.
6 ☐ I genitori di Valeria sono di Milano.
7 ☐ Paolo chiede al cameriere una bottiglia di vino.
8 ☐ Valeria conosce il napoletano grazie alla nonna.

> RICORDA
>
> In generale in Italia il dialetto viene
> parlato soltanto in famiglia o tra amici;
> ci sono tuttavia delle regioni o delle
> città in cui l'accento locale rimane
> molto forte anche quando ci si esprime
> in italiano standard.
> Anche nel tuo Paese è così?

3 Ricostruisci in italiano il proverbio milanese che dice Paolo usando le parole nel cerchio.

Proverbio milanese:
Chi laora el gh'ha ona camisa e chi fa nagott el ghe n'ha dò!

In italiano:
Chi lavora _____ ne ha due.

(cerchio: camicia / una / ha / niente / fa / non / e / chi)

4 Sai come si chiama il dialetto di...? Indica l'opzione giusta.

Città	abitante (e dialetto)	
Milano	milanese	
Roma	☐ romese	☐ romano
Firenze	☐ fiorentino	☐ firenzese
Napoli	napoletano	
Bologna	☐ bolognano	☐ bolognese
Venezia	☐ veneziano	☐ veneziese
Genova	☐ genovano	☐ genovese

come si dice a Milano?

10

5 Completa alcune frasi del dialogo coniugando i verbi nei tempi e nei modi elencati.

infinito passato	gerundio passato	forma passiva con *andare*

1 Non penso di (*sentire*)_____ti mai _____ parlare in milanese, sai?

2 Sai, (*nascere*) _____ a Milano… ogni tanto parlo milanese. Soprattutto con i vecchi amici. Poi con Michele ci conosciamo da una vita…!

3 Sì, al telefono parlavi di una Laura, con una camicia… Dopo (*dire*) _____ così hai riso…

4 Be' poi, hai detto "ocio" che significa "occhio", quindi "attento", ma mi sembra di (*sentire*) _____ una parola strana…

5 Gli ho detto che queste persone (*evitare*) _____, sono pericolose. Ma scusa, tu non lo parli il tuo dialetto?

6 Ma no sai, mia madre è veneta e mio padre napoletano: e dopo (*sposarsi*) _____ si sono trasferiti a Bologna, poi a Perugia e ora io sto qui a Milano.

> ↖ **Guarda la videogrammatica dell'episodio**

caffè culturale

Errori e tic linguistici
Gli italiani maltrattano spesso la lingua di Dante. Osserva questi errori comuni (underlined), correggili come nell'esempio, infine confronta le tue soluzioni con quelle in fondo alla pagina.

Errori di ortografia
a Qual'è il tuo numero di telefono?   _qual è_

b Ti ho portato un pò di mele.   _____

c Non vengo perchè sono stanco.   _____

d Mangiare troppi dolci fà male!   _____

e Mi da un etto di prosciutto, per favore?   _____

f - Vieni alla festa?
   - Si!   _____

Errori grammaticali
g - Hai visto Caterina per il suo compleanno?
   - Ancora no, ma sabato gli porto il regalo!   _____

h La maggior parte degli italiani vanno in vacanza ad agosto.   _____

i Che fine ha fatto Fabio? L'ho telefonato mille volte, ma non risponde mai!   _____

Soluzione: b. un po'; c. perché; d. fa; e. dà; f. Sì; g. le; h. va; i. Gli

Bilancio

Dopo queste lezioni, che cosa so fare?

Raccontare la vita di un personaggio storico ☐ ☐ ☐

Raccontare un viaggio ☐ ☐ ☐

Fare una domanda in modo indiretto ☐ ☐ ☐

Riportare quello che ha detto un'altra persona ☐ ☐ ☐

Fare dell'ironia ☐ ☐ ☐

Fare delle ipotesi nel passato ☐ ☐ ☐

Riflettere sull'apprendimento linguistico ☐ ☐ ☐

Riflettere sulle caratteristiche
della lingua italiana ☐ ☐ ☐

Cose nuove che ho imparato

Espressioni che "funzionano" in italiano, ma che suonerebbero del tutto inappropriate nella mia lingua:

Una cosa che ancora non capisco o non riesco a usare in italiano:

Un aspetto relativo alla mia capacità di esprimermi e comunicare in italiano in cui penso di essere migliorato molto:

progetto

Un itinerario turistico

1. Lavora con un gruppo di compagni e preparate per i turisti stranieri un itinerario insolito della vostra città o di quella dove state studiando.

2. Utilizzate una cartina come riferimento (potete scaricarla da Internet) e create un itinerario per una visita di un giorno, un fine settimana e una settimana.

3. In base alla vostra creatività, arricchite la mappa con i materiali che preferite: fotografie, ritagli, disegni, scritte vostre o stampate, decorazioni grafiche, slogan, pop-up, brevi testi, oggetti, ecc.

4. L'importante è che il vostro itinerario sia curioso e divertente e invogli il lettore a visitare i luoghi da voi proposti.

5. Alla fine attaccate l'itinerario al muro, in classe.

...fai il test 4 a pag. 224

 **esercizi e test**

✎ esercizi 1

1 Prima di…
Trasforma le frasi secondo il modello.

Mi lavo le mani e poi mi metto a tavola. → *Prima di mettermi a tavola mi lavo le mani.*

1 Faccio benzina e poi parto.

1 _____

2 Mi lavo i denti e poi vado a letto.

2 _____

3 Spegne la TV e poi va a dormire.

3 _____

4 Abbiamo controllato bene i bagagli e poi siamo partiti.

4 _____

_____

5 Si è riposato un po' e poi ha cominciato a studiare.

5 _____

_____

6 Ci informeremo sul prezzo e poi prenoteremo il biglietto.

6 _____

_____

2 Il trapassato prossimo.
Completa le frasi con i verbi al trapassato prossimo.

1 L'insegnante ha ripetuto la frase perché molti non (*capire*) _____.

2 Siamo usciti solo dopo che (*smettere*) _____ di piovere.

3 Lorenzo si è iscritto a un corso intensivo di spagnolo: lo (*studiare*) _____ all'università, ma ha dimenticato quasi tutto!

4 Io te l'(*dire*) _____ tante volte, ma tu non mi hai mai dato ascolto! E adesso, vedi? Avevo ragione!

5 ▼ Povero Claudio: (*prenotare*) _____ una settimana in Toscana con Manuela, (*prendere*) _____ le ferie due mesi prima e (*organizzare*) _____ tutto alla perfezione per farle una sorpresa… E Manuela lo ha lasciato una settimana prima della partenza!

■ Mi dispiace per lui, però lo (*noi - capire*) _____ tutti che lei non voleva più stare con lui…

3 Povera Alessia!

Completa con il trapassato prossimo.

Alessia, prima di partire per un viaggio di lavoro, ha lasciato al figlio Antonio una lista di cose da fare. Quando è tornata cosa ha scoperto?

Antonio non (*innaffiare*) _____ le piante, (*dimenticarsi*) _____ di dare da mangiare al gatto, non (*fare*) _____ la spesa, (*trascorrere*) _____ il tempo guardando la tv o giocando al computer, non (*andare*) _____ a scuola e (*lasciare*) _____ la casa in disordine.

4 Cos'era successo prima?

Completa le frasi con i seguenti verbi al trapassato prossimo, *come nell'esempio.*

| arrangiarsi | essere | ~~fare~~ | leggere | mangiare | prendere | uscire | vedere |

1 Mary parlava bene l'italiano perché <u>aveva</u> già <u>fatto</u> dei corsi all'università.

2 Non era la prima volta che andavano all'estero. _____ già _____ in Brasile l'anno prima.

3 Aveva gli occhi rossi, perché _____ _____ tutto il giorno.

4 Prima di andare dal medico, Carla _____ già _____ diverse medicine.

5 Oggi ho incontrato Giuseppe, ma l' _____ già _____ lunedì scorso.

6 Non l'ho trovata in casa. _____ già _____ alle 8.

7 Guido non ha voluto neanche un panino. _____ già _____ a casa sua.

8 Non c'è stato bisogno di aiutarli. _____ già _____ da soli.

5 Trapassato o passato prossimo?

Completa il dialogo con i verbi al trapassato *o al* passato prossimo.

■ Allora, Viviana, (*tu - vedere*) _____ il concerto di Jovanotti?

▼ Purtroppo no…!

■ Ma mi (*dire*) _____ che (*comprare*) _____ i biglietti!

▼ Sì, li (*comprare*) _____, ma poi i programmi (*cambiare*) _____!

■ In che senso cambiati? Racconta!

▼ Beh, prima di tutto (*prendere*) _____ un biglietto anche per Luciana, ma lei il giorno prima mi (*dire*) _____ che non poteva venire. Ma il vero problema è che proprio la sera del concerto (*io - dovere*) _____ andare a una cena di lavoro con dei clienti importanti!

■ Ma il tuo capo non ti (*avvertire*) _____ prima di questa cena?

▼ Sì, ma io l' (*dimenticare*) _____ completamente!

6 | Incidenti di percorso.

Completa i testi con le parole della lista. Attenzione: devi coniugare i verbi.

| abbracciarsi | abbracciarsi | imbarazzato | indecente | marito | parenti |

| potere | soffiarsi | starnutire |

1 Una volta in Brasile ero in un ristorante, a tavola con amici. _____ e _____ il naso. I vicini hanno detto alla mia amica Joselia, seduta di fianco a me, se _____ andare in bagno a soffiarmi il naso. In Brasile soffiarsi il naso in pubblico è considerata una cosa _____.

2 Marc, un mio amico ungherese, era a cena da amici italiani. C'erano molti _____ a questa cena, e ad un certo punto ha chiesto ad un signore: "Allora Lei è il Gennaro!". "No - ha risposto il signore - io mi chiamo Alberto. Perché Gennaro?". Il mio amico era un po' _____ e ha chiesto: "Non si chiama così il _____ della figlia?".

3 Quando io e Valerio, un mio amico di Treviso, ci siamo incontrati, _____ forte: era da tempo che non ci vedevamo. Camila, un'amica cinese, ha pensato che io e Valerio avevamo una storia d'amore. "In Cina gli uomini non _____", ci ha detto.

7 | Almeno credo...

Trasforma le frasi secondo il modello.

Forse la grammatica *è* nel primo scaffale.

*La grammatica **dovrebbe essere** nel primo scaffale.*

1 Forse domani c'è il sole.

2 Forse il prossimo anno mi laureo.

3 Forse in estate partiamo per le Maldive.

4 Forse al corso si iscrivono 30 persone.

5 Forse arrivano verso le 8.

6 Forse oggi finisco questi esercizi.

1 _____

2 _____

3 _____

4 _____

5 _____

6 _____

8 **Pronomi combinati.**
Completa la tabella.

	+ lo	+ la	+ li	+ le	+ ne
mi	me lo				
ti		te la			
gli/le/Le			glieli		
ci				ce le	
vi					ve ne
gli	glielo				

9 **Completa le frasi con i seguenti pronomi.**

glieli   glielo   gliene   me lo   me li   te ne   ve lo

1 Questi tappeti _____ ha portati Rebecca dal Messico.

2 Questo quadro _____ hanno regalato al mio matrimonio.

3 Vorrebbe vedere i miei gatti, ma oggi non _____ posso mostrare.

4 Vuole che gli restituisca il libro, ma io sono sicuro che _____ ho già ridato!

5 Ragazzi, venite, il caffè _____ offro io!

6 Ai miei genitori piace la birra e così, quando sono andata in Germania, _____ ho comprate due casse.

7 Sei sicuro di non avere le chiavi? Io _____ ho date almeno due copie!

10 **Pronomi in coppia.**
Completa le domande con i pronomi combinati.

1 Ma a Gianni *glielo* avete detto che stasera io non posso venire?

2 Scusi, quelle scarpe nere in vetrina non *me le* potrebbe far vedere?

3 Paolo, il libro *te lo* sei dimenticato di nuovo?

4 Scusi, del dolce *me ne* potrebbe portare un altro pezzo?

5 Ma davvero vi piacciono i miei disegni? Allora *ve ne* regalo volentieri uno!

6 Professore, non abbiamo capito bene i pronomi combinati. Non *ce li* può spiegare di nuovo?

11 A ogni domanda la sua risposta.

Abbina domande e risposte e completa queste ultime con i pronomi combinati.

1 Hai già scritto la mail a tua sorella?

2 Lo dici tu ai tuoi che andremo insieme in vacanza?

3 Mara ti ha già raccontato cosa le è successo?

4 Dove mi hai lasciato la macchina?

5 Quando ci spedirete il libro?

6 Quando vi riporta i temi di matematica il professore?

7 Hai visto ieri quel film in TV?

8 Ma quante rose le hai regalato?

9 Scusi, dove sono i libri d'arte?

a Sì, _____ ha parlato stamattina.

b Un attimo, _____ faccio vedere subito.

c _____ invieremo lunedì.

d Sì, non _____ parlare! Bruttissimo!

e _____ ha già riportati oggi!

f No, _____ spedirò domani.

g _____ ho parcheggiata davanti a casa.

h Certo, _____ parlerò io!

i _____ ho regalate dodici.

12 Ancora pronomi.

Completa le frasi con i pronomi combinati.

1 ■ Mi presti questa rivista?

▼ Ah, ti piace? Se vuoi _____ regalo.

2 ■ Hai chiesto ai tuoi di lasciarti uscire la sera?

▼ Certo, _____ ho domandato mille volte, ma loro mi rispondono sempre che sono troppo giovane.

3 ■ Ti interessi di astrologia?

▼ Sì, _____ interesso da almeno 10 anni.

4 ■ Ti ha già detto della sua situazione?

▼ Sì, _____ ha parlato ieri.

5 ■ Vi avevo già detto che Luigi è arrivato?

▼ Sì, _____ hai già detto stamattina!

6 ■ Hai portato la macchina dal meccanico?

▼ Sì, e per fortuna _____ ha riparata in un paio d'ore.

7 ■ Hai visto il nuovo motorino di Piero?

▼ Sì, _____ ha fatto vedere l'altro giorno.

13 È proprio vero...

Elimina l'espressione che non va bene. Attenzione: qualche volta tutte e due le espressioni sono giuste.

Serena   Sai, oggi vado alla mia prima lezione di russo.

Sergio   Russo? Scusa ma *io credo che / secondo me* imparare una lingua diversa dall'inglese non serva a niente...

Serena   Perché dici così? *Io la penso diversamente / Non sono d'accordo:* ogni lingua può essere utile, e poi la Russia è un paese importante... Tu cosa ne pensi, Fabrizio?

Fabrizio   *È proprio vero. / Sono d'accordo con te.* Se conosci una lingua come il russo puoi trovare opportunità di lavoro interessanti.

Sergio   Interessanti? *Non direi proprio! / Sono d'accordo con te.* Vorresti forse andare a vivere in Russia?

Serena   E perché no? Se mi offrono un lavoro interessante... E poi non devi per forza andare a vivere lì...

Sergio   Mah, *hai ragione / io penso che* l'inglese sia comunque la lingua più importante, per ogni tipo di lavoro. Certo, sapere anche il russo può essere utile, ma prima imparerei meglio l'inglese...

Serena   Certo, su questo *io sono del parere che / sono d'accordo con te*, però il mio inglese è già molto buono, ho vissuto a New York per 8 mesi, ora vorrei imparare una lingua nuova e completamente diversa.

Fabrizio   Sergio, ma sbaglio o tu non parli nessuna lingua straniera?

Sergio   Io? Come no, sono nato a Cagliari e parlo il sardo!

INFOBOX

La lingua italiana nel mondo

Se c'è un settore del Made in Italy che non sembra conoscere crisi è quello della lingua italiana. L'italiano secondo alcune statistiche è il quarto idioma più studiato al mondo. I dati dicono infatti che sono circa 200 milioni le persone in grado di parlarlo: a interessarsi alla lingua di Dante sono 687mila studenti, dislocati in 134 scuole italiane all'estero, 81 istituti di cultura, 176 università e numerosi enti pubblici e privati. È la Germania il paese con il più alto tasso di studenti di italiano, seguita da Australia, Usa, Egitto e Argentina. Ma i numeri segnalano soprattutto una crescita nell'Est europeo, in Russia, in Cina e nei paesi arabi.

Quali sono i fattori che incidono su questa diffusione e popolarità della nostra lingua all'estero? Alla tradizionale passione per Dante e per gli autori classici si accompagna l'interesse per gli scrittori contemporanei. L'italiano inoltre è riconosciuto come la lingua dell'opera lirica, della moda, del design, ma anche della cucina, che vede sempre più appassionati in tutto il mondo.

14 Contrari.

Questi aggettivi ti sono già noti – nella loro forma negativa – da NUOVO Espresso 1 o 2.

| credibile | deciso | dipendente | finito | possibile | previsto | regolare | usuale | utile |

Qual è il loro contrario? Scrivilo nella colonna giusta.

Dei seguenti, invece, conosci solo la forma positiva, ma riuscirai a inserirli al posto giusto se prima completi la regola: il prefisso in- *diventa* im- *davanti a* ___, ___ *e* ___ .
Diventa ir- *davanti a* ___ .

| adatto | capace | mangiabile | paziente | perfetto |

| popolare | preciso | probabile | ragionevole |

in-	im-	ir-

15 Il cruciverba dei contrari.

Completa il cruciverba.

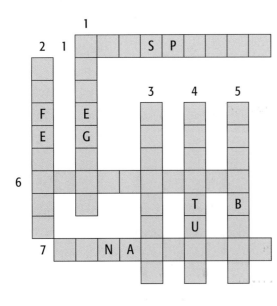

➡ **orizzontali**

1 Con poca esperienza.

6 Senza limiti.

7 Artificiale.

⬇ **verticali**

1 Non permesso dalla legge.

2 Triste.

3 Non giusto.

4 Non ancora maturo.

5 Senza movimento.

16 Termini stranieri.

Sottolinea nelle frasi i termini stranieri e sostituiscili con la corrispondente forma italiana.

| acquisti | congelatore | di cattivo gusto | insuccesso | mazzo di fiori |

| lo scopo | pettegolezzi | rifacimento |

1 Ho comprato un sacco di prodotti surgelati.

Ora devo metterli subito nel *freezer* (_____).

2 Hai visto che bel *bouquet* (_____) aveva Anna al suo matrimonio?

3 Sei di nuovo andata a fare *shopping* (_____)?

4 Come prevedevo, il *remake* (_____) di quel film è stato un *flop*

(_____).

5 Mi hanno regalato un quadro talmente *kitsch* (_____)…!

6 La *mission* (_____) della nostra azienda è dare al cliente un servizio

personalizzato.

7 Quel giornale non dà più notizie importanti, ma si occupa solo di *gossip*

(_____).

INFOBOX

Le minoranze linguistiche in Italia

In Italia, soprattutto nelle zone di confine, per vari e complessi motivi storici, si parlano delle lingue straniere: così in Alto-Adige si parlano il tedesco e in alcune vallate il ladino, nel Friuli Venezia-Giulia lo sloveno, in Valle d'Aosta il franco-provenzale.

Ma esistono altri territori italiani, molto più limitati (a volte ad un solo paese), dove viene parlato il catalano (Sardegna), l'albanese (Sicilia, Calabria e Basilicata), il serbo-croato (Molise) e il greco (Calabria e Puglia).

---

17 Ricapitoliamo.

Perché stai studiando l'italiano? Qual è il tuo obiettivo? Quale il metodo che preferisci?
Cosa trovi divertente/utile/difficile/noioso nello studio di una lingua?

Vai su **www.almaedizioni.it/nuovoespresso**
e mettiti alla prova con gli esercizi
online della lezione 1.

✎ esercizi 2

1 Come diciamo con altre parole?
Nel dialogo del punto **4** *a pagina 22 appaiono le seguenti frasi. Collega ogni parola in corsivo con l'espressione equivalente nella colonna di destra.*

1 Mi *darebbe una mano*?
2 Era così *comodo*!
3 Così *mi tocca* andare a piedi.
4 *Bisogna* far la gimcana.
5 *Anziché* costruire una banca…
6 In effetti gli asili *mancano*!

a si deve
b invece di
c non ci sono
d pratico
e devo
f aiuterebbe

2 Mi tocca!
Sostituisci il verbo dovere *con il verbo* toccare, *o viceversa, come nell'esempio.*

Devo andare a piedi.

Mi tocca andare a piedi.

1 Oggi Sandro deve studiare tutto il giorno.   **1** _____

2 È vero che ti è toccato stare a casa tutta la sera?   **2** _____
_____

3 Domani dobbiamo partire anche se non ne abbiamo voglia.   **3** _____
_____

4 Ieri a mia sorella è toccato tornare in ufficio dopo cena.   **4** _____
_____

5 Spero che tu non debba ripetere l'anno!   **5** _____

3 Cosa avresti fatto?
Completa le frasi con i verbi al condizionale passato *secondo l'esempio.*

| guidare | ~~mangiare~~ | mettere | piacere | potere | ~~preferire~~ |

1 La cena era stupenda. Al suo posto (io) _avrei mangiato_ di più.

2 Italo ha avuto un incidente. Al suo posto (io) _avrei guidato_ più lentamente.

3 La minestra era troppo insipida. Io ci _avrei messo_ più sale.

4 Davide ed Elisa sono andati in Groenlandia. Noi _avremmo preferito_ un Paese del sud.

5 Giuliana è andata a teatro. A Luciana _si sarebbe piaciuto_ di più andare al cinema.

6 Dovevo studiare di più. Peccato! _Avrei potuto_ diplomarmi con 100/100.

4 Ma purtroppo…

Ricostruisci le frasi e completale con i verbi al condizionale passato, *come nell'esempio.*

| ~~andare~~ | piacere | volere | dovere | accompagnare | prendere in affitto |

1 Io _sarei andato_ volentieri a teatro,

a ma purtroppo la mia macchina si è rotta!

2 Carlo _____ pagare
la bolletta del telefono,

b ma purtroppo non c'erano più biglietti.

3 A mia madre _____
andare in vacanza,

c e invece hanno trovato solo due singole.

4 Noi _____ quella
casa al mare,

d purtroppo però se ne è dimenticato.

5 Ugo e Ada _____
una matrimoniale

e purtroppo mio padre aveva troppo da fare.

6 Signora, io L' _____
volentieri,

f ma era troppo cara.

5 Condizionale presente o passato?

1 Domani io e Paola (*volere*) vorremmo andare al mare. Vieni anche tu con noi?

2 Che caldo! (*Mangiare*) Mangerei volentieri un gelato.

3 Scusate il ritardo, ma (*io - arrivare*) sarei arrivato prima, senza lo sciopero.

4 Sei stata poco gentile con Rita, io non le (*dire*) avrei detto quelle cose.

5 Alla festa di Claudia (*noi - ballare*) avremmo ballato volentieri, ma nessuno ha pensato alla musica.

6 Per i miei 40 anni ho un sogno: mi (*piacere*) piacerebbe fare un viaggio in Sudamerica.

7 Peccato che Mauro non sia venuto al cinema, (*lui - divertirsi*) si sarebbe divertito moltissimo.

8 Mi (*tu - passare*) passeresti il sale, per favore?

INFOBOX

Città e campagna

In Italia su 100 persone, 67 vivono in città e 33 in campagna. Ma dopo un secolo di grandi migrazioni dalle campagne alle città, negli ultimi anni qualcosa sta cambiando. Molte persone infatti stanno lasciando le città, perché il vantaggio di avere molte cose (e anche possibilità di lavoro) a disposizione è stato pareggiato dal caos del traffico e dall'inquinamento oltre che dal degrado. Un altro problema delle città è quello dei prezzi molto alti delle case.
Tuttavia chi lascia la città non torna a vivere in campagna, ma nei centri dell'*Hinterland* (parola tedesca che descrive la zona intorno ad una metropoli) più tranquilli e quindi più vivibili.

6 *Ci* o *ne*?

1 Facciamo una pausa, che _____ dite?

2 Laura ti ha lasciato? Non _____ pensare più, il mondo è pieno di donne molto più belle di lei.

3 Non mi chiedete dov'è Aldo. Non _____ so niente.

4 Se vuoi sapere che _____ pensa Paolo, perché non _____ parli?

5 Non sono bravo con le carte, ma _____ gioco volentieri.

6 Oggi è il compleanno di zia Daniela, non te _____ dimenticare come al solito!

7 Andate voi al concerto, io non _____ ho voglia.

8 Ho comprato delle scarpe bellissime ma non _____ cammino bene. Devo cambiarle.

7 Sette volte *ci*.
Inserisci ci *dove necessario. Attenzione: i* ci *da inserire sono 7!*

■ Domani sera siamo a cena dai miei, ti ricordi?

▼ Di nuovo, ma siamo stati domenica scorsa!

■ Sì, ma è il compleanno di mio padre, lo sai che tiene!

▼ Lo so, però siamo senza macchina. L'ho portata dal meccanico e per domani sicuramente non sarà pronta. Come andiamo?

■ Mio Dio, Giulio, non essere pigro! Con la metro vogliono venti minuti, mettiamo meno che con la macchina. E poi saranno anche le mie sorelle con i bambini. Anna mi ha detto che hanno organizzato un piccolo spettacolo per il nonno. Vedrai, divertiremo.

8 Verbi pronominali.
Completa i dialoghi con i verbi al tempo giusto.

1 ■ Dov'è Paola?

▼ Non lo so, (*andarsene*) _____ senza dire niente.

2 ■ Sei ancora qui? Se non ti muovi perdi il treno.

▼ Lo so, ma tu (*piantarla*) _____ di dirmi cosa devo fare!

3 ■ Cosa ti ha detto Vincenzo? L'hai convinto ad andare in montagna anche quest'anno?

▼ Sì, lui non voleva, ma alla fine (*spuntarla*) _____ io!

4 ■ Hai una faccia stanchissima.

▼ Sì, non ho dormito. Ho lavorato tutta la notte per finire un progetto importante. È stata dura, ma alla fine (*farcela*) _____ .

5 ■ Cosa aspetti a cambiare casa?

▼ Per ora resto qui. (*Volerci*) _____ troppi soldi per comprare quella che vorrei.

6 ■ Mamma, Marco mi ha dato un calcio!

▼ Bambini, (*finirla*) _____ di litigare!

9 Completa con *ci*, *ne* o altri pronomi.

Gino sta pensando di trasferirsi in campagna per cambiare vita e _____ parla in un forum online: "Che _____ pensate? E cosa preferite? Città o campagna?" – domanda.

Francesca risponde che anche lei _____ sta pensando seriamente e racconta la sua storia. Francesca è nata e cresciuta a Venezia, una città senza macchine e senza smog. Ma non _____ teneva a rimanere lì per sempre. Sua madre non voleva lasciar_____ andare via a 18 anni, ma lei era troppo curiosa e alla fine _____ ha spuntata, anche con l'aiuto di sua zia Carla. Carla lavorava a Milano e _____ ha ospitata negli anni dell'università. Durante la settimana Francesca studiava e nei weekend aiutava la zia a preparare le grandi sfilate che organizzava. Guadagnava anche qualcosa, e _____ pagava gli studi.

Francesca amava respirare l'aria della moda, delle passerelle, dei personaggi famosi e degli stilisti.

Ma poi si è sposata ed è nato Roberto. E piano piano, mentre passavano gli anni, nella sua testa qualcosa è cambiato.

Un giorno Francesca è andata a trovare degli amici in Svizzera. Anche loro vivevano a Milano, ma quando la loro figlia ha compiuto 13 anni si sono trasferiti in campagna, sul lago, a 15 minuti da Losanna.

L'amica di Francesca _____ ha detto che per abituarsi al cambiamento _____ ha messo un anno e mezzo, ma che ora non tornerebbe più indietro. Allora Francesca ha pensato che anche loro potevano cambiare vita e _____ ha parlato con il marito. Ma lui _____ ha detto: "Francesca, è meglio che _____ pianti con i sogni!".

10 In treno.
Completa il dialogo con le espressioni della lista.

guardi	io lo dico per Lei	mi lascia in pace	non si fa gli affari Suoi

scusi	se mi sono spiegato

■ _____, signora, sono Sue queste valigie?

▼ Sì, sono mie, perché?

■ _____ che non le può lasciare qui, è vietato!

▼ Scusi, ma Lei forse ha prenotato uno di questi posti?

■ No, ma Lei sta occupando tre posti con un solo biglietto.

▼ Guardi, non vorrei sembrarLe scortese, ma perché _____?

■ Guardi che _____. Quei posti sono riservati e se lascia le valigie lì... insomma, non so _____.

▼ No, non si è spiegato. Senta, io oggi non sono proprio in vena di discutere. Mi è successo di tutto, quindi è meglio se _____! Va bene?

11 Aggettivi e pronomi possessivi.

a. Sottolinea i possessivi e indica se in queste frasi si tratta di aggettivi o di pronomi.

		agg.	pron.
1	Dov'è il mio ombrello?	☐	☐
2	I miei mi hanno detto che stasera non posso uscire.	☐	☐
3	Conosci l'espressione «Natale con i tuoi, Pasqua con chi vuoi»?	☐	☐
4	Mio padre mi parlava spesso della sua giovinezza.	☐	☐
5	Chi può prestarmi una penna? Non ho portato la mia.	☐	☐
6	Qui c'è solo il tuo cappotto. Il mio dov'è?	☐	☐

b. Ora rispondi. Vero o falso?

		v	f
1	Gli aggettivi possessivi (che accompagnano un nome) hanno le stesse forme dei pronomi possessivi (che sostituiscono un nome).	☐	☐
2	Gli aggettivi possessivi sono sempre preceduti dall'articolo.	☐	☐
3	Alla domanda «Di chi è / Di chi sono?» si risponde «È mio / nostro ecc.» (senza articolo).	☐	☐
4	In tutti gli altri casi i pronomi possessivi sono sempre preceduti dall'articolo (o dalla preposizione articolata).	☐	☐

12 Di chi è?

Inserisci l'articolo dove è necessario.

1 ■ Signora, scusi, è ___ Sua macchina questa?

   ▼ No, ___ mia è quella grigia piccola.

2 ■ Eva, non dirmi che questo computer è ___ tuo!

   ▼ Sì, l'ho comprato due giorni fa. E con ___ miei soldi. È proprio tutto ___ mio!

3 ■ Guardi, signora, credo che siano ___ Suoi questi occhiali.

   ▼ Oh, grazie, ___ miei occhiali! Stavo per dimenticarli.

4 ■ Senti, sono ___ tue queste forbici?

   ▼ Sì, sono ___ mie. Perché, ti servono?

5 ■ Sono ___ vostri bicchieri questi?

   ▼ No, ___ mio l'ho già portato in cucina e Paolo sta ancora bevendo.

6 ■ Non dirmi che questa foto è ___ tua!?

   ▼ Sì, sì, sono io da piccola. Anzi, è ___ mia foto preferita…

Esercizi

2

13 Perché non si fa gli affari Suoi?

Completa con un possessivo ed eventualmente l'articolo (o la preposizione articolata), come nell'esempio.

- ■ Perché non si fa gli affari Suoi?   ▽ (mio) Ai miei ci penserò io.
- ■ Di chi è questo cappotto?   ▽ (mio) È mio.

1 ■ Prendiamo (tuo) _la tua_ macchina?
  ▽ No, con (mio) _la mia_ ci metteremmo troppo.

2 ■ Di chi sono questi occhiali?
  ▽ (Mio) _Miei_.
  ■ (Tuo) _Tuoi_? E (mio) _i miei_ allora dove sono?

3 ■ Allora, che ne dici (nostro) _del nostro_ appartamento?
  ▽ Splendido! È molto più grande (mio) _della mia_!

4 ■ Di chi è questa chiave?
  ▽ Credo che sia di Paolo.
  ■ No, no ragazzi, non è (suo) _la sua_, è (mio) _la mia_!

5 ■ Scusi, ha già finito (mio) _i miei_ pantaloni?
  ▽ No, signora, mi dispiace, ho avuto il tempo di finire solo quelli di (Suo) _Suo_
  marito.

6 ■ È (tuo) _tua_ questa sciarpa?
  ▽ No, (mio) _la mia_ è a righe.

7 ■ Signora, ho perso la chiave del portone…
  ▽ Non c'è problema. Le presto (mio) _la mia_.

8 ■ Sai che cambieremo casa?
  ▽ Davvero? Ma allora potremmo trasferirci noi (vostro) _nel vostro_ appartamento!

14 Espressioni.

Collega le parole di sinistra con quelle di destra e ricostruisci le espressioni del testo del punto **13** *a pagina 27, come nell'esempio.*

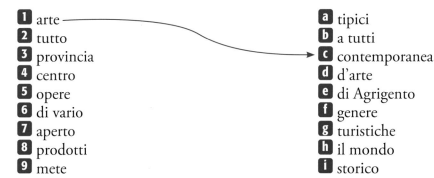

1 arte   **a** tipici
2 tutto   **b** a tutti
3 provincia   **c** contemporanea
4 centro   **d** d'arte
5 opere   **e** di Agrigento
6 di vario   **f** genere
7 aperto   **g** turistiche
8 prodotti   **h** il mondo
9 mete   **i** storico

15 Completa.

Completa le frasi con le espressioni dell'esercizio **14**.

1 La domenica il museo è _____.

2 A volte l'_____ è difficile da capire.

3 Firenze e Venezia sono due _____ molto frequentate dagli stranieri.

4 L'accesso al _____ è vietato alle macchine.

5 Al museo degli Uffizi di Firenze ci sono molte _____ del Rinascimento.

6 Pablo Picasso è un artista conosciuto in _____.

7 Maria è nata in _____.

8 In quel negozio puoi gustare i migliori _____ della zona.

9 Al mercato vicino casa mia trovi prodotti _____: frutta, verdura, pane, carne, scarpe, vestiti, cartoleria, ecc.

16 Scegli la preposizione giusta.

Sono nata a Milano *in/nel/dal* 1973 e qui ho vissuto fino *a/da/nei* 22 anni, quando ho conosciuto e sposato un uomo di Caselle Landi, un paese *a/da/di* circa 1.700 abitanti della Lombardia. Vivo lì *da/in/per* tanti anni, ma ora ho un solo desiderio: quello *a/di/per* tornare a Milano. Abito *a/in/nella* una bella villa con 2000 metri *del/di/nel* giardino, ma non so cosa darei *a/di/per* vivere in un appartamento a Milano. La vita *di/nella/sulla* campagna è la cosa più noiosa che ti possa capitare. Non c'è niente oltre la natura, che *per/su/tra* l'altro qui non è poi così bella. Non puoi andare *a/al/nel* cinema, *a/al/in* teatro, a una mostra, a un concerto o anche solo a comprarti un bel vestito… Infatti la città più vicina è *a/di/su* 20 km.
E *a/d'/nel* inverno quando c'è la nebbia guidare non è il massimo. I milanesi si lamentano *dal/del/per* traffico, ma quando io vivevo là, giravo tutta la città *con/in/su* metro. Invece *da/per/tra* quando sono qui sto in macchina tutto il giorno, anche solo *a/di/per* andare a fare la spesa o accompagnare i miei figli a praticare uno sport o a suonare la chitarra. Già, finché i figli sono piccoli, va anche bene. Qui, almeno, smog non ce n'è. Ma appena diventano grandi, cominciano i problemi. Perché loro non ne vogliono sapere *a/di/per* stare in un posto così isolato.

INFOBOX

Città e regioni

In Italia ci sono 10 città con più di 300mila abitanti: Roma, Milano, Napoli, Torino, Palermo, Genova, Bologna, Firenze, Bari, Catania.

La regione italiana con più abitanti è la Lombardia, seguita da Campania e Lazio.

La regione più grande è la Sicilia, seguita dal Piemonte e dalla Sardegna.

17 Il cruciverba d'Italia.

Completa il cruciverba.

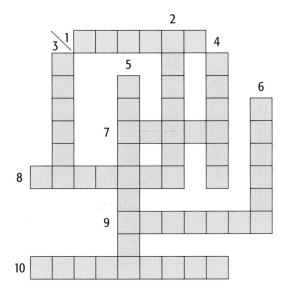

➡ orizzontali

1 La città più importante della Liguria.

7 La regione di Roma.

8 La regione di Firenze.

9 Una regione che è anche un'isola.

10 La regione di Milano.

⬇ verticali

2 La città sull'acqua.

3 La città più importante del Piemonte.

4 La città della pizza.

5 La più piccola regione italiana.

6 Una regione dell'Italia centrale senza il mare.

18 Ricapitoliamo.

Quali città/regioni italiane conosci? Cosa sapresti raccontare di ognuna di esse?
Abiti in città? Quali sono i vantaggi e quali gli svantaggi? Preferiresti vivere in campagna?
Se sì/se no, perché? Dove abiti ci sono molti divieti? Quali? Li trovi giusti o li aboliresti?
Ne introdurresti degli altri?

INFOBOX

Divieti assurdi

Quali sono i divieti più strani e assurdi che potete trovare in Italia? Ecco una piccola lista.

A Eboli, in Campania, è vietato baciarsi in pubblico (anche in macchina!).

A Venezia è vietato fare castelli di sabbia e buche sulla spiaggia.

A Forte dei Marmi, in Toscana, è vietato aprire locali non italiani: quindi niente ristoranti cinesi, indiani, kebab, fast food americani e negozi di oggettistica etnica.

A Capri, è vietato portare scarpe rumorose.

E infine, il più assurdo di tutti: a Facciano, piccolo paese vicino a Napoli, per mancanza di cimiteri è vietato... morire!

Vai su **www.almaedizioni.it/nuovoespresso**
e mettiti alla prova con gli esercizi
online della lezione 2.

✎ test 1

1 Completa con i verbi al trapassato prossimo.

Il dottor Fantozzi, prima di partire per un congresso all'estero, ha lasciato alla sua segretaria una lista di cose da fare. Quando è tornato cosa ha scoperto?

La signorina Rossi non (*aprire*) _____ la posta, (*dimenticarsi*) _____ di contattare il dottor Fronza, non (*leggere*) _____ le mail, (*trascorrere*) _____ il tempo facendo solo parole incrociate, non (*andare*) _____ in banca, non (*rispondere*) _____ alle lettere e (*usare*) _____ l'ufficio per fare una festa privata.

Ogni verbo corretto 3 punti.   Totale ____ / 21

2 Completa il dialogo con i verbi al trapassato prossimo o al passato prossimo.

■ Senti, Stefan, toglimi una curiosità, ma tu quanto tempo (*metterci*) _____ a imparare l'italiano?

▼ Due anni, più o meno.

■ Ma l'(*imparare*) _____ qui in Italia o prima (*fare*) _____ dei corsi?

▼ Beh, sì, quando (*arrivare*) _____ in Italia (*fare*) _____ già _____ un corso a Monaco. Poi, qui a Roma, (*studiare*) _____ un altro anno, in modo intensivo.

Ogni verbo corretto 3 punti.   Totale ____ / 18

3 Trasforma le frasi secondo il modello.

Mi lavo le mani e poi mi metto a tavola. → Prima di mettermi a tavola mi lavo le mani.

1 Faccio una telefonata e poi vengo. _____

2 Mi faccio una doccia e poi vado a ballare. _____

3 Ceniamo e poi andiamo al cinema. _____

4 Ci siamo allenate molto e poi abbiamo fatto la gara. _____

5 Hai preso il caffè e poi ti sei messo a lavorare. _____

Ogni frase corretta 3 punti.   Totale ____ / 15

4 Completa le frasi con i pronomi combinati.

1 Senta, io e mio marito vorremmo vedere quelle sedie in vetrina. _____ potrebbe mostrare, per favore?

2 Ciao Marco, i biglietti per te e Marta li ho comprati io. Se venite al cinema dieci minuti prima, _____ do.

3 Allora, questa è la mia nuova casa. Entra, così _____ mostro.

4 Claudia vuole i soldi della spesa, ma io sono sicura che noi _____ avevamo già dati!

5 Quel libro di Calvino che ti ho prestato _____ devi ridare. Ci sono affezionato.

Ogni pronome corretto 3 punti. Totale ___ / 15

5 Completa le frasi con i verbi al condizionale passato.

1 Quel ristorante era troppo caro! Io (*andare*) _____ in pizzeria.

2 I miei sono andati in vacanza sulle Dolomiti, ma mia madre (*preferire*) _____ il mare.

3 Io (*mangiare*) _____ tutto, ma purtroppo ero a dieta.

4 (*Volere*) _____ chiamarti, ma purtroppo il mio telefono era scarico.

5 Giorgia ieri è venuta in ufficio con la febbre: al posto suo io (*rimanere*) _____ a casa.

Ogni verbo corretto 2 punti. Totale ___ / 10

6 Completa il dialogo con i verbi al tempo giusto.

■ Allora, come è finita la partita ieri? Io purtroppo (*andarsene*) _____ alla fine del primo tempo perché (*dovere*) _____ lavorare.

▼ Ma, guarda, (*noi - vincere*) _____ per un pelo. Fino a 10 minuti dalla fine stavamo perdendo, poi Giorgio (*fare*) _____ gol, e (*spuntarla*) _____ ai calci di rigore.

■ Allora (*voi - vincere*) _____ il torneo!

▼ Sì!

■ Bravissimi! Beh, adesso (*volerci*) _____ un bel brindisi! Dai, mi devi offrire una birra!

Ogni verbo corretto 3 punti. Totale ___ / 21

Totale test: ____ / 100

✎ esercizi 3

1 Parole incrociate.
Completa il cruciverba.

➡ orizzontali

⬇ verticali

Esercizi

3

2 Un aggettivo, tanti sostantivi.

Con quali sostantivi della rispettiva lista può essere abbinato ogni aggettivo? Trovali.

1 leggero/a
 a cibo
 b cappotto
 c borsa
 d scuola

2 impermeabile
 a guanti
 b accappatoio
 c giacca
 d scarpe

3 ovale
 a velluto
 b piatto
 c tovaglia
 d stampella

4 indispensabile
 a provenienza
 b amico
 c pelle
 d prodotto

5 ingombrante
 a stilografica
 b posata
 c valigia
 d frigorifero

6 inutile
 a accento
 b fatica
 c oggetto
 d discussione

7 sottile
 a foglio di carta
 b vetro
 c giardino
 d maglione

8 resistente
 a colore
 b bicicletta
 c spazio
 d isola

1 un cibo leggero, _____
2 dei guanti impermeabili, _____
3 _____
4 _____
5 _____
6 _____
7 _____
8 _____

3 Supposizioni.

Completa le frasi con il congiuntivo passato.

1 ■ Ha comprato la macchina due anni fa?
 ▼ Sì, non so esattamente se sono due anni, ma comunque credo che l'_____
   _____ non molto tempo fa.

2 ■ Quella Ferrari gli è costata un patrimonio?
 ▼ Eh sì, temo proprio che gli _____ _____ tantissimo.

3 ■ Si sono già trasferiti o devono ancora fare il trasloco?
 ▼ Penso che _____ già _____!

4 ■ Chi le ha dato i soldi? I suoi?
 ▼ Sì, credo che glieli _____ _____ loro.

5 ■ È già uscito dall'ufficio?
 ▼ Sì, credo che _____ _____ verso le 5.

6 ■ Ha già comprato la casa?
 ▼ Mah, può darsi che l' _____ _____, ma non ne sono sicuro.

4 Congiuntivo. Presente o passato?
Elimina il tempo sbagliato.

1 Penso che oggi per l'acquisto dei beni alimentari molta gente *sia / sia stata* disposta a spendere molto. L'importante è, infatti, che le persone *consumino / abbiano consumato* prodotti di qualità.

2 Non credo che ad Alberto *piaccia / sia piaciuto* il nuovo lavoro. Penso che lo *scelga / abbia scelto* solo per ragioni economiche.

3 Ho paura che mio figlio *abbia / abbia avuto* un incidente. Infatti è già due ore che l'aspetto! Oppure può darsi semplicemente che – come al solito – *rimanga / sia rimasto* senza benzina.

4 È proprio indispensabile che anche i bambini di sei anni *abbiano / abbiano avuto* uno smartphone? Mi pare che questa del telefonino in Italia, negli ultimi anni, *diventi / sia diventata* una vera mania.

5 Penso che *sia / sia stato* giusto spendere per abbigliamento e cosmetici. In fondo ognuno di noi deve curare il proprio aspetto fisico. Anche se trovo esagerato che ieri mia figlia *spenda / abbia speso* un patrimonio per dei jeans.

6 Credo che Anna, per le sue vacanze, la scorsa estate *paghi / abbia pagato* moltissimo.

7 Ma sei sicuro che ieri tuo figlio *vada / sia andato* a scuola?

5 Risposte.
Abbina le risposte alle domande e coniuga al congiuntivo presente o passato i verbi tra parentesi.

a Hai letto l'ultimo libro di Baricco?

b Allora, come è andato il viaggio in Brasile?

c Come è andato tuo figlio a scuola quest'anno?

d Andiamo al mare domani?

e Ma perché Daniela non mi risponde?

1 Fantastico! Credo che (*essere*) _____ la vacanza più bella della mia vita.

2 Può darsi che (*lasciare*) _____ il telefono a casa.

3 Mmh… ho visto le previsioni del tempo e ho paura che domani (*piovere*) _____. Meglio rimandare.

4 No. Non l'ho comprato perché penso che Francesco me lo (*volere*) _____ regalare a Natale.

5 Mah… sicuramente non era tra i più bravi, ma l'importante era che alla fine (*essere*) _____ promosso.

6 Buoni motivi per essere italiani.

Completa con i verbi all'indicativo presente o al congiuntivo presente.

Ecco perché, nonostante tutto, siamo felici di essere italiani.

Perché alle feste (*ballare*) _____ anche senza essere ubriachi.

Perché siamo geniali. A condizione che (*essere*) _____ una cosa geniale trasformare una crisi in una festa.

Perché negli alberghi capiscono subito chi sei, e se lo (*ricordare*) _____.

Perché l'antica Roma era potente e la nuova Roma può essere divertente. Purché non la (*noi - prendere*) _____ troppo sul serio.

Perché in ogni laboratorio del mondo (*esserci*) _____ un computer, una pianta verde e un italiano.

7 Italiani felici.

Completa con i verbi all'indicativo presente o al congiuntivo presente.

Oggi al telegiornale ho visto una notizia che parlava della felicità del popolo italiano. Ogni giorno leggiamo di crisi, aziende che (*chiudere*) _____, persone in difficoltà, progetti che (*fermarsi*) _____, disoccupazione che aumenta. E cosa ci (*dire*) _____ le statistiche? Che gli italiani (*essere*) _____ felici.

Forse per uno straniero le ragioni di questo risultato inatteso (*essere*) _____ difficili da capire, ma per un italiano DOC no. Perché noi (*essere*) _____ fatti così: per farci felici ci basta poco. A patto che (*noi - riuscire*) _____ a passare le feste con tutta la famiglia, a condizione che la salute non ci (*abbandonare*) _____, purché la nostra squadra del cuore non (*perdere*) _____ il derby, noi (*godersi*) _____ la vita. Nonostante la crisi, i pochi soldi e un futuro incerto. A questo punto credo proprio che la felicità (*stare*) _____ dentro al nostro DNA.

8 Accio!

Completa le frasi con le parole della lista + il suffisso -accio.

fatto	gatto	giornata	partita	ragazzo	tempo

1 Vuoi fare una passeggiata? Ma piove, dove andiamo con questo _____?

2 Paolo, non uscire spesso con Sandro: non mi piace, mi sembra un _____.

3 Il gatto di Francesca è grasso e cattivo, un _____!

4 Ho saputo che dietro casa tua è successa una cosa brutta, proprio un _____.

5 ■ Ciao Fabio, buona giornata!

　　▼ Grazie, ma oggi devo andare prima dal meccanico, poi dal dentista e la sera a cena dalla suocera: sarà sicuramente una _____!

6 ■ La Juventus ha vinto 4-0, che partitona!

　　▼ Certo, per te, che sei juventino: per me è stata una _____, da dimenticare!

9 Veramente?

Completa le frasi con gli avverbi degli aggettivi corrispondenti.

1 Te lo dico _____: questo lavoro non è adatto a te. (sincero)

2 Mia sorella è una ragazza _____ eccezionale. (vero)

3 Quando è nato Matteo la nostra vita è _____ cambiata. (completo)

4 _____ sei arrivato! Ma lo sai che ore sono? (finale)

5 Il sindaco si è scusato _____ con i cittadini. (pubblico)

6 Il numero di automobili è aumentato_____. (enorme)

7 Ho voluto parlare _____ con il direttore. (personale)

10 Italianità e Made in Italy.

Trasforma gli aggettivi tra parentesi in avverbi e scegli i verbi corretti.

CONDUTTORE - Oggi per la nostra rubrica "Obiettivo Italia" abbiamo al telefono il Professor Marini, economista e docente universitario; con lui vogliamo parlare di "italianità e Made in Italy". Esiste ancora, professore, un'idea di "italianità", in un mondo (**completo**) _____ globalizzato come il nostro?

PROF. MARINI - Ma certo che esiste, anche se penso che all'estero *ci siano / ci sono / ci siano stati* ancora molti, troppi stereotipi legati a un'immagine dell'Italia ormai superata.

CONDUTTORE - Per esempio?

PROF. MARINI - Beh, io (**personale**) _____ lo noto proprio quando vado all'estero: molti vestono italiano, mangiano italiano, guidano auto italiane; però mi pare che *abbiano / hanno / abbiano avuto* una visione dell'Italia fatta di immagini scontate, prodotti e personaggi tipici, in modo un po' troppo confuso: la Ferrari e la pizza, Versace e la Cappella Sistina, Monica Bellucci e il caffè, Venezia e la pasta.

CONDUTTORE - Perché questo accade, secondo Lei?

PROF. MARINI - Penso che *sia / è / sia stata* (**effettivo**) _____ anche colpa nostra: da troppo tempo l'Italia non produce niente di (**vero**) _____ nuovo: l'innovazione e la tecnologia sono i veri motori di questo secolo, ma non abitano in Italia. Questa tendenza negativa può cambiare, purché ognuno di noi *contribuisca / contribuisce / abbia contribuito* a ridare al nostro Paese il prestigio che aveva e che può avere ancora: ma *sia / è / sia stato* necessario ripensare i nostri obiettivi e la nostra identità, con un piede nella tradizione e l'altro nel futuro. Purtroppo, ho paura che *passi / passa / sia passato* troppo tempo da quando essere italiani era un motivo d'orgoglio, ma non possiamo far altro che sperare nelle generazioni future.

11 Protestare e scusarsi.

Indica se le frasi sono usate per protestare / reclamare (P) o per scusarsi / giustificarsi (S).

1 [S] Ci scusi tanto.

2 [P] Come sarebbe a dire?

3 [S] È la prima volta che succede una cosa del genere.

4 [S] Eh, sì, ma sa...

5 [P] Giuro che è l'ultima volta che...

6 [P] Ho capito, ma…

7 [P] L'errore però è vostro!

8 [S] Le assicuro che...

9 [P] Le pare il modo di lavorare questo?

10 [P] Lei ha ragione, ma...

11 [S] Mi dispiace tanto.

12 [S] Non capisco proprio come sia successo!

13 [S] Per fortuna che...

14 [P] Questa è buona!

15 [P] Io avrei un problema.

16 [S] Sì, capisco…

17 [S] Sono spiacente, ma...

18 [P] Voglio parlare con un responsabile!

12 Servizio consegne.

Completa il dialogo con le espressioni dell'esercizio precedente che ti sembrano più adatte.

■ Buongiorno, servizio consegne.

▼ Salve, _____. Ho ricevuto un avviso di mancata consegna.

■ Era fuori casa nell'orario di consegna?

▼ _____ il pacco è arrivato il 25 dicembre…

■ _____, ma sa, noi consegniamo tutti i giorni.

▼ _____ il giorno di Natale uno ha anche il diritto di passarlo in famiglia invece di stare a casa ad aspettare voi.

■ Senta, mi può dare il numero scritto sulla cartolina che ha ricevuto?

▼ Sì. J00003452449.

■ Mmh, il suo pacco purtroppo non può essere più consegnato. Deve venire a ritirarlo.

▼ E dove?

■ Al nostro deposito, a Fiumicino.

▼ _____ Io sto a Roma, devo perdere una mattinata di lavoro!

■ Eh, lo so, ma…

▼ Va beh, mi dia l'indirizzo esatto! _____ uso la vostra agenzia!

13 In un negozio di elettrodomestici.

Riordina il dialogo, come nell'esempio.

☐ ■ Beh, allora voglio parlare con il proprietario!

☐ ■ Beh, sarà di ottima qualità, ma Le assicuro che è rotto!

☐ ■ No, domani ho altri impegni, ma Le assicuro che questa non è l'ultima volta che mi vede!

☐ ■ Certo! Gliel'ho detto: non funziona. Volevo solo sapere se me lo cambiate.

1 ■ *Buon giorno, senta, la settimana scorsa ho comprato questo frullatore, ma non funziona.*

☐ ■ Scusi, eh, ma è veramente incredibile! Io compro un elettrodomestico nuovo e voi non lo cambiate dopo una settimana. Secondo Lei cosa dovrei fare?

☐ ▼ Mi spiace, ma al momento non c'è. Non può ripassare domani?

☐ ▼ Sono desolato, non so che dirLe. Io sono solo il commesso!

☐ ▼ Rotto? Come sarebbe a dire? Ne è proprio sicuro?

☐ ▼ Che Le devo dire? Mi sembra impossibile. È di ottima qualità…

☐ ▼ No, sono davvero spiacente, ma così, su due piedi, non possiamo sostituirlo. Prima dobbiamo farlo vedere al nostro tecnico e poi verificare se per caso Lei…

14 Ricapitoliamo.

Che tipo di prodotti compri volentieri? Per quali beni di consumo saresti disposto a spendere molto? Per quali meno? Hai già acquistato qualcosa via Internet? Se sì, è stata un'esperienza positiva? Se no, ti interesserebbe farlo? Ti interessano «le occasioni» o preferisci comprare oggetti non usati? Cosa pensi della pubblicità? Ti piace? Ti infastidisce? O ti è indifferente? Ti è già successo di fare un reclamo? Per cosa e perché?

Vai su **www.almaedizioni.it/nuovoespresso** e mettiti alla prova con gli esercizi online della lezione 3.

esercizi 4

1 Qual è il mezzo?

1 ☐ telefono   **2** ☐ e-mail   **3** ☐ SMS   **4** ☐ Facebook   **5** ☐ lettera

a Oggi voglio condividere con voi questa foto della mia piccola Stefi mentre beve il latte. Deliziosa, vero? Aspetto i vostri like e i vostri commenti.

b Ok, ci vediamo al cinema alle 8. Scegli tu il film. X me va bene tutto. Fra

c Egregio Dottore, mi permetto di presentare domanda per il posto di segretaria…

d ■ Ciao Marina, ti disturbo?

  ▼ No, no, dimmi…

  ■ Sono in centro, sto cercando un regalo per mamma. Ho bisogno di un consiglio.

  ▼ È vero, domani è il suo compleanno…

e Ciao Paola, ho perso l'indirizzo di posta elettronica di Laura. Me lo rimandi? Grazie.

2 Congiuntivo imperfetto.
a. Completa la tabella.

	stare			
facessi				
	stessi			
		fosse		
			vedessimo	
				partissero

b. Completa le forme mancanti di questi verbi irregolari, come negli esempi.

Infinito	Indicativo presente	Indicativo imperfetto	Congiuntivo imperfetto
capire	(io) capisco	capivo	capissi
dire	(io) dico	dicevo	_____
bere	(io) bevo	_____	_____
fare	(io) _____	_____	_____

c. Ora rifletti e completa la regola.

La **prima e seconda / prima e terza** persona **singolare / plurale**
del congiuntivo imperfetto sono uguali.

3 Non lo sapevo!
Completa le seguenti frasi con i verbi al congiuntivo imperfetto, *come nell'esempio.*

Anche i tuoi genitori vanno a sciare? Non sapevo proprio che anche loro (*amare*) _amassero_
lo sci!

1 Ma i tuoi bambini hanno ancora fame? Non immaginavo che (*mangiare*) _____
così tanto.

2 Ma come, viene gente anche stasera? Non pensavo proprio che oggi (*noi - avere*)
_____ degli ospiti!

3 Capiscono anche il giapponese? Non sapevo che (*parlare*) _____ anche una
lingua orientale.

4 Guardate la partita? Non pensavo davvero che (*passare*) _____ di nuovo la serata
davanti alla TV.

5 Stai male? Mi dispiace, non sapevo che (*avere*) _____ problemi di salute.

6 Ha comprato una nuova macchina? Non immaginavo proprio che (*guadagnare*)
_____ così tanto…

7 Per fortuna sei arrivata. Temevo già che tu non (*riuscire*) _____ a prendere
il treno!

8 Davvero? Tua moglie ama i gialli? Ed io che pensavo che (*essere*) _____
un'appassionata di romanzi d'amore…

INFOBOX

Il primo personal computer era italiano

Lo sapevate che il primo personal computer al mondo è stato inventato in Italia? Denominato *Programma 101* e prodotto in Italia dall'azienda Olivetti tra il 1962 e il 1964, il primo personal computer della storia rappresentò una vera e propria rivoluzione. *Programma 101* pesava 35 kg e aveva una memoria di 240 byte.

4 Avevo paura che...

Trasforma le seguenti frasi al passato, come nell'esempio.

Ho paura che lui non arrivi in tempo.

Avevo paura che lui non arrivasse in tempo. _____ .

1 Temo che tu non mi capisca. _____ .

2 Non sopporto che i miei mi chiamino «piccola». _____

_____ .

3 Mi dà fastidio che si fumi in casa. _____ .

4 Ha paura che non facciamo in tempo ad arrivare. _____

_____ .

5 Immagino che siano soddisfatti del risultato. _____

_____ .

6 L'insegnante teme che non studiamo abbastanza. _____

_____ .

5 Congiuntivo presente o imperfetto?

Completa con i verbi al congiuntivo presente *o* imperfetto.

> **L'italiano s'impara con Facebook**
> *di Alex Corlazzoli*
>
> L'italiano ai tempi di Facebook è promosso. Anche l'Accademia della Crusca infatti
> ritiene che il linguaggio scritto, usato sul pc, (*essere*) _____ una nuova risorsa da
> esplorare.
> "Internet ha aperto diversi spazi di scrittura rispetto a quelli già conosciuti, che si usavano
> prima dell'arrivo del pc."
> Forse fino ad oggi alcuni insegnanti avevano paura che la lingua del web (*essere*)
> _____ troppo "impura" per proporla in classe, ma dopo le affermazioni della più
> importante istituzione italiana sulla lingua, anche quello dei Social Network deve essere
> considerato "italiano" a tutti gli effetti.
> Ora: io sono un insegnante, e la maggior parte dei miei alunni non ha a casa un libro
> ma ha un profilo Facebook. I miei ragazzi non scriveranno mai lettere usando la penna
> ma invieranno mail e post per trovare lavoro, per conquistare una ragazza, per creare un
> evento. Io stesso tempo fa pensavo che questo (*rappresentare*) _____ un pericolo,
> per loro e per l'evoluzione della lingua italiana, temevo che la velocità dei Social Network
> (*creare*) _____ una lingua povera e nello stesso tempo (*rallentare*) _____
> la capacità di apprendimento dei ragazzi. Ma poi, guardando in faccia la realtà, ho
> cambiato idea.

6 | Come se...

Completa le frasi con i seguenti verbi al congiuntivo imperfetto.

| andare | avere | capire | mangiare | vedere | esserci | essere | stare |

1 Parla l'italiano come se _____ un principiante.

2 Alessio si comporta come se non _____ una donna da anni.

3 Ma sai che parli come se io non _____ niente?!

4 Carla ne è gelosa come se non _____ altri uomini al mondo.

5 Ma scusa, hai ordinato un'altra pizza?? Come se tu non _____ da giorni...

6 I miei genitori mi trattano come se _____ 10 anni!

7 Scusate, ma state bevendo come se _____ per morire di sete!

8 Oggi ci sono 30 gradi, ma Mario si è vestito come se _____ a sciare!

7 | Cosa dici in queste situazioni?

Abbina le espressioni della colonna di destra ai corrispondenti atti comunicativi di sinistra.
Per ogni atto comunicativo vanno bene due frasi.

1 presentarsi

2 chiedere di una persona

3 chiedere chi telefona

4 rispondere che la persona cercata è occupata

5 offrire di riferire alla persona che non c'è

6 segnalare un errore

a Mi spiace, sta parlando sull'altra linea.

b Scusi, ma Lei chi è?

c Potrei parlare con Giuseppe?

d C'è Anna per favore?

e Chi lo desidera, scusi?

f Buongiorno, senta, sono il professor Carli.

g Pronto? Mi chiamo Bertinotti.

h Devo dirgli qualcosa?

i Spiacente, ma qui non c'è nessun Ferrari.

l Vuole lasciare un messaggio?

m Al momento è occupato.

n Guardi che ha sbagliato numero...

8 Davanti al botteghino.

Leggi le seguenti frasi. Chi le dice o le pensa? Completa con il numero della persona.

☐ «Fabio, sto facendo la fila per comprare i biglietti. Ti richiamerò più tardi.»

☐ «Prima dell'inizio dello spettacolo ho il tempo di farmi una dormitina.»

☐ «Senti, io e Paola andremo a giocare a tennis. Se vuoi venire con noi insieme a Luca, devi chiamarci prima delle nove.»

☐ «Mi dispiace, ma purtroppo non ho tempo perché devo finire un lavoro.»

☐ «Non mi sento bene se non mangio qualcosa.»

☐ «Scusi, guardi che stiamo aspettando tutti! E poi il bambino in braccio mi pesa!»

Trasforma ora le frasi da discorso diretto a indiretto.

1 Il ragazzo dice all'amico Fabio che ____ _____ la fila per comprare i biglietti e che ____ _____ più tardi.

2 Il vecchietto pensa che, prima dell'inizio dello spettacolo, _____ il tempo di _____ una dormitina.

3 Il ragazzo dice che ____ e Paola _____ a giocare a tennis. Se Sandra _____ _____ con _____ assieme a Luca, _____ _____ prima delle nove. Sandra risponde che purtroppo non _____ tempo perché _____ finire un lavoro.

4 La signora pensa che non ____ _____ bene se non _____ qualcosa.

5 La signora dice al ragazzo davanti che tutti _____ _____. E aggiunge che il bambino in braccio ____ _____ .

9 Cosa hanno detto?

Trasforma il discorso indiretto in discorso diretto.

1 Sandra ha detto che, siccome non ha molto tempo, domenica non potrà venire a sciare con noi.

2 Gianni ha detto che gli dispiace, il suo PC si è rotto e quindi non può finire la traduzione.

3 I miei genitori hanno detto che se voglio stasera posso uscire con la mia ragazza.

4 I miei amici mi hanno detto che capiscono perché non ho più voglia di studiare.

5 Il dottore mi ha detto che devo andare da lui alle cinque e che, se non faccio in tempo, devo telefonargli.

6 Il meccanico ci ha detto che la nostra macchina sarà pronta fra sette giorni, ma che se abbiamo davvero fretta, può cercare di ripararla un po' prima.

1 Sandra: _____ .

2 Gianni: _____ .

3 I miei: _____ .

4 I miei amici: _____ .

5 Il dottore: _____ .

6 Il meccanico: _____

_____ .

10 Connettivi.

Completa le seguenti frasi con i connettivi adatti.

| prima | anzi | perché | allora | a condizione che | però | quindi | quando | però | se |

1 Mi sembrava una faccia conosciuta, _____ non riuscivo a ricordare dove l'avevo visto.

2 Per sabato d'accordo, ti chiamo _____ stiamo per arrivare. Ti abbraccio. Marina

3 Secondo me sempre più gente usa i Social Network per socializzare _____ non ha tempo.

4 _____ vuoi mangiare, ricordati di comprare qualcosa al supermercato.

5 _____ , mi fai vedere il tuo nuovo smartphone?

6 _____ di giudicare una persona, devi conoscerla bene.

7 D'accordo che è stata una cosa improvvisa, _____ potevi almeno avvisare!

8 Ha detto che non si sente bene e che _____ stasera non viene da noi.

9 Possiamo vederci un film in streaming, _____ tu abbia una buona connessione.

10 Capisce davvero poco. _____ , non capisce proprio niente!

11 Ti prego. Non dirlo a nessuno...

Leggi la lettera che Michela scrive all'amica Francesca.

Carissima, ti scrivo solo poche righe per dirti che sono felicissima. Il tempo è brutto, l'albergo dove sono costa un sacco di soldi, la proprietaria è piuttosto antipatica, ma io mi sento benissimo. Dormo molto, quindi sono riposata e di conseguenza sempre di buon umore. Guglielmo mi insegna a nuotare e andiamo sempre al mare quando il tempo lo permette. Francesca, ti rivelo un segreto: sono innamorata di lui!! E penso di sposarmi presto o comunque di andare presto a vivere con lui.

Un bacione
Tua Michela

Francesca non sa mantenere il segreto. Ecco cosa racconta il giorno stesso alle amiche.

«Sapete l'ultima? Michela mi ha appena scritto una lettera e dice che è felicissima. Che il tempo _____, che l'albergo _____, che la proprietaria _____, ma che _____. Che _____, che quindi _____ _____. Che Guglielmo _____ e che _____. E mi ha anche rivelato un segreto: che _____ e che _____ _____. Allora, non trovate che sia una bomba!??»

INFOBOX

La lingua italiana in rete è a rischio di estinzione

L'italiano nel prossimo futuro potrebbe essere poco rappresentato su Internet, specialmente se paragonato all'inglese e allo spagnolo. La nostra lingua – va detto – è in buona compagnia. Sono a rischio di estinzione digitale altre venti lingue europee: l'italiano, con il francese, l'olandese, e il tedesco, è in una fascia di rischio intermedio. Stanno peggio l'islandese, il lettone, il lituano e il maltese.

Vai su **www.almaedizioni.it/nuovoespresso**
e mettiti alla prova con gli esercizi
online della lezione 4.

12 Il cellulare o la fidanzata?

Riordina le parole e riscostruisci le parti mancanti del testo.

«Il cellulare o la fidanzata?». Per gli italiani è meglio lo smartphone

"Amore, scegli… o me o il cellulare". La risposta potrebbe non essere così scontata. Uno studio effettuato da Assurant Solutions ha rilevato che un _____ _____ proprio partner.	che - degli - del - italiani - lo - pensa - più - sia - smartphone - terzo - utile
Non solo: circa un terzo degli italiani pensa che il telefono cellulare sia più utile anche di amici e familiari. _____ e si fanno prendere da attacchi di panico se non lo trovano entro 11 minuti.	al - cellulare - 53 - giorno - Gli - guardano - italiani - il - in - media - volte
LA GENERAZIONE Y - Anche Cisco, azienda leader nell'informatica, ha effettuato uno studio su come il bisogno _____ _____, dallo shopping alle amicizie, arrivando a tracciare i contorni di una nuova generazione di utenti: la Generazione Y.	aspetto - connessi - della - di - essere - influenzi - ogni -quotidiana - vita
Secondo il Cisco Connected World Technology Report (CCWTR), il 90% dei rappresentanti della Generazione Y intervistati a livello mondiale ha dichiarato di controllare i propri smartphone per guardare le email, i messaggini e i social media, spesso prima di essersi alzati dal letto. Ci sono 206 ossa nel corpo umano, e lo smartphone potrebbe essere tranquillamente considerato la 207esima della Generazione Y. _____ :"Mi sentirei ansioso, come se mi mancasse una parte di me" se non potessero utilizzare il proprio smartphone per connettersi.	cinque - dichiarato - Due - hanno - persone - su
SONO OVUNQUE - Gli smartphone vengono utilizzati ovunque. Il desiderio di restare connessi comporta un assottigliamento della linea di demarcazione tra il lavoro e la vita familiare. _____ _____ e da qualsiasi posto. Soprattutto dal bagno.	a - collegate - Le - ora - ormai - persone - qualsiasi -sono
L'intervista di Cisco, su base mondiale, riferisce che 3 intervistati su 4 utilizzano lo smartphone a letto. _____ _____ e ben il 46% ha dichiarato di scrivere messaggi, email e controllare i social media anche a tavola. E c'è chi si attrezza per chattare anche mentre dorme…	ad - andare - bagno - cellulare - in - non - riesce - senza - su - tre - Uno

13 Ricapitoliamo.

Come cambierebbe la tua vita se non ci fossero Internet e i mezzi di comunicazione offerti dalle moderne tecnologie? Quali sarebbero i vantaggi e quali gli svantaggi? Scrivi un breve testo sull'argomento.

✎ esercizi 5

1 Il lessico della letteratura.

Qual è la regione in cui è nato lo scrittore Andrea Camilleri e dove si svolgono i suoi romanzi più famosi?
Completa il cruciverba con le parole corrispondenti a queste definizioni. Se le risposte saranno esatte la soluzione apparirà nelle caselle evidenziate.

1 Personaggio principale di un'opera letteraria o di un film.

2 Forma femminile di *scrittore*.

3 Si chiama *giallo*, ma in realtà è un romanzo…

4 Critica, sotto forma di articolo, di un'opera letteraria.

5 Sinonimo di *quotidiano*.

6 Questo libro contiene la descrizione delle strade e delle caratteristiche di città e regioni.

7 È più lungo del racconto.

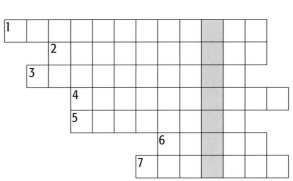

2 Che io sappia…

Collega le frasi e completa usando che + *il verbo* sapere *al congiuntivo presente (nella forma opportuna), come nell'esempio.*

1 Ragazzi, circa la partita di stasera

2 Paola, _____ Sandro

3 Olga, senti,

4 Hai visto Michele?

5 Signorina, _____

6 C'è da fidarsi di lui?

a Mah, _____ non è ancora arrivato.

b _____ ci sono ancora biglietti per il Rugantino?

c ha ancora la macchina o l'ha già venduta?

d Ma cosa vuoi _____ ?

e è già arrivato il tecnico per il computer?

f ___che voi sappiate___ è alle 8 o alle 9?

INFOBOX

Gli italiani e la lettura

In Italia solo il 43% delle persone di più di 6 anni dichiara di aver letto almeno un libro non scolastico nell'ultimo anno.

Le donne leggono più degli uomini, una differenza di comportamento che comincia a manifestarsi già a partire dagli 11 anni e tende a ridursi solo dopo i 75.

La fascia di età nella quale si legge in assoluto di più è quella tra gli 11 e i 14 anni (60,8%).

Avere genitori lettori incoraggia la lettura: leggono libri il 77,4% dei ragazzi tra i 6 e i 14 anni con entrambi i genitori lettori, contro il 39,7% di quelli i cui genitori non leggono.

3 Sinonimi.

*Sostituisci nei due testi le parole **evidenziate** con i sinonimi della lista. Attenzione, dove necessario cambia anche l'articolo o le preposizioni articolate.*

appalti pubblici	cantiere	chiacchierare	fango	indagare	omicidio

ostacoli	proprietario	rifiuti

Massimo è il **padrone** del bar della piazza di un piccolo paese della Toscana: il tipico bar dove vanno soprattutto gli anziani, a giocare a carte e soprattutto **conversare**, commentare i fatti e le persone. Ma un giorno in paese avviene un'**uccisione**: viene trovato tra la **spazzatura** il corpo di una giovane ragazza e la Polizia capisce che dietro ci sono brutte storie di droga e sesso. Il barista Massimo viene convinto dai suoi anziani clienti a **investigare** sull'omicidio a modo suo: a poco a poco scoprirà molte verità a cui la Polizia non può arrivare...

Sono giorni di pioggia a Vigàta, la città del commissario Montalbano. È in una di queste giornate che viene trovato un uomo morto in un'**area di costruzione**, colpito alle spalle. L'indagine di Montalbano entra nel mondo dei cantieri e dei **contratti per le opere pubbliche**, dove la **terra bagnata dalla pioggia** è solo uno dei **blocchi** che il commissario trova nella scoperta della verità.

4 Credo... credevo...

Leggi le frasi e scrivile al passato, usando il congiuntivo imperfetto.

1 Credo che a Mario non piacciano i gialli.

Credevo _____.

2 Penso che sia troppo tardi per prenotare il biglietto aereo.

_____.

3 Pamela spera che il film sia bello come il libro.

Pamela _____.

4 Immagino che tu sia stanca dopo un viaggio così lungo.

_____.

5 Non credo che Lorenzo abbia voglia di venire con noi.

_____.

6 Mia madre pensa che mia sorella dica sempre la verità.

_____.

5 Quale congiuntivo?
Completa le frasi con i verbi al congiuntivo presente o imperfetto.

1 Non penso che a Giovanni (*interessare*) _____ un libro su Verdi.

2 ■ Quanti anni ha Serena?

▼ Credo che (*avere*) _____ circa 50 anni.

■ Davvero? Io pensavo che (*essere*) _____ più giovane.

3 Quando ho sentito suonare il telefono, ho subito sperato che (*essere*) _____ tu.

4 Non penso che Maurizio (*credere*) _____ veramente a quello che dice.

5 Giorgia non è mai stata una ragazza sportiva, ma penso che ora (*deve*) _____ iniziare a fare attività fisica.

6 Siete sicuri che (*volere*) _____ questo libro, per il suo compleanno?

6 Per una biblioteca globale.
Il brano che segue è un riassunto della lettura "Per una biblioteca globale". Senza rileggerla, prova a completare il testo con le parole della lista.

copertina	biblioteca	abbandonato	banale	esperimento	etichetta

registrare	iscritti	catena	temporaneo	funzionamento

Quando, alcuni anni fa, Judy Andrews trovò un libro _____ su una sedia dell'aeroporto di Los Angeles, pensò di essere stata soltanto fortunata. Ma guardando più accuratamente vide una piccola nota sulla _____. Diceva: «Per favore leggimi. Non sono stato perduto. Sto girando il mondo in cerca di amici».

Era un invito a partecipare ad un _____ sociologico globale, organizzato da un sito Internet chiamato *bookcrossing.com*, che ha come scopo trasformare il nostro mondo in una enorme _____.

L'idea è quasi _____, e forse proprio per questo rivoluzionaria. Sul sito si chiede a tutti i lettori di _____ loro e i loro libri *online* e cominciare poi a distribuirli in tutti i posti possibili: bar, ristoranti, cinema, panchine dei parchi cittadini. A ogni libro registrato su *bookcrossing* viene assegnato un numero di identificazione e un'_____ di registrazione che viene stampata e attaccata sul volume. La nota spiega brevemente il _____ del gioco e chiede a chi ritrova il libro di andare sul sito per indicare dove l'ha trovato e di quale volume si tratta. In questo modo il nuovo proprietario _____ può leggerlo e poi rimetterlo in circolo.

Sono stati letti finora più di 3 milioni i libri. In Italia il fenomeno conta oltre 30 mila _____ e l'interesse è in crescita. Chiaramente non tutti i libri arrivano a destinazione. Al momento solo un 10 o un 15% dei volumi "liberati" viene trovato da una persona che si aggiunge alla _____.

7 Passivo.

Trasforma le seguenti frasi dalla forma attiva a quella passiva. Se esiste più di una possibilità scrivile tutte e due, come nell'esempio.

Migliaia di persone **abbandonano** ogni anno dei libri in tutto il mondo.
Ogni anno dei libri **sono/vengono abbandonati** in tutto il mondo da migliaia di persone.

1 Un signore ha abbandonato un libro di John Grisham all'aeroporto di Los Angeles.

_____ .

2 Il signore non aveva perduto il volume, l'aveva lasciato lì di proposito.

_____ .

3 Un sito Internet ha organizzato questo esperimento sociologico globale.

_____ .

4 Il *bookCrossing* assegna a ogni libro un numero di identificazione e un'etichetta.

_____ .

5 Il responsabile può stampare e attaccare sul volume l'etichetta.

_____ .

6 Il nuovo proprietario può leggere il libro trovato.

_____ .

7 I proprietari sperano che i lettori rimettano in circolazione i libri.

_____ .

8 *Essere* o *venire*?

Riscrivi le frasi al passivo con essere *e, quando possibile,* venire.

1 Hanno trovato una soluzione che soddisfa tutti.

_____ .

2 Da bambino lo prendevano sempre in giro perché era molto timido.

_____ .

3 Quando sarà il momento, sceglieremo la persona adatta per questo incarico.

_____ .

4 Avevano scelto un regalo che non piaceva a nessuno.

_____ .

5 Antonio è un esperto di informatica: lo chiamano sempre quando c'è un problema tecnico.

_____ .

9 Fra un po' si parte...

Francesca sta per partire con Luciano per Malta. Aiutala a completare la lista che sta preparando, usando la forma passiva come nell'esempio.

✓ comprare i biglietti

✓ prenotare l'albergo

    preparare la valigia (penultimo giorno)

    innaffiare i fiori (ultimo giorno)

    controllare i documenti

    staccare il frigo e la luce (ultimo giorno)

✓ leggere la guida

    portare il gatto alla vicina (ultimo giorno)

✓ finire il lavoro in ufficio

i biglietti sono già stati comprati

la valigia deve ancora essere preparata

10 Conosci l'Italia e gli italiani?

Completa le frasi con la forma passiva. Poi rispondi alle domande.

1 _____ fondata all'inizio del settimo secolo d.C. Per più di mille anni _____ governata dai dogi. Da sempre questa affascinante città piena di ponti _____ considerata una delle più belle d'Italia.

Firenze ☐   Venezia ☐   Roma ☐

2 Ha l'università più antica del mondo e _____ ritenuta anche una delle città dove si mangia meglio in Italia.

Roma ☐   Firenze ☐   Bologna ☐

3 Il suo nome _____ legato ormai da anni al suo romanzo più famoso, "Il nome della rosa": ma è stato anche filosofo, docente universitario, editorialista.

Andrea Camilleri ☐   Umberto Eco ☐   Italo Calvino ☐

4 È un regista italiano. È nato a Napoli nel 1970. Il suo primo film, "Hanno tutti ragione", è del 2010. Nel 2013 ha realizzato "La grande bellezza", che _____ premiato con l'Oscar e ha ricevuto molti altri riconoscimenti, tra cui il Golden Globe e l'European Film Awards.

Federico Fellini ☐   Roberto Benigni ☐   Paolo Sorrentino ☐

5 _____ chiamato anche Anfiteatro Flavio (che è il suo nome originario), ma per tutti è famoso con un altro nome: è il monumento più famoso di Roma e uno dei più fotografati al mondo.

Pantheon ☐   Circo Massimo ☐   Colosseo ☐

11 Riecco i nostri vecchietti.

Completa il seguente testo, che è un riassunto del brano di p. 71, e decidi quale parola manca.

Due vecchietti avevano deciso ___1___ attraversare una strada, per raggiungere un giardino pubblico con un ___2___ laghetto. Ma c'era molto ___3___, perché era l'ora di punta, e i due non ___4___ ad attraversare. ___5___ cercarono un semaforo, ma c'erano macchine anche sulle strisce pedonali e Aldo e Alberto (questi i ___6___ nomi), anche se molto magri, non riuscivano proprio a passare. Pensarono, dunque, di riprovare ___7___ tutti erano fermi, ma non ce la fecero ___8___ questa volta. Così ad Aldo venne l'idea di sdraiarsi in mezzo ___9___ strada facendo finta di essere morto per permettere almeno all'amico di attraversare. Ma prima passò una macchina che lo mandò ___10___ e poi una moto che lo riportò al punto di partenza.

1 (a) a   (b) ---   (c) di
2 (a) bell'   (b) bel   (c) bello
3 (a) traffico   (b) auto   (c) flusso
4 (a) riuscivano   (b) potevano   (c) tentavano
5 (a) Mentre   (b) Allora   (c) Quando
6 (a) suoi   (b) suo   (c) loro
7 (a) quando   (b) quindi   (c) se
8 (a) nemmeno   (b) anche   (c) mai
9 (a) alla   (b) della   (c) per
10 (a) d'altra parte   (b) dall'altra parte   (c) da quella parte

'ALMA.tv ▶

il Linguaquiz

Se vuoi approfondire o metterti alla prova con le forme del passato remoto, puoi andare su *www.alma.tv* e giocare con i Linguaquiz dedicati a questo argomento!

Passato remoto   CERCA

INFOBOX

Scrittori italiani all'estero

Quali sono gli autori italiani che è possibile leggere anche all'estero? I più tradotti sono sicuramente i classici: Dante Alighieri, Alberto Moravia, Italo Calvino e, a sorpresa ma non troppo, un grande scrittore per bambini, Gianni Rodari. Un buon successo all'estero, soprattutto nei Paesi di lingua inglese, lo hanno anche i libri di Elena Ferrante (pseudonimo di una scrittrice - o scrittore - che non ha mai fatto conoscere la propria identità). Ma su tutti domina Umberto Eco, lo scrittore contemporaneo italiano più famoso all'estero: i suoi libri sono stati tradotti in più di 100 lingue!

12 Lettura.

Leggi il seguente brano dello scrittore Luigi Malerba.

Cesarino aveva una gran paura del passato remoto. Quando sentiva qualcuno che diceva «andai» oppure «caddi» o semplicemente «dissi», si tappava[1] le orecchie e chiudeva gli occhi. Il passato remoto secondo lui poteva andare bene sì e no quando si parlava di Nabucodonosor, di Alessandro Magno o di Federico Barbarossa, ma se lo sentiva in bocca ai suoi compagni li vedeva già morti e imbalsamati[2]. Per piacere non dire «arrivai», li pregava a metà discorso, ma nessuno gli dava retta[3]. Il passato remoto creava fra lui e i suoi amici, fra lui e il mondo, delle lontananze che lo spaventavano[4] come il buio della notte o la pioggia nella giungla[5]. (…) Era sicuro che si può vivere benissimo anche senza il passato remoto. A scuola aveva tentato[6] in tutti i modi di rifiutarlo, ogni volta che ne trovava uno nei libri di testo lo sostituiva con un passato prossimo o un imperfetto. (…) Quando finalmente Cesarino, finita l'università, aveva incominciato a lavorare come ingegnere idraulico, il passato remoto era ormai scomparso definitivamente[7] dalla sua vita. Non lo usava mai né a voce né per scritto dimostrando che aveva ragione lui, che si può vivere benissimo senza il passato remoto, che si può ugualmente avere successo nella professione, che senza passato remoto si possono avere anche dei figli e vivere felici e contenti.

Il passato remoto da "Storiette e Storiette tascabili" di Luigi Malerba, Einaudi, 1994

(1) tapparsi (le orecchie) = chiudersi; (2) imbalsamati = simili a mummie; (3) dar retta a qualcuno = ascoltare; (4) spaventare qu. = mettere paura a qu.; (5) la giungla = bosco, foresta tropicale; (6) tentare di (fare) = provare a (fare), cercare di (fare); (7) definitivamente = per sempre

Sostituisci – come fa Cesarino – il passato remoto *con il* passato prossimo.

passato remoto	passato prossimo
andai	
dissi	
arrivai	
chiedemmo	

passato remoto	passato prossimo
deste	
ebbero	
dicemmo	
diedero	

13 Ricapitoliamo.

Ami leggere? Quando lo fai in genere? E dove?
Che tipo di lettura ti piace? Come la scegli? Hai un
autore/un'autrice preferito/-a? Regali o ricevi spesso
in regalo dei libri? Vai spesso in biblioteca? Preferisci
andare in biblioteca o acquistare i libri
e tenerteli a casa? Sei abbonato ad un quotidiano
o ad una rivista? Quale tipo di articolo ti interessa
maggiormente? Hai già letto o almeno sfogliato
qualche giornale o rivista italiani?

Vai su **www.almaedizioni.it/nuovoespresso** e mettiti alla prova con gli esercizi online della lezione 5.

Esercizi

5

✎ test 2

1 Trasforma le parole di destra in avverbi in *-mente* o aggettivi in *-accio / accia* e completa le frasi.

1 L'azienda Bulgari produce _____ gioielli. (principale)

2 L'artigiano vende prodotti fatti _____ a mano. (completo)

3 Ero senza soldi e ho fatto una _____. (figura)

4 _____ l'Italia era un Paese agricolo. (antico)

5 Ieri ho passato una _____. (giornata)

6 Non ti consiglio di andarci, è un _____. (posto)

> *Ogni trasformazione corretta 1 punto.* Totale ___ / 6

2 Completa le frasi con il congiuntivo presente o passato.

1 Non vedo più Mauro, può darsi che (*ritornare*) _____ a casa.

2 Non importa cos'è successo, l'importante è che ora tu (*stare*) _____ bene.

3 Abbiamo passato le vacanze sotto la pioggia. Credo proprio che non (*essere*) _____ una buona idea partire in questa stagione…

4 Mio padre mi comprerà una Vespa a patto che (*laurearsi*) _____ prima dell'estate.

5 Non credo che (*lui - accettare*) _____ quel lavoro: lo stipendio era basso.

6 Dopo quello che hai detto ieri sera a Marina, penso che oggi tu (*dovere*) _____ telefonarle per scusarti con lei.

7 Credo che tu (*bere*) _____ troppo, è meglio che (*guidare*) _____ io!

> *Ogni verbo corretto 3 punti.* Totale ___ / 24

3 Completa le frasi con il congiuntivo imperfetto.

1 Non credevo che tuo nonno (*usare*) _____ Internet!

2 Non mi guardare come se (*essere*) _____ la prima volta che mi vedi!

3 Pensavo che Paolo e Giorgia (*stare*) _____ ancora insieme.

4 Di' la verità: non immaginavi che noi (*abitare*) _____ proprio dietro casa tua!

5 Ho cancellato la mail perché avevo paura che la (*leggere*) _____ tuo padre.

6 Credevo che tu non (*volere*) _____ uscire con Marta e Alfredo!

> *Ogni verbo corretto 3 punti.* Totale ___ / 18

4 **Completa le frasi con il congiuntivo presente, passato o imperfetto.**

1 Credo che Eleonora (*leggere*) _____ questo libro l'anno scorso, quando abitava in Francia.

2 Non pensavo che voi (*essere*) _____ appassionati di gialli!

3 Credo proprio che (*noi - dovere*) _____ parlare con Claudio: non possiamo comportarci come se non (*sapere*) _____ quello che ha fatto.

4 Fino all'ultimo ho sperato che il film (*finire*) _____ diversamente, invece è veramente triste!

5 Non risponde al telefono? Può darsi che lo (*dimenticare*) _____ da qualche parte: è molto distratto.

6 Che voi (*sapere*) _____, Giovanni è tornato dal suo viaggio di lavoro?

7 Non credi che (*essere*) _____ troppo tardi per cambiare idea?

> *Ogni verbo corretto 2 punti.   Totale ___ / 16*

5 **Riscrivi le frasi usando il discorso indiretto.**

1 Marina: "Giovedì andrò a casa di Stefania per organizzare il viaggio in Australia."
Stefania dice: "Marina ha detto che _____ ".

2 Loretta: "Io e Giacomo ci siamo sposati anche se i miei genitori erano contrari".
Loretta dice che _____.

3 Paola: "Silvana mi ha inviato una mail, ma io non l'ho ancora letta."
Paola ha detto che _____.

4 Daniele: "Allora, per Capodanno venite tutti a cena da me".
Daniele dice che _____.

5 Luca: "Mia figlia mi somiglia molto fisicamente, ma il carattere è quello di mia moglie."
Luca dice che _____.

> *Ogni frase corretta 4 punti.   Totale ___ / 20*

6 **Trasforma le frasi alla forma passiva.**

1 Milioni di americani hanno letto l'ultimo romanzo di John Huges.

_____.

2 In Italia l'editore Mondadori pubblicherà l'ultimo romanzo di John Huges.

_____.

> *Ogni frase corretta 8 punti.   Totale ___ / 16*

> *Totale test: ____ / 100*

✎ esercizi 6

1 Contrari.
Collega i contrari, come nell'esempio.

metà	avanti
meno	conoscere
pazienza	crescita
centrale	doppio
diritti	doveri
indietro	fertilità
ignorare	impazienza
tradizionale	minimo
massimo	moderno
calo	periferico
negativo	più
infertilità	positivo

2 Anche se...
Trasforma le frasi secondo gli esempi.

Esco **anche se piove**. → Esco **sebbene piova**.
Sono andato a lavorare **anche se ero malato**. → Sono andato a lavorare **sebbene fossi malato**.

1 Anche se non ne ho voglia, devo studiare. _____

2 Anche se siete stanchi, finite il lavoro! _____

3 Anche se erano stranieri, parlavano
benissimo l'italiano. _____

4 Anche se si alzavano presto, arrivavano
sempre in ritardo. _____

5 Anche se perdete, continuate a giocare. _____

6 Anche se continuano a sbagliare,
hanno fatto molti progressi. _____

7 Anche se è nuvoloso, andiamo al mare. _____

3 Nonostante il tempo...

Sottolinea tutte le frasi concessive e trasforma poi le forme con anche se *nelle corrispondenti forme con* nonostante/sebbene/benché/malgrado *e viceversa, come nell'esempio.*

Avevo deciso che sarei andata a sciare a tutti i costi. E così, <u>anche se il tempo non era particolarmente bello</u>, mi sono alzata presto e mi sono messa in macchina. C'era traffico, ma sono arrivata a Pampeago abbastanza presto. C'erano già diversi bus parcheggiati nel piazzale e moltissime auto di turisti. La mia amica Albina mi aveva promesso che sarebbe venuta con me, ma non so perché non si è fatta vedere. Ma è stato divertente anche se ero da sola. Sebbene ci fosse molta gente ho potuto sciare senza problemi (sono brava, anche se mio marito – che è maestro di sci – dice il contrario!). A pranzo mi sono fermata per mangiare un panino al formaggio e poi via di nuovo sulle piste. Insomma, malgrado ci fosse un freddo terribile, non mi sono più fermata fino alle cinque. È stata una giornata bellissima!

1 Nonostante/Sebbene/Benché/Malgrado il tempo non fosse particolarmente bello...

2 _____

3 _____

4 _____

5 _____

4 Davvero?

Completa i dialoghi con le espressioni della lista.

| Che poi | Davvero? | Hai saputo che | Eh, infatti! | Sì, ecco, quello. |

1 ■ Lo sai che Mauro non mangia né carne, né uova, né latte? È un... come si dice...

▼ È un vegano.

■ _____

2 ■ _____ Giorgio e Rita si sono lasciati?

▼ Nooo! Ma si dovevano sposare tra un mese!

3 ■ Oggi sono andato dal direttore e gli ho detto che è un idiota.

▼ _____

4 ■ Mamma mia che freddo!

▼ _____

5 ■ È strano che Luigi non sia mai contento. _____ si è appena sposato, no?

▼ Sì, con una bellissima ragazza argentina.

■ Ecco, appunto.

5 Cruciverba.

Completa il cruciverba. Poi completa il testo con le parole che hai trovato.

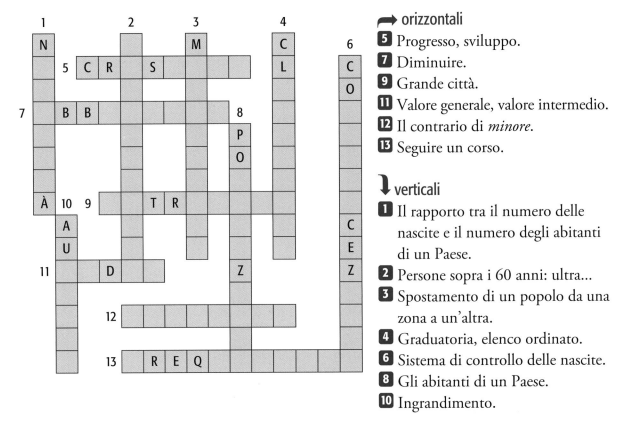

→ orizzontali
- **5** Progresso, sviluppo.
- **7** Diminuire.
- **9** Grande città.
- **11** Valore generale, valore intermedio.
- **12** Il contrario di *minore*.
- **13** Seguire un corso.

↓ verticali
- **1** Il rapporto tra il numero delle nascite e il numero degli abitanti di un Paese.
- **2** Persone sopra i 60 anni: ultra...
- **3** Spostamento di un popolo da una zona a un'altra.
- **4** Graduatoria, elenco ordinato.
- **6** Sistema di controllo delle nascite.
- **8** Gli abitanti di un Paese.
- **10** Ingrandimento.

L'Italia, con una _____ di 1,18 bambini per donna, occupa il posto più in basso della _____ mondiale della _____. (...)

Chi l'avrebbe mai detto? Trenta anni fa si temeva che l'_____ della popolazione mondiale consumasse troppo velocemente le risorse della Terra. Oggi nel mondo siamo 6 miliardi ma il tasso di crescita è sceso all'1,2 per cento. Sono molti i fattori che hanno fatto _____ il numero delle nascite: la diffusione della _____ , le maternità in età sempre più avanzata, un numero _____ di donne nel mondo del lavoro e una diffusa _____ dalle campagne alle città. Esiste però anche un'altra ragione perché nascono meno bambini, anche se gli stressati genitori non lo ammettono: con un solo figlio tutto è più semplice e più economico.

Il sociologo francese Jean-Claude Kaufman attribuisce l'aumento delle famiglie con un figlio unico alla «_____ dell'individualismo». Con un figlio solo è più facile portare la famiglia in un ristorante a quattro stelle o in un safari in Tanzania. Vivere in un piccolo appartamento di una _____ è più facile e se parliamo poi di educazione non c'è confronto: i figli unici hanno molte più possibilità dei loro amici con fratelli di _____ prestigiose scuole private. (...). Anche l'età della _____ mondiale aumenta rapidamente: il numero di ultra _____ nei prossimi 50 anni triplicherà e gli over 80 saranno cinque volte di più.

6

6 Comparativi e superlativi.

Completa con le forme irregolari del comparativo o del superlativo di
buono, cattivo, grande, piccolo.

1 ■ La cosa _____ che si possa fare è partire per un viaggio e

dimenticare gli occhiali!

▼ Eh sì, hai ragione.

2 ■ Buona questa pizza!

▼ Sì, ma quella che abbiamo mangiato la volta scorsa era _____.

■ Beh, guarda, io penso che _____ di tutte siano quelle che fanno al «Roma».

Sono davvero _____!

3 ■ Guadagni bene con il tuo lavoro?

▼ No, _____ necessario per vivere.

4 ■ Mi scusi, su questi vestiti c'è solo il 15% di sconto?

▼ Sì, ma se ne compra due c'è uno sconto_____.

5 ■ Mm, cattivo questo caffè, no?

▼ Non cattivo, è addirittura _____!

6 ■ Carlo è il tuo fratello maggiore?

▼ No, è _____.

7 ■ Com'è andata?

▼ Malissimo, abbiamo perso 5 a 0, è stata la nostra _____ partita.

INFOBOX

Un test su 8.000 ragazzi italiani

Un test su 8.000 ragazzi italiani, la cui unica domanda era «Quale professione vorresti fare?», ha dato questi risultati.
Per i ragazzi: 1° fare il manager, 2° pilotare un aereo, 3° fare l'elettricista, 4° lavorare alla cassa di un bar/negozio,
5° dirigere un giornale, 6° insegnare all'università, 7° fare politica, 8° condurre autobus o treno, 9° e 10° (ambedue
0,6%) assistere gli anziani, insegnare alla scuola materna.
Per le ragazze: 1° insegnare alla scuola materna, 2° fare il manager, 3° lavorare alla cassa di un bar/negozio,
4° insegnare all'università, 5° dirigere un giornale, 6° pilotare un aereo, 7° fare politica, 8° assistere gli anziani,
9° fare l'elettricista, 10° condurre autobus o treno.

7 **Ti faccio vedere una cosa.**

In quali frasi il verbo fare *potrebbe essere sostituito da* lasciare?
Trascrivile come nell'esempio.

1 Sai che mi ha fatto usare il suo computer? <u>Sai che mi ha lasciato usare il suo computer?</u>

2 Hai già fatto riparare la macchina? _____

3 Fammi entrare! Fa freddo fuori… _____

4 Mi fai provare i tuoi pantaloni? _____

5 Mi fate sempre perdere un sacco di tempo! _____

6 Fammi capire cosa ti passa per la testa. _____

7 Fatemi passare, per cortesia! _____

8 I miei mi fanno sempre fare quello che non voglio. _____

9 I miei mi fanno sempre fare quello che voglio. _____

10 Quel libro mi ha fatto proprio ridere. _____

11 Fammi pensare un momento! _____

8 **Mille cose da fare.**

Fare *è forse il verbo più usato in italiano. Al tuo livello, però, sei in grado di sostituirlo con altre forme più eleganti (e a te già note). Trasforma le frasi con il verbo appropriato, come nell'esempio.*

costruire	creare	cucinare	percorrere	porre
praticare	presentare	prestare	produrre	seguire

1 Dio fece il mondo dal nulla. <u>Dio creò il mondo dal nulla.</u>

2 Perché non fate mai attenzione a quello che dico? _____

3 Faccia la domanda entro il 10 febbraio! _____

4 Ieri con la macchina ho fatto 100 chilometri. _____

5 Com'è dimagrita. Avrà fatto una dieta? _____

6 In quella ditta si fanno bellissimi mobili. _____

7 Mia madre mi fa sempre dei piatti magnifici. _____

8 In città hanno fatto un nuovo impianto sportivo. _____

9 Mi faceva sempre un sacco di domande. _____

10 È vero che fa moltissimi sport? _____

9 *Ci si.*
Abbina le frasi.

1 Dopo un giornata faticosa
2 Se si frequenta la scuola
3 Alle comodità
4 Se non si ha quella calda   ci si
5 Dopo una bella doccia
6 In Italia
7 D'inverno

a separa sempre di più.
b alza verso le sette.
c ammala spesso.
d abitua facilmente.
e riposa volentieri.
f sente proprio bene.
g lava con l'acqua fredda.

10 **Ci si abitua facilmente...**
Sostituisci nelle seguenti frasi uno/qualcuno/la gente/tutti/le persone *con* ci si, *secondo il modello. Attenzione ai tempi verbali.*

Uno/Qualcuno/La gente si abitua. – Tutti/Le persone si abituano facilmente.
Ci si abitua facilmente.

1 Ultimamente tutti si sono abituati alle comodità.

Ultimamente _____ _____ _____ abituati alle comodità.

2 Se qualcuno si impunta e traduce «topo» per «mouse», nessuno capisce.

Se _____ _____ _____ e si traduce «topo» per «mouse», nessuno capisce.

3 Le persone si lamentano spesso di molte cose.

_____ _____ _____ spesso di molte cose.

4 Pensando troppo alla grammatica, spesso uno si blocca.

Pensando troppo alla grammatica, spesso _____ _____ _____ .

5 Se uno si arrende subito, non ottiene niente.

Se _____ _____ _____ subito, non si ottiene niente.

6 Quando la gente si trasferisce all'estero, dovrebbe imparare la lingua del Paese ospitante.

Quando _____ _____ _____ all'estero, si dovrebbe imparare la lingua del Paese ospitante.

7 Se le persone non si fidano nemmeno degli amici, allora…

Se non _____ _____ _____ nemmeno degli amici, allora…

11 Famiglie di parole.

Ricordi questi vocaboli? Completa la tabella.

verbo	sostantivo	aggettivo	avverbio
---	_____	attento	_____
aumentare	_____	---	---
_____	il controllo	---	---
crescere	_____	_____	---
---	_____	disponibile	---
_____	_____	frequente	_____
_____	la nascita	_____	---
preoccuparsi	_____	_____	---
---	_____	severo	_____
---	_____	sicuro	_____
---	_____	_____	sinceramente
---	_____	_____	tradizionalmente
_____	_____	vivente	---

Rispondi ora a questa domanda: di che genere sono i sostantivi in -zione?
Maschili o femminili?

INFOBOX

Perché i figli restano in famiglia?

Così ha risposto un gruppo di 18-34enni italiani che vivono con almeno un genitore: «perché godo di libertà (48,1%), sto ancora studiando (27,5%), non ho un lavoro stabile (16,8%), ho difficoltà nell'affitto o acquisto della casa (16,4%), altrimenti dispiacerebbe ai miei genitori (7,1%), ho paura ad andar via (6,7%), dovrei fare troppe rinunce (4,8%), i miei hanno bisogno di me (3,3%)».

---

12 Ricapitoliamo.

Quali parole associ all'idea di famiglia?
Quali sono i cambiamenti avvenuti all'interno della famiglia italiana? Quale ne è la causa? Cambiamenti analoghi si sono avuti anche nel tuo Paese? Da noi si assiste a un calo demografico. Anche da voi? Qual è il motivo? Che ruolo hanno i nonni in una società in cui tante donne lavorano? Che ne pensi delle coppie che si sposano molto presto? È un vantaggio o uno svantaggio? Potrebbe essere questa la causa di tanti divorzi e separazioni? Quali sono secondo te i motivi di maggior conflitto fra genitori e figli? All'interno della coppia ritieni giusto che ci sia una suddivisione delle faccende domestiche?

Vai su www.almaedizioni.it/nuovoespresso e mettiti alla prova con gli esercizi online della lezione 6.

Esercizi

6

✎ esercizi 7

1 Feste e ricorrenze.

Cancella dallo schema le parole relative alle definizioni (scritte di seguito, come nell'esempio).
Le lettere rimaste ti daranno un famoso proverbio italiano.

1 La festa del _____papà_____ è il giorno di San Giuseppe.

2 Si dice che a _____ ogni scherzo vale.

3 Una tipica ricetta di un particolare giorno di festa è il cotechino con le _____.

4 A Natale in alcuni Paesi si fa l'albero, in altri il _____ .

5 Il primo di _____ si festeggia il giorno di Ognissanti.

6 _____ è l'ultimo giorno dell'anno, che si chiude con il «cenone».

P	A	N	A	P	A'	C	A	T	R
N	A	L	E	V	A	E	L	E	L
E	C	O	N	T	I	C	N	C	H
I	I	T	U	E	P	O	R	E	I
S	E	P	I	O	E	P	A	S	N
O	Q	V	U	E	A	C	O	M	B
N	R	E	C	H	I	S	S	V	I
L	U	V	E	O	S	T	R	I	O

Soluzione: __ __ __ __ __ __   __ __ __

__   __ __ __ __   __   __ __ __ __ __ __

__ __ __   __ __ __   __ __ __ __!

2 Non sei mica obbligato!

Completa i dialoghi con le seguenti espressioni.

dai	dai	mica	mica	mica	per carità	sia chiaro

1 ■ Ho ancora tempo?

▼ Certo, _____ ti ho detto che devi finire per domani!

2 ■ _____, non ti va proprio di venire?

▼ Mah, ho paura di annoiarmi…

3 ■ Avete voglia di uscire?

▼ _____! Con questo freddo?

4 ■ Aspetta un attimo.

▼ Sì, però sbrigati! Non vorrai _____ perdere l'aereo?!

5 ■ Allora? Che facciamo a Capodanno?

▼ _____: io in montagna quest'anno non ci vengo!

6 ■ _____, andiamo, il film comincia alle otto.

▼ Ma non siamo _____ in ritardo, sono ancora le sette!

3 Ti va di...?

Ricostruisci il dialogo.

☐ Beh, così importante no, ma… insomma devo mettere in ordine l'appartamento.

☐ Sì, va bene, mi sembra un buon orario.

☐ Beh, ripensandoci potrei cercare di sbrigarmi in fretta, calcolando poi che forse Sara verrà a darmi una mano…

☐ Eh, mi piacerebbe, ma non posso.

☐ Peccato! Allora niente da fare?

☐ Perché? Hai un impegno così importante?

☐ Purtroppo no, perché la mattina ho un sacco di cose da fare e io ci tengo al lavoro…

☑ Pronto, Alessandra, sei libera oggi?

☐ Vedi?! Passo da te allora, verso le quattro?

☐ Benissimo allora. Ciao, a più tardi.

☐ Ma dai! Non lo puoi fare domani?

4 Promesse…

Collega le frasi di sinistra con quelle di destra e coniuga i verbi come nell'esempio.

1 Quel meccanico non è affidabile. Mi aveva promesso che

2 Mi avevi promesso che quest'inverno

3 Sempre all'ultimo momento! Mi avevate giurato che

4 Clara, ma Luigi non ti aveva assicurato che

5 Giulio aveva promesso alla moglie che a Pasqua

6 La segretaria aveva promesso al direttore che

7 I miei mi avevano detto che

a (*spedire*) _____ le mail il più presto possibile.

b non (*arrivare*)_____ più _____ in ritardo!

c mi (*riparare*) *avrebbe riparato* _____ la macchina per domani.

d mi (*portare*) _____ a sciare!

e la sera (*uscire*) _____ .

f (*festeggiare*) _____ con te?

g l' (*portare*) _____ alle Maldive.

Esercizi

7

5 Promesse non mantenute.

Completa la lettera con il tempo e il modo opportuno.

Carissimo Giulio,

perdona questa lettera, ma adesso sono veramente arrabbiata! A Natale mi avevi promesso
che mi (*portare*) _____ a sciare. E niente! Poi che (*andare*) _____
insieme a Firenze per una settimana. E improvvisamente è saltato fuori quel tuo impegno!
Mi avevi pure detto che alla fine di gennaio mi (*accompagnare*) _____ a Bologna
per i saldi e che nell'occasione noi (*visitare*) _____ la città. Io aspetto ancora i
saldi! Adesso è il giorno di San Valentino. L'anno scorso avevi giurato che il 14 febbraio ci
(*sposare*) _____ . E poi hai tirato fuori la scusa del tuo trasferimento. E pazienza.
Però due settimane fa mi avevi promesso anche che oggi mi (*regalare*) _____
uno splendido mazzo di rose. E almeno questa volta io pensavo davvero che tu non te ne
(*dimenticare*) _____ . Ma non sono arrivati né i fiori né gli auguri.
Sai che ti dico? Se non sei capace di mantenere le promesse che fai, è meglio che tu smetta di
farne!! Tua Francesca
P.S.: Mi avevi pure detto che tu (*cambiare*) _____, che (*diventare*)
_____ più attento e sensibile… Sono stata forse così stupida da risponderti
che un giorno o l'altro ti (*credere*) _____ ?

6 La casa di Babbo Natale.

Segli la forma verbale corretta.

Molti pensano che Babbo Natale non *esiste / esista*. Ma per molti altri *esiste / esista* davvero
e ha una casa dove prepara i regali per i bambini con l'aiuto degli elfi. Il 24 dicembre esce
con le sue renne a portare i suoi doni ai bambini buoni. Questa casa è un posto reale, e come
tutte le abitazioni ha un indirizzo pubblico: "Babbo Natale - Circolo Polare Artico - 96930
Rovaniemi - Finlandia".
Malgrado *sembra / sembri* una cosa un po' strana, effettivamente a quell'indirizzo si può
trovare un vero e proprio villaggio dove gli elfi *preparano / preparino* i regali per i bambini e
dove Babbo Natale *riceve / riceva* i visitatori nel suo ufficio.
La prima volta che qualcuno ha cercato di seguire le tracce di Babbo Natale risale al dicembre
del 1955, quando un grande magazzino degli Stati Uniti *ha distribuito / abbia distribuito* ai
bambini il numero di telefono di Babbo Natale. In questo modo, assicuravano i commessi
del negozio, tutti i bambini *abbiano potuto / avrebbero potuto* chiamarlo al telefono. Per un
errore di stampa però il numero *corrispondeva / corrispondesse* al comando della difesa aerea
militare. Il comandante di turno il 24 dicembre, quando *ha cominciato / abbia cominciato* a
ricevere le prime telefonate dei bambini, ha pensato che *si tratti / si trattasse* di uno scherzo,
ma ben presto si è reso conto dell'errore e ha cominciato a dire ai bambini che sui radar
c'erano davvero dei segnali che *mostravano / mostrano* Babbo Natale in arrivo dal Polo Nord.

7 Un intruso per frase.

Tra le opzioni a destra, elimina quella che non ha un significato equivalente a quella di sinistra. Se la soluzione sarà esatta, le lettere delle frasi rimaste, lette nell'ordine, daranno un proverbio italiano che riguarda i regali.

1 Ci tengo molto ai miei amici.

Per me sono molto importanti. (ACA)
Mi stanno molto a cuore. (VAL)
Li conosco da molto tempo. (SEM)

2 Però dai, l'idea non era male.

L'idea era abbastanza buona. (DON)
L'idea era cattiva. (BRA)
L'idea non era cattiva. (ATO)

3 Mi sono accorto che si trattava di un regalo riciclato.

Sapevo che… (CHE)
Ho notato che… (NON)
Ho capito subito… (SIG)

4 Ha fatto una figuraccia.

Ha dato una cattiva impressione di sé. (UAR)
Non era in forma. (SOP)
Ha fatto una brutta figura. (DAI)

5 Sarei voluta sprofondare!

Sarei voluta scomparire! (NBO)
Mi sarei voluta nascondere! (CCA)
Mi sarei voluto abbassare! (NTO)

Soluzione: _ _____ _____ ___ __ _____ __ _____.

Significa che un regalo va accettato così com'è.

INFOBOX

Regata storica

Ogni anno, la prima domenica di settembre, ha luogo a Venezia la Regata Storica, per ricordare le antiche regate che si disputavano nelle acque della laguna veneta fin dal 13° secolo con imbarcazioni che avevano fino a 20 rematori. La manifestazione inizia con il Corteo storico che sfila con i costumi del 16° secolo e che vuole ricordare il memorabile arrivo a Venezia della regina di Cipro, Caterina Cornaro. Segue poi il corteo delle ricche gondole da parata e delle imbarcazioni a più remi delle varie società. Infine iniziano le gare vere e proprie, quelle dei giovanissimi, delle donne e dei «gondolini» a due remi. Finite le gare, tutti i canali si riempiono di barche e iniziano spettacoli d'arte varia nei campi e nei campielli.

8 Qual è la reazione appropriata?

Segna con una X la reazione appropriata a queste frasi. Se le risposte saranno esatte, le lettere dei riquadri, lette nell'ordine, daranno il nome della regione dove si trova Fano, sede di uno dei carnevali più antichi d'Italia.

1 Allora ti sbrighi?
C Beh, più tardi!
M Perché? Siamo forse in ritardo?
O Quando? Più tardi?

2 Non ti va di venire?
A Mah, onestamente non ci tengo tanto.
R No, non posso.
M Sì, ci vado domani.

3 Che c'è che non va?
S Non voglio andarci.
B Non è ancora mezzogiorno!
R È che sono proprio stressato.

4 Non sarebbe meglio saltare una portata?
Z E dove?
C Hai ragione, si mangia sempre troppo.
B Non ne ho voglia!

5 Perché cerca di rifilarmi sempre qualcosa?
D Perché gli piace fare regali.
H Beh, vuole solo privarsi di un suo oggetto per te.
F Mah, farà una figuraccia!

6 Ci sei rimasto male?
A No, non mi è rimasto proprio niente.
E Beh, poteva anche comportarsi meglio!
O Sì, là non mi piaceva.

Soluzione: __ __ __ __ __ __

9 Barzellette.

Abbina i disegni al testo corrispondente.

1 Se si sposasse farebbe felice una persona: me.
2 Le dispiacerebbe scrivermelo su un foglietto? Le mie amiche non mi crederebbero mai se raccontassi che ho guidato a questa velocità…
3 Sarei contento se ne aveste uno più educato.
4 Stefano, se tu non avessi impegni importanti, stasera potremmo andare in discoteca.
5 Arturo, ti dispiacerebbe se andassi un paio di giorni da mia madre?

10 Se...

Trasforma le frasi come nell'esempio.

Arriva sempre tardi e così perde il treno.
Se arrivasse prima (se non arrivasse sempre tardi), non perderebbe il treno.

1 La stanza è molto buia e quindi non è molto accogliente.

_____ .

2 Quelle scarpe sono troppo care e così non le compro.

_____ .

3 È sempre distratto e così ha sempre un sacco di difficoltà.

_____ .

4 C'è troppo traffico e quindi non prendo la macchina.

_____ .

5 Hanno sempre poco tempo e così fanno tutto di fretta.

_____ .

6 Eva è una persona troppo chiusa e così non la sposo.

_____ .

7 Non mi danno mai una mano e così devo fare tutto da solo.

_____ .

8 Franco è pessimista e avaro e per questo non lo trovo simpatico.

_____ .

11 Periodo ipotetico.

Completa le frasi con i seguenti verbi.

| alzarsi | avere | vedere | fare | funzionare | avere | sposare | spedire |

1 Se non _____ la macchina, non potrei vivere in campagna.

2 Se il mio vecchio PC _____ ancora, non sarei costretta a comprarne uno nuovo.

3 Se la mattina _____ un po' prima, non dovresti fare tutto così in fretta.

4 Se Lucia _____ mio fratello, sarei molto felice.

5 Se i miei genitori _____ il pacco adesso, sicuramente arriverebbe entro Natale.

6 Se _____ più soldi, comprerebbero una nuova auto.

7 Se mia madre mi _____ ora, sarebbe orgogliosa di me!

8 Se qualcuno mi _____ un regalo riciclato, ci rimarrei molto male.

Esercizi

7

12 Sogni.

Da tempo Luciana sogna una macchina sportiva e un giorno le capita fra le mani un catalogo con la foto di una Ferrari. Cosa sogna?

Se (*potere*) _____ comprarmi questa macchina, ne (*essere*) _____ felicissima!

Prima di tutto (*partire*) _____ per un lungo viaggio in autostrada e (*potere*)

_____ divertirmi ad andare a tutto gas. Poi (*girare*) _____ un po' dappertutto.

In estate (*essere*) _____ bellissimo. (*Tirare*) _____ giù la capote* e (*avere*)

_____ il vento fra i capelli. Sì, già, ma se (*fare*) _____ freddo? Beh, allora

(*mettersi*) _____ un bel maglione e comunque non (*lasciare*) _____ certo

la Ferrari in garage! Che macchina meravigliosa! Ripensandoci, però, il bagagliaio** è un

po' piccolo... Se (*avere*) _____ tante valigie come (*fare*) _____? Quello dei

bagagli forse (*essere*) _____ un problema?

Mah, forse (*fare*) _____ meglio a pensare a qualcosa di più pratico. Forse (*dovere*)

_____ risparmiare i soldi? Già, i soldi. A proposito, mica li ho per comprarmi la

Ferrari. D'altra parte se ogni tanto non si (*sognare*) _____ ...

* la capote = la parte superiore della macchina, il «tetto» **il bagagliaio = il posto della macchina dove si mettono i bagagli

13 Ricapitoliamo.

Quali sono le festività/tradizioni italiane che conosci? Esistono anche nel tuo Paese e anche da voi vengono festeggiate nel medesimo modo? Fra quelle citate ce n'è una che ti piace particolarmente/non ti piace per niente? Perché?
Secondo te è importante rispettare le tradizioni? Che ne pensi dei regali? In che occasioni li fai/ricevi? Che ne pensi dell'uso di riciclare i regali? Come reagiresti se ne ricevessi uno?

> Vai su **www.almaedizioni.it/nuovoespresso** e mettiti alla prova con gli esercizi online della lezione 7.

✎ test 3

1 Fai le trasformazioni indicate, come nell'esempio.

comparativi e superlativi

È il ristorante **più buono** di Roma. = È il ristorante _____*migliore*_____ di Roma.

comparativi e superlativi

1 Mario è il fratello **più grande**. = Mario è il fratello _____.

anche se

2 Nonostante **sia** qui da poco tempo, Ann parla bene italiano. = Anche se _____ qui da poco tempo, Ann parla bene italiano.

fare + infinito

3 Ora non ho voglia di parlare, **lasciami dormire**. = Ora non ho voglia di parlare, _____.

tenerci

4 Devi assolutamente venire. **Per me è molto importante**. = Devi assolutamente venire. _____.

ci si

5 In Italia **la gente si sposa** sempre più tardi. = In Italia _____ sempre più tardi.

condizionale passato

6 Ha detto: "**Verrò**, te lo prometto." = Mi ha promesso che _____.

> *Ogni trasformazione corretta 3 punti.   Totale: _____ / 18*

2 Scegli l'espressione giusta.

In Italia, come si sa, il numero dei matrimoni è in *calo / meno* mentre aumentano le separazioni e i divorzi. Mario ha 42 anni, 3 figli e un matrimonio alle spalle. Ora ha una nuova compagna, Luisa, anche lei divorziata e con una bambina nata dal precedente *divorzio / matrimonio*. Dei 3 figli di Mario, i due più grandi vivono con lui, mentre il *minimo / minore* è rimasto con la madre. "Con la mia ex moglie ho *il migliore / un ottimo* rapporto" dice Mario "Mi *fa / faccio* andare a casa sua ogni volta che voglio per vedere mio figlio e anche lei viene qui spesso per stare con gli altri due nostri bambini, insomma *ci si / si* vede volentieri e a volte passiamo insieme anche le vacanze."

> *Ogni espressione corretta 2 punti.   Totale: _____ / 12*

3 Inserisci nel testo le espressioni della lista.   mica   sia chiaro,

Ogni anno per il mio compleanno mia madre mi regala una cravatta. Pensavo che quest'anno avrebbe cambiato e invece anche questa volta cosa trovo nel pacco? Un'altra cravatta! E dello stesso colore dell'anno scorso! Io apprezzo moltissimo che mia madre, alla sua età, mi faccia ancora dei regali. Ma almeno potrebbe cambiare il colore! Non chiedo tanto!

> *Ogni espressione inserita correttamente 5 punti.   Totale: _____ / 10*

4 Collega le frasi di sinistra con quelle di destra e coniuga i verbi al congiuntivo imperfetto e al condizionale presente.

1 Se Giulio (*essere*) _____ più bello
2 Se (*tu - spendere*) _____ di meno
3 Se (*tu - potere*) _____ rinascere
4 Se non (*voi - fare*) _____ questa confusione
5 Se (*io - parlare*) _____ meglio l'inglese
6 Se Gianni e Anna (*avere*) _____ un figlio maschio

a chi (*volere*) _____ essere?
b (*trovare*) _____ più facilmente lavoro.
c (*trovare*) _____ sicuramente una fidanzata.
d lo (*chiamare*) _____ Antonio.
e (*io - riuscire*) _____ a riposarmi.
f non (*avere*) _____ problemi economici.

> *Ogni verbo corretto 2 punti, ogni abbinamento corretto 1 punto.   Totale: _____ / 30*

5 Completa con i verbi al tempo giusto.

1 Dopo il divorzio dal primo marito, non pensavo che Gianna (*risposarsi*) _____ così presto.
2 Mi aveva promesso che per il nostro anniversario (*noi - andare*) _____ a New York e invece siamo rimasti a casa.
3 Sebbene le previsioni (*dire*) _____ che domani ci sarà il sole, io (*preferire*) _____ non uscire.
4 Luigi mi aveva assicurato che (*tornare*) _____ prima di mezzanotte, ma ancora non si vede.
5 Anche se (*fare*) _____ freddo, ieri ho portato i bambini al parco.
6 Non pensavo che (*tu - parlare*) _____ anche portoghese!
7 Ora Rita si trova bene qui, ma all'inizio credo che (*soffrire*) _____ molto il cambiamento da una piccola città come Brindisi a una metropoli come Roma.
8 Nonostante (*loro - stare*) _____ insieme da più di vent'anni, ancora si amano come se (*essere*) _____ il primo giorno.

> *Ogni verbo corretto 3 punti.   Totale: _____ / 30*

> *Totale test: _____ / 100*

✎ esercizi 8

1 Personaggi storici.

Completa con le parole della lista i tre profili dei personaggi conosciuti a pagina 102.

scienza	papa	matematico	spazio	assassina	epoca	terribile

1 GALILEO GALILEI

Sono stato un grande filosofo, _____ e astronomo del 1600. Secondo me la religione doveva occuparsi solo di problemi morali e non di _____! Copernico diceva che la terra gira intorno al sole, e non il contrario, e io ho dimostrato che aveva ragione, inventando il telescopio per guardare lo _____. Sono stato accusato di eresia e condannato. E per rimanere in vita ho dovuto abiurare, cioè ho dovuto dire che le cose che avevo dimostrato non erano vere.

2 LUCREZIA BORGIA

Ero la figlia illegittima di un _____, Alessandro VI, ed ero bellissima. La fama che avevo era _____, si diceva che fossi l'amante di mio padre e di mio fratello. E poi la leggenda mi descrive come un'_____, bravissima nell'uso di un terribile veleno, la Cantarella. La verità è che a Ferrara all'inizio del 1500, mi corteggiavano i più importanti artisti, poeti e principi dell'_____ e che negli ultimi anni della mia breve vita ho aiutato i più poveri e bisognosi.

2 Cruciverba su... Leonardo.

Completa il cruciverba sulla vita di Leonardo da Vinci. Poi verifica a pag. 104.

➡ orizzontali

2 Le raccontava Leonardo agli ospiti di una sua "strana" festa.

5 Alcuni pensano che la scrittura al contrario di Leonardo fosse un _ _ _.

6 Leonardo era molto interessato alla _ _ _ delle persone.

7 A Leonardo non piaceva vedere gli animali in _ _ _.

⬇ verticali

1 Leonardo non mangiava carne: era _ _ _.

3 La usava per spaventare gli amici.

4 L'opera più famosa di Leonardo, al Louvre di Parigi.

3 Gerundio.

Completa con i verbi al gerundio.

1 Mauro? L'ho visto uscire di fretta (*sbattere*) _____ la porta.

2 Non aveva studiato molto per l'esame, (*pensare*) _____ fosse facile. Purtroppo per lui, non era così.

3 Sara vorrebbe vivere (*fare*) _____ solo quello che le piace: viaggiare, imparare le lingue e conoscere sempre persone nuove.

4 Ha parlato di Sandra in modo poco gentile (*credere*) _____ che non fosse nella stessa stanza.

5 Ho imparato lo spagnolo (*guardare*) _____ molti film in lingua originale e poi (*vivere*) _____ a Madrid per un anno.

6 Elisa si è fatta male (*sciare*) _____.

7 Nel 1862 Garibaldi fu ferito a un piede (*combattere*) _____ in Calabria.

8 Mi sono addormentato (*leggere*) _____ un libro di storia.

9 Quando se ne è andato, ci ha salutati (*dire*) _____ "Arrivederci!".

10 Secondo me, si è ammalato (*bere*) _____ quel pessimo vino.

11 (*Parlare*) _____ con Sonia, ho pensato a mia figlia, che ha la sua stessa età.

12 Se ne è andato (*dare*) _____ un bacio a tutti gli amici che erano lì a salutarlo.

4 Modale o temporale?

Completa con i verbi al gerundio *e poi indica se hanno funzione modale (M) o temporale (T), come nell'esempio.*

andare	ascoltare	fare	ripetere	sbagliare	tradurre	uscire	vedere

1 M _____ quel film, mi sono messa a piangere.

2 ☐ È noto che _____ si impara.

3 ☐ _____ di casa abbiamo incontrato i nostri amici.

4 ☐ _____ ad alta voce i vocaboli, mi sembra di migliorare la mia pronuncia.

5 ☐ _____ gli esercizi d'italiano, mi concentro molto.

6 ☐ _____ in centro, incontravo sempre Eva.

7 ☐ Studio sempre _____ la radio.

8 ☐ _____ ho sempre bisogno di un vocabolario.

5 Aggettivi in *-bile*.

Sostituisci l'espressione <u>sottolineata</u> con l'aggettivo adatto, come negli esempi.

1 Il tuo è un progetto <u>che può essere realizzato</u>.　　　　*realizzabile*

2 Alcune parole <u>non si possono tradurre</u>.　　　　*sono intraducibili*

3 Si tratta di una storia <u>che può essere creduta</u>.　　　　_____

4 Quello è stato un viaggio <u>che non può essere dimenticato</u>.　　　_____

5 Il suo era un comportamento <u>che non poteva essere compreso</u>.　_____

6 Era un vino <u>che non si poteva bere</u>.　　　　_____

7 Questo materiale <u>si può riciclare</u>.　　　　_____

8 Gli esercizi sono difficili, ma <u>si possono fare</u>.　　　　_____

INFOBOX

Chi sono i personaggi storici più cercati nel web?

Un'indagine della Cambridge University Press ha individuato, grazie a un particolare algoritmo, i personaggi storici più importanti secondo Internet. Primo e in posizione irraggiungibile è Gesù Cristo, seguito da Napoleone e Maometto. Per trovare personaggi legati in qualche modo alla storia italiana bisogna arrivare al 15° posto, dove c'è Giulio Cesare. Tra i primi trenta anche Cristoforo Colombo, Leonardo da Vinci e Augusto, mentre Galileo Galilei è al numero 49.

---

6 Cruciverba in *-bile*.

Fai il cruciverba. Poi completa le frasi con le parole che hai trovato.

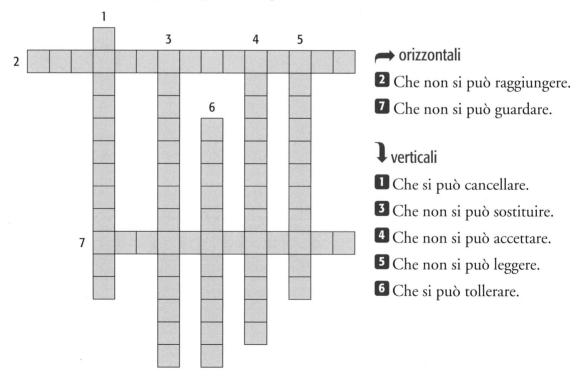

→ **orizzontali**

2 Che non si può raggiungere.

7 Che non si può guardare.

↓ **verticali**

1 Che si può cancellare.

3 Che non si può sostituire.

4 Che non si può accettare.

5 Che non si può leggere.

6 Che si può tollerare.

1 Daniela è bravissima, nel suo lavoro è diventata quasi _____.

2 Come, hai caldo? A me invece questa temperatura mi sembra ancora

_____.

3 Non ti consiglio di andare a vedere quel film: molte scene di violenza, parolacce…

Secondo me è _____.

4 Ho sbagliato a compilare questo modulo… Per fortuna ho usato un inchiostro

_____ e posso correggere gli errori senza ricominciare da capo!

5 Non capisco come facciano i farmacisti a capire cosa scrivono i dottori nelle ricette: io

trovo la loro scrittura _____!

6 Lei era in macchina, io in bicicletta: siamo partiti nello stesso momento, ma ovviamente lei

dopo pochi metri era già _____.

7 Voleva che lavorassi per lui, ma mi ha fatto una proposta _____. E infatti

non ho accettato.

7 Dicono che…

Trasforma le frasi in impersonali plurali, introdotte da dicono che *e con il tempo opportuno del* congiuntivo, *come nell'esempio.*

La Divina Commedia è la più importante opera della letteratura italiana.

Dicono che *La Divina Commedia* <u>sia</u> la più importante opera della letteratura italiana.

1 Il *David* di Michelangelo è la più bella scultura dell'arte italiana.

Dicono che _____

2 Lucrezia Borgia uccideva i suoi nemici con un potente veleno.

Dicono che _____

3 Mussolini aveva un figlio segreto.

Dicono che _____

4 L'Italia ha una storia molto interessante.

Dicono che _____

5 Cleopatra, regina d'Egitto, era l'amante di Giulio Cesare.

Dicono che _____

6 A Leonardo da Vinci piaceva fare scherzi ai suoi amici.

Dicono che _____

7 Roma è stata fondata da Romolo e Remo.

Dicono che _____

8 Mi hanno telefonato dalla biblioteca...

Completa le frasi con la forma impersonale alla terza persona plurale, come nell'esempio.
Attenzione ai tempi / modi opportuni.

Ieri mi (*telefonare*) <u>hanno telefonato</u> dalla biblioteca, perché avevo dimenticato di restituire un libro.

1 Sono soddisfatto del mio nuovo posto perché mi (*trattare*) _____ bene e mi (*pagare*) _____ profumatamente.

2 In quella zona adesso non c'è niente, ma in futuro ci (*costruire*) _____ il nuovo stadio.

3 Non sa ancora se ha vinto il concorso. Ma gli (*rispondere*) _____ - così gli (*assicurare*) _____ _____ - il più presto possibile.

4 Quando (*suonare*) _____ alla porta, mia madre apre senza chiedere chi è.

5 Domani all'Odeon (*dare*) _____ quel nuovo film su Marco Polo.

6 Quando mi (*dire*) _____ che somiglio a Garibaldi, mi fa molto piacere.

9 Vedendola correre in quel modo...

Completa le frasi con il gerundio *e il pronome adatto, come nell'esempio.*

Ho incontrato Viola e, (*vedere*) <u>vedendola</u> correre in quel modo, ho capito che era in ritardo.

1 Stamattina ho incontrato Rita che, (*vedere*) _____ dopo tanto tempo, mi ha salutato calorosamente.

2 Ieri pomeriggio Sandro stava cercando di risolvere un problema, ma (*fare*) _____ ha capito che la matematica non era proprio la sua materia.

3 (*Ascoltare*) _____ ho capito perché si è laureato con il massimo dei voti.

4 (*Rivedere*) _____ ho capito d'essere ancora innamorato di lei...

5 Ieri riguardavo i miei vecchi quaderni e (*riprendere*) _____ in mano mi è venuta una nostalgia!

6 (*Rileggere*) _____ mi sono accorto che la mia mail era piena di errori.

7 Puoi calmare Viviana, (*parlare*) _____ con più dolcezza.

8 (*Richiamare*) _____ ho voluto semplicemente farti capire che non ce l'avevo con te.

10 Ripensandoci…

Completa le frasi con i verbi al gerundio *seguiti dal pronome, come nell'esempio.*

bere	dare	dedicare	lamentarsi	rileggere	~~ripensare~~	sapere	svegliarsi

1 (*Ripensare*) _Ripensandoci,_ il problema non era poi così difficile!

2 Ha scritto una canzone bellissima, _____ alla figlia appena nata.

3 Per un anno ho lavorato a 50 chilometri da casa, _____ ogni mattina alle 5:30 per essere in ufficio puntuale.

4 Come, sei andato alla festa? (*Sapere*) _____, sarei venuto anch'io!

5 Ho letto questo libro da giovane e non mi era piaciuto. Ora, _____, l'ho trovato veramente interessante.

6 Mi ha salutato _____ del Lei: sicuramente mi ha confuso con mio padre.

7 Non voleva venire al concerto, poi però è venuto _____ in continuazione…!

8 Come posso descriverti il sapore del caffè? Lo puoi capire solo (*bere*) _____!

11 Entriamo a Villa Adriana.

Leggi il testo: è la prima parte dell'ascolto di pagina 108. Completalo con le parole della lista.

corte	artificiale	antichità	terme	statue	estensione

attratto	residenza	pacifica	combattente	identificarsi

Villa Adriana era una _____ molto grande, una vera e propria Versailles dell' _____. Occupava 120 ettari e ci vollero 15 anni per completarla, dal 118 al 133 dopo Cristo. Qui viveva il grande imperatore Adriano, con sua moglie Sabina, la sua _____ e i suoi collaboratori. C'erano giardini, fontane, _____, sale per ricevimenti, saloni per banchetti, teatri, una biblioteca, e anche un'isola _____. Nei giardini si vedevano _____ di dei, di imperatori… pensate che in tutta la Villa c'erano circa 400 statue.

Qualche parola su Adriano. Era un grande _____, un atleta, un esperto cacciatore, ma era anche un uomo con una grande cultura e profondamente _____ dal mondo greco. Pensate che fu il primo imperatore con la barba, perché voleva _____ con i filosofi greci.

Adriano fu un grande imperatore. Capì che l'impero romano era arrivato al massimo della sua _____, e che oltre non era possibile andare. Così decise di non fare altre guerre per conquistare nuove terre e trasformò l'impero in una grande civiltà _____. E tutta questa Villa riflette questa idea di pace.

12 Facciamo ordine.

Abbina i nomi dei personaggi storici ai termini che si riferiscono alla loro vita e spiega in poche parole il perché degli abbinamenti.

1 Lucrezia Borgia   **a** pace

2 Giulio Cesare   **b** America

3 Adriano   **c** eresia

4 Garibaldi   **d** veleno

5 Galileo Galilei   **e** congiura

6 Nerone   **f** spedizione

7 Cristoforo Colombo   **g** invenzioni

8 Leonardo da Vinci   **h** incendio

1 _____ perché _____

2 _____ perché _____

3 _____ perché _____

4 _____ perché _____

5 _____ perché _____

6 _____ perché _____

7 _____ perché _____

8 _____ perché _____

INFOBOX

Curiosità su due uomini famosi

Giulio Cesare – Un giorno, mentre leggeva le storie di Alessandro Magno, Giulio Cesare rimase a lungo pensieroso per poi scoppiare a piangere. Questo provocò molta meraviglia nei suoi amici, che gli chiesero il motivo. E Giulio Cesare rispose: "Alla mia età, Alessandro regnava su moltissima gente, mentre io non ho fatto ancora niente di eccezionale!"

Giuseppe Garibaldi – L'odio di Garibaldi verso la Chiesa e i preti era noto a tutti. Forse meno noto è il fatto che volle chiamare il proprio asino "Pionono", proprio come il Papa di quell'epoca, Giovanni Mastai Ferretti, che da papa scelse appunto il nome di Pio IX.

---

13 Ricapitoliamo.

Qual è il periodo più importante della storia del tuo Paese? Quali sono gli eroi nazionali più famosi? Il tuo Paese ha avuto contatti con l'Italia, nella sua storia? Quando? In che modo? Che personaggio storico del tuo Paese ti piacerebbe essere, o ti piacerebbe aver conosciuto?

Vai su **www.almaedizioni.it/nuovoespresso** e mettiti alla prova con gli esercizi online della lezione 8.

✎ esercizi 9

1 Cruciverba d'Italia.

→ orizzontali

3 Amalfi e Sorrento sono due famosi _ _ _ della Campania.

4 Il Monte Bianco è la più alta _ _ _ italiana.

5 Quello di Garda è il più grande _ _ _ italiano.

8 La via Appia è una antica _ _ _ romana.

9 Il Chianti è famoso per le sue dolci _ _ _.

↓ verticali

1 Il Po è il più lungo _ _ _ italiano.

2 La _ _ _ di Rimini è uno dei luoghi più turistici d'Italia.

6 A Venezia c'è il _ _ _ di Rialto.

7 L'Italia è bagnata da 3 _ _ _: Tirreno, Adriatico e Ionio.

2 Interrogativa indiretta.

Riscrivi le domande alla forma indiretta, come nell'esempio.

Piero - "Scusa Laura, la tua macchina è in garage o dal meccanico?"

Piero chiede a Laura **se** la **sua** macchina è / **sia** in garage o dal meccanico."

1 Mamma - "Luca, quanti esercizi di italiano devi fare?"

La mamma chiede a Luca _____.

2 Lucio - "Giulio, prendi un caffè?"

Lucio chiede a Giulio _____.

3 Antonio - "Scusa Rita, sai dov'è il mio telefono?"

Antonio chiede a Rita _____.

4 Luigi - "Allora Valerio, com'è il nuovo insegnante di storia?"

Luigi chiede a Valerio _____.

5 Luisa - "Johann, cosa mangiate in Germania per Natale?"

Luisa chiede a Johann _____.

3 **Interrogativa indiretta al passato.**

Ora trasforma al passato le frasi dell'esercizio precedente, come negli esempi.

Marta - "Paolo, a che ora finisci di studiare?"

Marta ha chiesto a Paolo a che ora finiva / finisse di studiare.

Piero - "Scusa Laura, la tua macchina è in garage o dal meccanico?"

Piero ha chiesto a Laura se la sua macchina era / fosse in garage o dal meccanico."

1 Mamma - "Luca, quanti esercizi di italiano devi fare?"

La mamma ha chiesto a Luca _____.

2 Lucio - "Giulio, prendi un caffè?"

Lucio ha chiesto a Giulio _____.

3 Antonio - "Scusa Rita, sai dov'è il mio telefono?"

Antonio ha chiesto a Rita _____.

4 Luigi - "Allora Valerio, com'è il nuovo insegnante di storia?"

Luigi ha chiesto a Valerio _____.

5 Luisa - "Johann, cosa mangiate in Germania per Natale?"

Luisa ha chiesto a Johann _____.

4 **Quiz.**

Riscrivi le domande alla forma diretta o indiretta e poi scegli la risposta giusta, come negli esempi.

Qual è il capoluogo della Liguria? ☐ Bologna ☒ Genova	Ieri ci siamo chiesti _quale era / fosse il_ _capoluogo della Liguria._
Come si chiamano gli abitanti della Puglia? ☒ Pugliesi ☐ Pugliani	Peter chiede come si chiamano / chiamino gli abitanti della Puglia.

1 Quanti abitanti ha Roma? ☐ Circa 3 milioni ☐ Circa 5 milioni	Un mio amico tedesco mi ha chiesto _____
2 Capri è un'isola? ☐ Sì ☐ No	Ieri mia figlia mi ha chiesto _____
3 _____ l'Etna? ☐ Un lago della Lombardia ☐ Un vulcano della Sicilia	L'insegnante chiede alla classe cos'è / cosa sia l'Etna.
4 Come si chiama il fiume di Roma? ☐ Tevere ☐ Vesuvio	Quando ero piccolo mi chiedevo _____

5 Il Piemonte ha il mare? ☐ Sì ☐ No	Uno studente ha chiesto all'insegnante _____
6 _____ gli abitanti della Sardegna? ☐ Sardesi ☐ Sardi	Su Internet qualcuno chiede come si chiamano / chiamino gli abitanti della Sardegna.

5 Conosci l'Italia?

Metti le parole, in base alle singole istruzioni, nell'esatta successione, come nell'esempio.

Dal più piccolo al più grande:

provincia ☑2️⃣ stato ☑4️⃣ comune ☑1️⃣ regione ☑3️⃣

Da est a ovest:

Veneto ☐ Lombardia ☐ Piemonte ☐ Trentino ☐

Da nord a sud:

Toscana ☐ Calabria ☐ Lazio ☐ Abruzzo ☐

Dalla più grande alla più piccola:

Valle d'Aosta ☐ Emilia Romagna ☐ Molise ☐

Dal più al meno visitato:

Pantheon ☐ Colosseo ☐ Uffizi ☐

Dalla più alla meno popolata:

Torino ☐ Milano ☐ Venezia ☐

Dal più alto al più basso:

Monte Rosa ☐ Monte Bianco ☐ Etna ☐

6 La bruschetta.

Completa la ricetta della bruschetta. Aiutati con i disegni.

La bruschetta è un tipico antipasto della tradizione del Sud Italia. Per fare una buona bruschetta servono pochi ingredienti: delle fette di _____ caldo (possibilmente vecchio di qualche giorno), dell'_____ extravergine di oliva, del _____ e dell'_____. Molti preferiscono aggiungere anche dei _____ freschi.

7 Ha detto che...
Trasforma le seguenti frasi in discorso indiretto.

1 "Mio figlio vuole riposare".
Flavia ha detto che _____ .

2 "La grammatica è difficile".
Mauro mi diceva sempre che _____ .

3 "Carlo mi ha cercato".
Sandra ha detto che Carlo _____ .

4 "Ho già studiato l'italiano".
Colette ha detto che _____ .

5 "Mangia di meno"!
Paolo mi ha detto _____ .

6 "Questa è la mia borsa."
Anna ha detto che _____ .

7 "Ieri qui c'era molto vento."
Luca ha detto _____ .

8 "Fate silenzio, per favore"!
L'insegnante ha detto ai ragazzi _____ .

9 "Io ho cucinato la pasta e Roberto il pesce."
Sonia mi ha detto che _____ .

8 Ho visto Paola.
Riscrivi il testo alla forma diretta.

L'altro giorno ho visto Paola. Mi ha detto che era molto stanca perché il suo capo le ha chiesto di tradurre in francese un documento lunghissimo e per farlo le ha dato solo un giorno. Così ha dovuto lavorare anche la notte. Mi ha anche detto che vorrebbe cambiare lavoro perché non la pagano bene. Allora io le ho consigliato di spedire il suo curriculum alla ditta di mio marito perché stanno cercando una segretaria. Lei mi ha ringraziato.

■ Allora Paola, come va?

▼ _____

_____

_____

■ _____

▼ _____

9 Una telefonata misteriosa.

Leggi la seguente telefonata fra il ricercato John Brusca ed un suo complice.

■ Pronto Al, sei solo?

▼ Sì, qui non c'è nessuno. Parla pure!

■ Quando devi incontrare quella persona di nostra conoscenza?

▼ Non lo so esattamente, penso di vederla fra due tre giorni.

■ Benissimo. Allora dille di aspettarti in quel posto alle 3 e poi dalle il pacco.

▼ Ma non dovevo darlo a Frank?

■ Sì, è vero, ma non era una buona idea. Fa' come ti dico.

▼ D'accordo, capo. Stai tranquillo.

■ Va bene, allora aspetto una tua telefonata. Ciao.

▼ Ciao.

Il telefono di John è sotto controllo. Un'ora dopo un poliziotto riferisce al Commissario il dialogo fra i due. Completa il suo racconto.

Allora, un'ora fa John ha telefonato ad Al e gli ha chiesto se _____ solo. Al gli ha risposto che _____ non _____ nessuno e gli ha detto di _____ senza problemi. Allora John gli ha chiesto quando _____ incontrare quella persona di _____ conoscenza. L'amico ha risposto che _____ esattamente, ma che _____ di vederla _____ due tre giorni. Allora John gli ha detto una cosa che non ho capito: gli ha ordinato _____ in quel posto alle 3 e poi _____ il pacco. Al, sorpreso, gli ha domandato _____ a Frank e l'altro ha risposto che in effetti _____ vero, ma che non _____ una buona idea, e gli ha ordinato _____ _____. Allora Al gli ha detto _____ tranquillo. John ha concluso dicendo che _____ una _____ telefonata.
Lei, Commissario, ci ha capito qualcosa?

INFOBOX

I 10 luoghi più visitati: Roma è in testa

È noto che l'Italia è uno dei Paesi più visitati al mondo, grazie alle sue bellezze sia naturali che artistiche. Basti pensare che vanta un patrimonio di beni culturali stimato in un valore di 500 miliardi di €. Secondo il Ministero per i Beni e le Attività Culturali questi sono stati i luoghi più visitati lo scorso anno: Colosseo (Roma – visitatori 2.712.938), Scavi di Pompei (2.167.470), Pantheon (Roma – 1.679.900), Parco del Castello di Miramare (Trieste – 1.677.808), Galleria degli Uffizi e Galleria dell'Accademia (Firenze – 1.172.858), Giardino di Boboli (Firenze – 989.868), Reggia di Caserta (812.811), Musei di Castel Sant'Angelo (Roma – 611.515), Villa d'Este (Tivoli – 572.887).

10 Discussioni in famiglia.

Leggi il dialogo fra Giulio Cesare e sua moglie Cornelia.

■ Ciao cara.

▼ Cesare! Sei tornato finalmente! Ma dov'eri? Mi lasci sempre sola… sei sempre in giro!

■ Ero in Gallia, a combattere.

▼ Ah, e stai bene? Raccontami tutto.

■ Sì, sì, sto bene, ma adesso sono stressato e non ho voglia di parlarne. Dimmi invece, cosa c'è di buono da mangiare stasera?

▼ Oh, una cenetta davvero speciale. Sai, ho invitato Pompeo e Crasso. Non ti dispiace, vero?

■ A dire il vero preferivo stare qui tranquillo solo con te e riposarmi, però…

▼ Dai, Cesare, sai benissimo che è importante tenere vive le amicizie, no?

■ Sì, ma sai, sono davvero stanco e anche preoccupato. Penso spesso a Bruto negli ultimi tempi. Quel ragazzo si comporta in modo un po' strano. Secondo me mi nasconde qualcosa…

▼ Ma, no, dai, adesso non pensare ai problemi, sta' tranquillo e va' a farti una bella doccia calda.

Scegli ora la forma corretta.

Cesare è entrato in casa e ha salutato la moglie. Cornelia era sorpresa di vederlo e gli ha chiesto dove *sia / fosse* e si è lamentata perché lui *l'ha lasciata / la lasciava* sempre sola e perché *era / sia* sempre in giro. Lui le ha spiegato che *era / fosse* in Gallia a combattere. Cornelia, allora, si è tranquillizzata e gli ha domandato se *sta / stesse* bene. Cesare ha risposto di sì, ma ha detto che *era / è stato* stressato e che non *aveva / abbia* voglia di parlare. Le ha chiesto poi *che gli diceva / di dirgli* cosa *c'è / ci fosse* di buono da mangiare per la *sera / stasera*. Lei ha spiegato che la cena era davvero speciale, perché *aveva invitato / invitasse* Pompeo e Crasso, e ha chiesto al marito se la cosa gli *dispiace / dispiacesse*. Lui ha risposto che, a dire il vero, *avrebbe preferito / preferirebbe* stare *lì / qui* tranquillo solo con *lui / lei* e *riposarlo / riposarsi*, ma che però… Lei lo ha interrotto sostenendo che *è stato / era* molto importante tenere vive le amicizie. Ma Cesare ha detto che *è / era* davvero stanco e anche preoccupato, perché negli ultimi tempi *ha pensato / pensava* spesso a Bruto. Ha aggiunto che quel ragazzo *si comporta / si comportava* in modo un po' strano e che secondo *gli / lui* Bruto gli *ha nascosto / nascondeva* qualcosa. Ma Cornelia gli ha detto *che non pensava / di non pensare* ai problemi, *che stai / di stare* tranquillo e *che andava / di andare* a *fargli / farsi* una bella doccia calda.

11 Specialità.

Metti al posto giusto le specialità della lista. Se le risposte saranno esatte, le lettere sottolineate
daranno, lette in successione, un tipico prodotto dell'Umbria.

cann<u>o</u>lo	carb<u>o</u>nara	gian<u>d</u>uiotto	gr<u>a</u>ppa	mozzar<u>el</u>la
panett<u>o</u>ne	pecor<u>i</u>no	pest<u>o</u>	tortellin<u>i</u>	<u>v</u>ino Chianti

LOMBARDIA - Un dolce di Natale: _____

CAMPANIA - Un formaggio fresco molto usato sulla pizza: _____

SARDEGNA - Un formaggio dal gusto molto forte: _____

LIGURIA - Una salsa verde a base di basilico che si usa per condire la pasta:
_____

PIEMONTE - Un cioccolatino a base di nocciola: _____

LAZIO - Una tipica pasta con uovo, pancetta e pepe: _____

SICILIA - Un dolce ripieno di ricotta e cioccolata: _____

EMILIA ROMAGNA - Una pasta all'uovo ripiena di carne: _____

TOSCANA - Un "rosso" che si beve con la carne: _____

FRIULI VENEZIA GIULIA - Un alcolico molto forte: _____

Soluzione: _ _ _ _ _' _ _ _ _ _

12 *Prima di / Prima che.*

Completa con prima di *o* prima che, *come negli esempi.*

Pensaci bene (*parlare*) *prima di parlare!*
Devo andare al supermercato (*chiudere*) *prima che chiuda.*

1 (*Arrivare*) _____ Letizia, dimmi cosa è successo tra voi due.

2 Dobbiamo tornare a casa (*fare*) _____ buio.

3 Faccio sempre un po' di ginnastica (*andare*) _____ a lavorare.

4 Mettete tutto in ordine, (*io - arrabbiarsi*) _____ con voi.

5 Cerca di convincere Luca a curarsi, (*essere*) _____ troppo tardi.

6 (*Morire*) _____ voglio visitare tutti i 5 continenti.

7 Hai chiuso bene le finestre (*uscire*) _____?

8 Voglio comprarmi dei nuovi vestiti (*finire*) _____ i saldi.

9 (*Iniziare*) _____ a piovere, comprati un ombrello.

10 Di solito a cosa pensi (*addormentarsi*) _____?

13 I luoghi del cuore.

a. Completa con i verbi della lista al tempo giusto. Attenzione: in un caso devi usare la forma passiva.

| dovere | essere | rovinare | vedere | volere |

NURRA - Sassari - Sardegna

(*Io*) _____ segnalare un posto che ricorda il rapporto primitivo tra l'uomo e il mare. Si tratta del villaggio Nurra, in provincia di Sassari. Luogo di bellezza incredibile e fino a oggi incontaminato, amato da moltissimi uccelli migratori. Almeno fino a oggi perché quest'estate, poco prima di partire, _____ degli strani movimenti: evidentemente stavano costruendo qualcosa, forse un resort. Penso che (*noi*) _____ intervenire prima che _____ troppo tardi, o quel posto meraviglioso _____ irrimediabilmente!
Giovanni, Oristano

b. Completa con le preposizioni, semplici e articolate.

PONT - Valsavaranche - Valle d'Aosta

Vi segnalo la località Pont in alta Valsavaranche (AO). È un prato, dove finisce la strada, delimitato _____ un parcheggio e _____ un piccolo albergo. _____ mesi caldi il prato è un campeggio piccolo e ordinato. C'è solo gente amante _____ montagna, silenziosa, motivata e rispettosa. _____ primavera _____ parcheggio ci sono solo gli stambecchi e le volpi vengono _____ porta _____ camper a chiedere cibo. _____ notte c'è solo il rumore _____ torrente. È il posto più bello _____ mondo.
Gianni

c. Completa con le espressioni della lista.

| almeno | anche | ma | quando | subito |

MULES - Bolzano - Trentino Alto Adige

Sono stata a Mules in estate con mio marito e nostra figlia Simona, di 14 anni: _____ siamo arrivati in questo piccolo paese nella Valle d'Isarco, immerso nel verde e nella quiete della natura, siamo _____ rimasti affascinati dal paesaggio e dalle meraviglie di questa località lontana dalla frenesia del mondo, _____ che offre moltissime cose da fare e da vedere. Un vero e proprio paradiso che consiglio a tutti di visitare _____ una volta nella vita! _____ perché, con il tunnel ferroviario del Brennero che stanno costruendo, temo che questo paradiso possa scomparire.
a.b.

14 Ricapitoliamo.

Cerca di ricordare tutte le informazioni sull'Italia che hai imparato in questa lezione, e prepara un quiz per i tuoi compagni.

Vai su **www.almaedizioni.it/nuovoespresso** e mettiti alla prova con gli esercizi online della lezione 9.

✎ esercizi 10

1 Trova l'errore.
Trova i sette errori in questo dialogo.

- ▪ Ciao Chiara, ti va domani di uscire con Serena e un'amico?
- ▼ Mi piacerebbe, ma pultroppo non ho la macchina.
- ▪ Eh, neanche io veramente. Ci da un passaggio questo mio amico, Paolo.
- ▼ E qual'è il programma della serata?
- ▪ Credo che Serena vuole andare al cinema.
- ▼ Senti, lo posso dire anche a Francesca?
- ▪ Ma certo, digli che non c'è problema!
- ▼ Bene, sono propio contenta! Allora… ci sentiamo domani.
- ▪ Certo, a domani.
- ▼ Ciao!

2 Non va messa.
Combina le frasi di sinistra con quelle di destra.

1 Non posso aspettare tanto! La macchina
2 Ricordate. Gli esercizi
3 Non sapeva che il biglietto
4 Penso che la traduzione
5 Secondo me i vestiti
6 Credo che la Sicilia
7 Penso che Sandro
8 Ricordi che la medicina

a vanno fatti per dopodomani.
b andrebbero comprati durante i saldi.
c va presa dopo i pasti.
d vada visitato subito da un medico.
e vada fatta per lunedì.
f andrebbe riparata il più presto possibile.
g vada visitata in primavera o in autunno.
h andava timbrato prima della partenza?

INFOBOX

Il plurale delle parole straniere

Quando una parola straniera entra nella lingua italiana (*computer*, *mouse*, *tsunami*), non si usano le regole grammaticali della lingua originale. Ad esempio, se scriviamo *computers* o *films* commettiamo degli errori perché la *s* al plurale è una regola dell'inglese e non dell'italiano. Queste parole al plurale di solito mantengono la stessa forma del singolare. Attenzione: la regola vale anche per parole che provengono da altre lingue. Anche le parole latine, ad esempio, seguono la stessa regola. Il plurale di *curriculum*, ad esempio, resta *curriculum*, e non diventa *curricula*.

3 | I consigli vanno seguiti...

Sottolinea tutti i passivi. Sostituisci poi la forma con essere *o* venire *con la corrispondente forma di* andare, *come nell'esempio. Attenzione: la trasformazione non è possibile in tutte le frasi!*

Il compito <u>deve essere fatto</u> per domani. → Il compito *va fatto* per domani.

Consigli per gli scolari:
ricordate che bisogna porsi degli obiettivi chiari e realistici. Che più ascolterete meglio parlerete. Che è bene leggere testi in cui la lingua viene usata in maniera naturale (giornali, radio, TV).
Che i vocaboli devono essere studiati a piccole dosi e sempre con l'articolo. Che deve essere seguito il proprio ritmo personale. Che non ogni singola parola deve essere capita. Che a volte devono essere memorizzate frasi intere, almeno quelle che pensate vi serviranno più spesso. Che gli esercizi scritti sono molto importanti e che quindi devono essere fatti tutti quelli che vengono assegnati dal professore. È chiaro quindi che non devono essere copiati da un compagno il pomeriggio prima o durante una pausa a scuola!
Che non dovete avere paura né di fare errori né delle novità. Ricordate infine che i vostri insegnanti hanno una lunga esperienza e che quindi i loro consigli dovrebbero essere seguiti se non altro per questo (a parte il fatto che i voti devono essere dati e quindi...).

_____
_____
_____
_____
_____

4 | Se io...

Leggi il dialogo e <u>sottolinea</u> le frasi ironiche.

■ E poi cos'è un errore? Se dico... che ne so... "Ieri, se non pioveva, andavo a giocare a calcetto"... io lo so che non è la forma più elegante, ma se parlo con i miei amici non posso mica dire "Ieri, se non avesse piovuto, sarei andato a giocare a calcetto". Mi ridono in faccia!

▼ Quello non è proprio un errore, ma se uno mi dice, come ha detto quello, "se le direi..." eh no... "Se le direi" no! Ti attacco il telefono in faccia, mi dispiace!

■ Va be'... senti... se fossimo andati a fare la spesa, avremmo potuto cucinare qualcosa, ma purtroppo il nostro frigorifero è vuoto... che si fa?

▼ Andiamo a farci una pizza, dai.

■ Farci una pizza??? Ma come parli? Mi si abbassa la libido eh?!

▼ Scemo!

■ Forse se avessi detto "Potremmo andare al ristorante a mangiare una pizza", saresti sembrata più sexy...

▼ E dai!

5 Periodo ipotetico.

Abbina le frasi di sinistra con quelle di destra.

1 Se ci fossero stati ancora posti liberi,

2 Se Simone l'avesse invitata,

3 Se le avessero dato delle indicazioni più precise,

4 Se allora avessero accettato quel posto,

5 Se avessimo imparato l'italiano da bambini,

6 Se Einstein non avesse studiato fisica,

7 Se fosse rientrato a un'ora decente,

8 Se avessi bevuto di meno,

a sua madre non si sarebbe arrabbiata.

b non ti saresti alzata con il mal di testa.

c non avrebbe vinto il Nobel.

d di certo avremmo comprato il biglietto.

e avrebbero avuto una vita più facile.

f non avremmo avuto tutte queste difficoltà.

g Claudia avrebbe accettato con piacere.

h forse non si sarebbe persa.

6 Quel mio primo «se»...

Davide Dondio vuole scrivere una lettera di ringraziamento a un'associazione di Milano che promuove gli scambi culturali e ha preso alcuni appunti. Aiutalo a completare la lettera come negli esempi. I verbi sono in ordine.

~~capitare~~	~~leggere~~	sapere	decidere	prendere	essere	vivere	conoscere

andare	imparare	venire a contatto	fare	frequentare	innamorarsi

e-mail: info@becasse.it

school.program@becasse.it

Chicago, 11 dicembre

Care Sandra e Ilaria,

vi scrivo per ringraziarvi.

Se anni fa non mi _fosse capitato_ fra le mani un opuscolo della BEC, non _avrei_ mai _letto_ il vostro programma, non _____ dell'esistenza di questo tipo di associazioni e non _____ di trascorrere un anno negli USA.

Se non _____ questa decisione, forse non _____ mai _____ nel Kansas, non _____ lì e non _____ quella splendida famiglia di Marc e Audrey Mac Kinley che mi hanno ospitato come un figlio.

Se non _____ in America non _____ l'inglese, non _____ con un'altra cultura e nuovi costumi e non _____ la maturità americana. Se non _____ la scuola a Topeka, non _____ di Mary, la mia attuale moglie, e oggi non sarei padre felice del mio terzo bambino.

Grazie e auguri di buon lavoro!

Davide Dondio

7 Non è mai troppo tardi!
Prosegui la catena, come nell'esempio.

da giovane Luca – studiare di più/non essere bocciato/proseguire gli studi, prendere un diploma e poi una laurea/ottenere un posto di lavoro più interessante e guadagnare di più/ poter lavorare di meno e avere più tempo libero/poter riprendere a studiare

Se da giovane Luca avesse studiato di più, non sarebbe stato bocciato*.

Se non fosse stato bocciato _____

_____

_____

_____.

* essere bocciati = non passare/non essere ammessi alla classe successiva, dover ripetere l'anno scolastico

8 L'italiano.
Completa le frasi con le espressioni della lista.

| finalmente | in buona parte | in certi casi | per fortuna | solo | specie |

1 Quando si scrive un messaggio o su un Social Network, gli errori possono capitare,

_____ se si scrive con una tastiera piccola.

2 Se l'italiano è la lingua di tutti gli italiani, il merito è _____ della televisione.

3 Molti dicono che l'italiano stia morendo, ma _____ non è vero.

4 Tutte le lingue si modificano con il tempo, _____ le lingue morte non cambiano.

5 Gli italiani a volte non imparano bene le regole di base della loro lingua, ma

_____ le disimparano o le trascurano.

6 Nella seconda metà del Novecento, l'italiano è diventato _____ la lingua parlata da tutti gli italiani.

INFOBOX

La parola più lunga della lingua italiana
Secondo il *Dizionario Garzanti della lingua italiana* la parola più lunga nel linguaggio non scientifico è *precipitevolissimevolmente*: ha 26 lettere, è il superlativo di *precipitevolmente*, a sua volta avverbio di *precipitevole*. Utilizzata in modo scherzoso, significa "con fretta eccessiva".

9 Non avendo trovato...

Completa le frasi con i seguenti verbi al gerundio passato, *come nell'esempio.*

arrivare	prevedere	sapere	seguire	spendere	~~vedere~~

1 _____Avendo_____ _____visto_____ che Luisa ritardava, sono uscito da solo.

2 _____ _____ del suo trasferimento, gli ha chiesto il nuovo indirizzo.

3 _____ _____ che stava per piovere, ho preso l'ombrello.

4 _____ _____ troppo tardi, non hanno trovato posti liberi.

5 _____ _____ il tuo consiglio, ho fatto proprio un bel lavoro.

6 _____ _____ troppo il mese scorso, adesso dobbiamo risparmiare.

10 Gerundio presente o passato?

Sostituisci le frasi causali usando il gerundio presente *o* passato, *come nell'esempio.*

<u>Visto che ha studiato</u> molto, adesso ha solo voglia di riposarsi.
<u>Avendo studiato</u> molto, adesso ha solo voglia di riposarsi.

<u>Visto che era</u> molto stanco, ha deciso di restare a casa.
<u>Essendo</u> molto stanco, ha deciso di restare a casa.

1 <u>Visto che si è diplomata</u> con una votazione molto alta, ha trovato subito un posto.

_____.

2 <u>Siccome non ero</u> bravo in matematica, dovevo concentrarmi più degli altri.

_____.

3 <u>Siccome non aveva mai avuto</u> il coraggio di mettersi in proprio, ha continuato a lavorare come dipendente.

_____.

4 <u>Poiché</u> ieri <u>ho lavorato</u> troppo, oggi sono stressato.

_____.

5 <u>Siccome conosce</u> molto bene l'inglese, non avrà difficoltà a trovare un lavoro.

_____.

6 <u>Visto che aveva deciso</u> di passare una settimana in montagna, si è comprato un paio di sci.

_____.

11 Dopo aver letto il giornale...
Forma delle frasi.

	andata dal medico,	è tornato nel suo Paese.
	seguito i tuoi consigli,	mi sono accorta che era riciclato.
	telefonato ad Arianna,	ne ha discusso con gli amici.
Dopo aver	letto la notizia,	è uscito.
Dopo esser	visitato Venezia,	mi sono messa a dieta.
	stati al cinema,	sono migliorato molto.
	ricevuto il regalo,	ha chiamato Sara.
	ringraziato dell'invito,	sono andati a bere qualcosa insieme.

12 Prima... e poi...
Trasforma le frasi secondo il modello.

Sono stata al cinema e poi sono andata in discoteca. → *Dopo essere stata* al cinema, sono andata in discoteca.

1 Ho bevuto qualcosa al bar e poi sono andato al lavoro.

_____ .

2 Hanno controllato bene le valigie e poi sono partite.

_____ .

3 Mi informerò sul prezzo del biglietto e solo dopo prenoterò.

_____ .

4 Si sono comprati un nuovo paio di sci e poi sono partiti per la settimana bianca.

_____ .

5 Ha provato a curarsi da solo, ma dopo ha chiamato il medico.

_____ .

6 Abbiamo finito gli esercizi e poi siamo usciti.

_____ .

7 Ci siamo riposati un po' e poi abbiamo ripreso il lavoro.

_____ .

13 Dopo aver pranzato...
Trasforma le frasi secondo il modello.

Dopo il pranzo ho fatto un riposino. → *Dopo aver pranzato* ho fatto un riposino.

Dopo il suo arrivo Carlo è andato subito a trovare gli amici . → *Dopo essere arrivato* Carlo è andato subito a trovare gli amici.

1 Solo dopo la partenza Giuliana si è accorta di aver dimenticato il passaporto.

_____.

2 Dopo il lavoro è giusto riposare.

_____.

3 Dopo lo studio bisogna rilassarsi.

_____.

4 Dopo l'acquisto della macchina è rimasto completamente al verde.

_____.

5 Dopo la laurea festeggeremo con gli amici.

_____.

6 Dopo un viaggio di tre mesi era contenta di tornare a casa sua.

_____.

7 Dopo l'inizio del corso non aveva più il tempo di dedicarsi al suo sport preferito.

_____.

8 Dopo il riposo abbiamo ripreso il lavoro.

_____.

14 Ricapitoliamo.
Come puoi migliorare ancora la tua lingua italiana, arrivato/-a a questo livello?
C'è qualche aspetto che senti ancora difficile? Riesci a seguire un programma tv, a vedere un video online, a guardare un film in italiano senza sottotitoli? Sei in grado di leggere un libro in italiano?

Vai su **www.almaedizioni.it/nuovoespresso** e mettiti alla prova con gli esercizi online della lezione 10.

✎ test 4

1 Completa i testi con il congiuntivo e con il gerundio. Attenzione: in qualche caso devi aggiungere anche il pronome.

Dicono che **Michelangelo**, (*ammirare*) _____ la statua del Mosè, da lui appena terminata, (*esclamare*) _____: "Perché non parli?". Dicono anche che l'artista, preso dall'ira, (*danneggiare*) _____ la statua, (*colpire*) _____ con un martello.

Dicono che **Garibaldi** (*odiare*) _____ la religione cattolica. Il grande eroe dimostrò spesso il suo disprezzo, come quando paragonò il suo asino al papa, (*chiamare*) _____ Pionono.

Dicono che **Mussolini** (*avere*) _____ una grande passione per la musica e il ballo ma che non (*suonare*) _____ nessuno strumento.

> *Ogni verbo coniugato correttamente 3 punti.   Totale: _____ / 24*

2 Scrivi le frasi alla forma indiretta. Attenzione ai tempi verbali.

1 Barbara: "Luca, dove abita tuo fratello?"
Barbara ha chiesto a Luca _____.

2 Silvia: "Lucia, fai presto, perché siamo in ritardo!"
Silvia dice a Lucia _____.

3 "I miei genitori sono partiti per un viaggio in Cina."
Pietro mi ha detto che _____.

4 Maurizio: "Allora, venite tutti a cena da me, sabato?"
Maurizio ci ha chiesto _____.

5 Viviana: "Paolo, tu parli meglio il francese o lo spagnolo?"
Viviana ha chiesto a Paolo _____.

> *Ogni frase corretta 3 punti.   Totale: _____ / 15*

3 Completa con i verbi.

1 Se tu (*essere*) _____ un libro, che libro (*volere*) _____ essere?

2 Se voi non mi (*telefonare*) _____, non (*io - svegliarsi*) _____ in tempo e (*perdere*) _____ il treno! È stata proprio una fortuna!

3 Ma certo che ti (*invitare*) _____, se (*sapere*) _____ che eri tornato già da ieri! Ma io pensavo che tu fossi ancora in vacanza!

4 L'appuntamento è saltato? E me lo dici solo adesso? Se lo (*io - sapere*) _____ prima, non (*fare*) _____ tutta questa strada...!

5 E se non (*succedere*) _____ niente? Lo so, è impossibile, ma a volte vorrei tanto poter tornare indietro.

Ogni verbo corretto 3 punti.   *Totale:* _____ */ 30*

4 Trasforma le frasi al passivo usando *andare* o *venire*.

1 La macchina deve essere riparata prima di sabato.

_____ .

2 A Natale il panettone si mangia in tutta Italia, non solo in Lombardia.

_____ .

3 Sulla carbonara doveva essere messo il pecorino, non il parmigiano!

_____ .

4 A casa mia i tortellini si fanno secondo la ricetta originale di mia nonna.

_____ .

5 Credo che la bruschetta debba essere mangiata calda, è più buona.

_____ .

6 La grappa si deve bere con moderazione.

_____ .

7 Gli insegnanti consideravano Luigi uno dei migliori studenti della scuola.

_____ .

8 È una regola che dovrebbe essere rispettata senza nemmeno doverla dire.

_____ .

Ogni frase corretta 2 punti.   *Totale:* _____ */ 16*

5 Trasforma le frasi con il gerundio passato o l'infinito passato.

1 Dopo il suo ritorno dalla Spagna, Paolo parlava spagnolo perfettamente.

_____ .

2 Poiché siete arrivati in anticipo, dovrete aspettare un po' prima di entrare.

_____ .

3 Siccome non aveva mangiato molto a pranzo, alle cinque aveva già fame.

_____ .

4 Dopo la lettura di quel libro, si sentiva come uno dei protagonisti del romanzo.

_____ .

5 Visto che ti sei svegliata molto prima di me, potevi almeno portare fuori il cane!

_____ .

Ogni frase corretta 3 punti.   *Totale:* _____ */ 15*

Totale test: _____ */ 100*

Test

4

grammatica

Il nome

Il genere

In italiano sono femminili

- i nomi che terminano in *-gione, -ie, -igine, -sione* e *-zione:*
  *la re**gione**, la ser**ie**, la spec**ie**, l'or**igine**, la pas**sione**, la condi**zione***

- i nomi di città e di isole:
  ***la** pittoresca Trento, **la** vecchia Palermo, **la** Sicilia, **la** Sardegna*

- le marche di automobili:
  ▸ *Ha **una** Fiat 600 seminuova.*

Plurali irregolari

singolare maschile	plurale femminile
il paio	le paia
l'uovo	le uova
il centinaio	le centinaia
il migliaio	le migliaia

Alcuni nomi maschili che terminano in *-o* al plurale diventano femminili e terminano in *-a*.

singolare	plurale
l'uomo	gli uomini

Uomo ha un plurale irregolare.

gli occhiali	le ferie
i rifiuti	le posate
i soldi	le stoviglie
	le nozze

Esistono alcuni nomi che hanno solo il plurale (vedi anche *NUOVO Espresso 1*, pag. 210).

Esiste anche un gruppo di nomi maschili che hanno due forme di plurale, una maschile in *-i* e una femminile in *-a*. Questi due plurali hanno due significati diversi. Elenchiamo qui i più comuni.

singolare (maschile)	plurale (maschile)	plurale (femminile)
il braccio	i bracci (di un fiume)	le braccia (di una persona)
il dito	i diti (singoli)	le dita (nella loro totalità)
l'osso	gli ossi (singoli)	le ossa (nella loro totalità)
il fondamento	i fondamenti (di una scienza)	le fondamenta (di una casa)
il muro	i muri (di una casa)	le mura (di una città)
il grido	i gridi (di un animale)	le grida (di un uomo)

L'aggettivo

L'accordo dell'aggettivo con nomi di genere diverso

L'aggettivo concorda in genere e numero con il nome a cui si riferisce (vedi *NUOVO Espresso 1*, pag. 212).
Se i nomi sono di genere diverso, l'aggettivo va al plurale maschile.

▸ *Vendo un tavolo e una tovaglia* **antichi***.*

Comparativi e superlativi particolari

Lez. 6

Alcuni aggettivi hanno due forme di comparativo e superlativo: una forma regolare e una irregolare (vedi anche *NUOVO Espresso 1*, pag. 214 e *NUOVO Espresso 2*, pag. 235).

aggettivo	comparativo	superlativo relativo	superlativo assoluto
buono	migliore / più buono	il migliore / il più buono	ottimo / buonissimo
cattivo	peggiore / più cattivo	il peggiore / il più cattivo	pessimo / cattivissimo
grande	maggiore / più grande	il maggiore / il più grande	massimo / grandissimo
piccolo	minore / più piccolo	il minore / il più piccolo	minimo / piccolissimo

Quando *buono* significa «di buon cuore» e *cattivo* «malvagio» si usano di solito le forme regolari.

▸ *Carla è una persona di cuore. Ma Linda è ancora* **più buona***. È in assoluto* **la** *persona* **più buona** *che abbia mai conosciuto.*

▸ *– Buona questa pizza. È* **migliore** *di quella che abbiamo mangiato la volta scorsa, no?*
  – Sì, ma **la migliore** *di tutte è quella che fanno al «Roma». È davvero* **ottima***!*

▸ *Sandro è cattivo, ma Giuliano è ancora* **più cattivo***. È in assoluto la persona* **più cattiva** *che abbia mai conosciuto.*

▸ *Mamma mia, che cattivo questo caffè! È* **peggiore** *di quello che fai tu... anzi, direi* **il peggiore** *che abbia mai bevuto. Veramente* **pessimo***!*

Grammatica

Il prefisso negativo *in-*

Lez. 1

Con l'aggiunta del prefisso **in-** l'aggettivo ha un significato negativo.

- *È una persona capace.*   ⟶ *incapace*   (= non capace)
- *Si tratta di una storia credibile.*   ⟶ *incredibile*   (= non credibile)
- *Il suo è stato proprio un lavoro utile.*   ⟶ *inutile*   (= non utile)

- *Questo caffè ti sembra bevibile?*   ⟶ *imbevibile*   davanti a *b*   *in* diventa *im-*
- *È un discorso morale.*   ⟶ *immorale*   davanti a *m*   *in* diventa *im-*
- *Questa è una conclusione prevista.*   ⟶ *imprevista*   davanti a *p*   *in* diventa *im-*
- *È un discorso logico.*   ⟶ *illogico*   davanti a *l*   *in* diventa *il-*
- *La tua proposta è ragionevole.*   ⟶ *irragionevole*   davanti a *r*   *in* diventa *ir-*

Gli aggettivi in *-bile*

Lez. 8

Gli aggettivi in **-bile** hanno un significato passivo ed esprimono una possibilità.

- *È un'azione **realizzabile**.*   (= che può essere realizzata)
- *Si tratta di una storia **credibile**.*   (= che può essere creduta)
- *È un materiale **riciclabile**.*   (= che può essere riciclato)

I pronomi possessivi

Lez. 2

Bisogna distinguere tra gli aggettivi possessivi (vedi *NUOVO Espresso 1*, pagg. 213) e i pronomi possessivi. Il pronome possessivo sostituisce un sostantivo e a differenza dell'aggettivo è sempre preceduto dall'articolo o dalla preposizione articolata.

- *Prestami la tua bicicletta. **La mia** (bicicletta) si è rotta.*
- *Il mio corso è molto interessante. Anche **il tuo** (corso)?*
- *Mia sorella si è laureata. E **la tua**? (E tua sorella?)*

È mio, è nostro, è vostro, ecc. esprimono un possesso.

- *– **È Sua** questa Punto rossa? – Sì, è **mia**.*
- *– Di chi è quest'ombrello?   – **È mio**.*

Attenzione: **I miei** significa «i miei genitori, i miei familiari».

L'aggettivo possessivo precede di solito il sostantivo a cui si riferisce.
In alcuni modi di dire e nelle espressioni esclamative lo segue.

- *Ma perché non si fa **gli affari Suoi**?*
- *Domani vieni **a casa mia**?*
- *Vorrei lavorare **per conto mio**.*

- *Per colpa sua ho perso l'aereo.*
- *Era la prima volta **in vita mia** che andavo all'estero.*
- *Mamma mia, che bello!*

I pronomi

I pronomi combinati

Se in una frase ci sono due pronomi, il pronome indiretto precede quello diretto. La *-i* della 1ª e della 2ª persona diventa *-e*.

	+ lo	+ la	+ li	+ le	+ ne
mi	me lo	me la	me li	me le	me ne
ti	te lo	te la	te li	te le	te ne
gli/le/Le	glielo	gliela	glieli	gliele	gliene
ci	ce lo	ce la	ce li	ce le	ce ne
vi	ve lo	ve la	ve li	ve le	ve ne
gli	glielo	gliela	glieli	gliele	gliene

▸   – *Mi presti il vocabolario?*   – *Certo, te lo do volentieri.*
▸   – *Chi vi ha dato la macchina?*   – *Ce l(a)' ha prestata Giovanni.*
▸   – *Le puoi prestare i tuoi CD?*   – *Sì, glieli presto volentieri.*
▸   – *Le hai detto del problema?*   – *Sì, gliene ho parlato proprio ieri.*

Anche la *-i* del pronome riflessivo cambia in *-e* davanti a un altro pronome atono.

riflessivo	+ lo	+ la	+ li	+ le	+ ne
mi	me lo	me la	me li	me le	me ne
ti	te lo	te la	te li	te le	te ne
si	se lo	se la	se li	se le	se ne
ci	ce lo	ce la	ce li	ce le	ce ne
vi	ve lo	ve la	ve li	ve le	ve ne
si	se lo	se la	se li	se le	se ne

▸   *I giovani si scambiano molti SMS. Se li scambiano quasi quotidianamente.*
▸   *Se lo possono permettere (di cambiare spesso la macchina)?*

La particella *ci*

La particella **ci** si usa anche per sostituire una parola o una frase introdotta
dalla preposizione *con* (*con qualcuno/con qualcosa*).

▸ – *Come telefoni con* **il cellulare?** – **Mah, ci** (= con il cellulare) *telefono benissimo.*
▸ *È una persona interessante e* **ci** (= con lei) *parlo sempre volentieri.*

La particella **ci** può sostituire anche una parola o una frase introdotta dalla preposizione *a.*

abituarsi a – *Non ti sei abituata* **agli occhiali?** – *No, non mi* **ci** *sono ancora abituata!*
credere a – *Credi* **all'oroscopo?** – *Ma no, non* **ci** *credo affatto!*
pensare a – *Hai pensato* **a quel problema?** – *No, ma* **ci** *penserò domani.*
rinunciare a – *Rinunci spesso* **alla macchina?** – *Beh,* **ci** *rinuncio il più possibile.*
riuscire a – *Sei riuscito* **a riparare la macchina?** – *No, non* **ci** *sono ancora riuscito.*

La particella locativa **ci** può essere combinata con i pronomi diretti:
ci precede i pronomi *lo, la, li, le* (in questo caso **ci** diventa **ce**):
▸ *Portiamo noi* **Franca a casa!**   **Ce la** *portiamo noi!*

ma segue *mi, ti, vi*:
▸ **Ti dovresti essere abituata** **al computer!**   **Ti ci dovresti essere abituata!**

Alcuni verbi pronominali

Alcuni verbi, uniti a un pronome invariabile (**ci**, **la**, ecc.), cambiano il loro significato. Ad esempio:

metterci

Il verbo **metterci** esprime la quantità di tempo di cui si ha bisogno per fare qualcosa.

▸ *Quanto tempo* **ci metti** *a finire di vestirti?*
▸ **Ci hai messo** *molto a imparare l'italiano?*
▸ *Il treno* **ci ha messo** *tre ore.*

Attenzione a non confondere **metterci a** con **mettersi a fare qualcosa** (cominciare a fare qualcosa).

▸ **Ci ha messo** *molto* (tempo) **a studiare i nuovi vocaboli.** (= Ha impiegato...)
▸ **Si è messo** *subito* **a studiare i nuovi vocaboli.** (= Ha cominciato...)

Grammatica

tenerci

Il verbo **tenerci** significa "desiderare".
- ▸ *Ci tengo a laurearmi quest'anno!*

Lez. 2

volerci

Il verbo **volerci** significa "essere necessario".
- ▸ *Per fare questo lavoro ci vuole molta esperienza.*

Lez. 2

spuntarla

Il verbo **spuntarla** significa "vincere".
- ▸ *La Roma l'ha spuntata con un gol all'ultimo minuto.*

Lez. 2

piantarla, finirla

I verbi **piantarla** e **finirla** significano "finire di fare qualcosa".
- ▸ *Finiscila! Sono stanco!*
- ▸ *Se il mio vicino di casa non la pianta con il sassofono, chiamo la polizia!*

Lez. 2

La particella *ne*

La particella **ne** può indicare un argomento, in espressioni verbali come **pensarne**, **parlarne**, **dirne**, **averne voglia**, ecc.

Lez. 2

- ▸ *– Che ne (= di qualcosa che ho detto) pensate?*   *– Sì, ci piace!*
- ▸ *– Conosci questo libro?*   *– Sì, me ne ha parlato (= del libro) Giorgia.*
- ▸ *– Che ne dici di questa pastasciutta?*   *– È buonissima!*
- ▸ *– Andiamo al cinema?*   *– No, grazie, non ne ho voglia.*

La forma impersonale (I)

◆ con i verbi riflessivi:

La forma impersonale del verbo riflessivo è *ci si* + verbo alla 3ª persona singolare.
- ▸ *Ci si sposa sempre meno e ci si separa di più.*

Lez. 6

Nei tempi composti il participio è al plurale maschile.
- ▸ *Ultimamente ci si è abituati all'uso delle mail.*

◆ nei tempi composti:

I tempi composti della forma impersonale si formano sempre con l'ausiliare **essere**. Il participio passato resta invariato se il verbo principale nella forma personale forma il passato prossimo con **avere**.

> ▶ *A quella festa si è proprio **bevuto** molto.* (**ho** bevuto)

Se nella frase compare l'oggetto, allora il participio passato concorda con questo.

> ▶ *A quella festa **si sono bevute** molte bottiglie di vino.* (**ho** bevuto + oggetto diretto)

Se il verbo principale nella forma personale forma il passato prossimo con **essere**, il participio passato si declina al plurale maschile.

> ▶ ***Si è riusciti** a evitare la speculazione edilizia.* (**sono** riuscito)

◆ con *essere*:

Con il verbo **essere** i sostantivi e gli aggettivi si usano al plurale.

> ▶ *Se **si è amici**, ci si dovrebbe aiutare.*
> ▶ *Non **si dovrebbe essere** troppo **categorici**.*

La forma impersonale (II)

Ci sono altre possibilità di esprimere la forma impersonale:

◆ attraverso il pronome indefinito **uno**:

> ▶ ***Uno** si abitua facilmente alle comodità.*

◆ con una costruzione passiva:

> ▶ *Qua **sarà/verrà costruita** una nuova scuola.*

◆ con la 3ª persona plurale di alcuni verbi:

> ▶ *Spesso **dicono** che gli OGM fanno male.*
> ▶ ***Hanno aperto** un nuovo centro commerciale.*
> ▶ *Che film **danno** stasera?*

Lez. 8

Quando si usa il verbo **dire** alla 3ª persona plurale, il verbo della frase secondaria va al congiuntivo.

> ▶ ***Dicono** che Cristoforo Colombo non **fosse** genovese.*
> ▶ ***Dicono** che l'acquario di Genova **sia** il più grande d'Italia.*

Lez. 8

La posizione dei pronomi combinati

I pronomi combinati come i pronomi diretti e indiretti atoni precedono di solito il verbo.
Solo in alcuni casi seguono il verbo e formano con questo un'unica parola: con un imperativo
(vedi *NUOVO Espresso 2*, pag. 243), con un infinito, con un gerundio e con l'avverbio *ecco*.

▸ – *Sono tuoi questi occhiali?*   – *Oh, sì, dam**meli**, ti prego!*

▸ – *Mi presteresti la tua macchina?*   – *Oggi no, ma potrei prestar**tela** domani.*
     (anche: ***Te la** potrei prestare domani.*)

▸ – *Cosa ti ha detto quando ti ha dato la macchina?*   – *Prestando**mela** mi ha pregato di fare attenzione.*

▸ – *Dove sono i miei occhiali?*   – *Ecco**li** qua!*

Oltre alla forma con *glie-* alla 3ª persona plurale esiste anche la forma con *loro*. In questo caso il
pronome diretto precede il verbo e *loro* lo segue.

▸ – *Quando spedisci la lettera ai tuoi genitori?*   – ***Gliela** mando domani.*
     – ***La** mando **loro** domani.*

Il verbo

Il trapassato prossimo

Il trapassato prossimo si forma con l'imperfetto di *avere* o *essere* + il participio passato del verbo principale.

Lez. 1

(io)	avevo mangiato	ero andato/-a
(tu)	avevi mangiato	eri andato/-a
(lui, lei, Lei)	aveva mangiato	era andato/-a
(noi)	avevamo mangiato	eravamo andati/-e
(voi)	avevate mangiato	eravate andati/-e
(loro)	avevano mangiato	erano andati/-e

Il trapassato prossimo si usa per esprimere un'azione nel passato che è successa prima di un'altra azione anche passata. *Già* si trova normalmente tra l'ausiliare e il participio passato.

▸ *Quando sono arrivata a casa, mio marito* **aveva** *già* **mangiato***.*
▸ *Quando sono arrivata, Franco* **era** *già* **andato** *via.*

Il passato remoto

Verbi regolari

Lez. 5

	abit**are**	cred**ere**	dorm**ire**
(io)	abit**ai**	cred**ei**/cred**etti**	dorm**ii**
(tu)	abit**asti**	cred**esti**	dorm**isti**
(lui, lei, Lei)	abit**ò**	cred**é**/cred**ette**	dorm**ì**
(noi)	abit**ammo**	cred**emmo**	dorm**immo**
(voi)	abit**aste**	cred**este**	dorm**iste**
(loro)	abit**arono**	cred**erono**/cred**ettero**	dorm**irono**

Alla 1ª e alla 3ª persona singolare e alla 3ª persona plurale i verbi regolari in *-ere* hanno due forme.

Verbi irregolari

Molti verbi in *-ere* hanno un passato remoto irregolare, alla 1ª e alla 3ª persona singolare (*io, lui/lei*) e alla 3ª persona plurale (*loro*).

Grammatica

I più importanti verbi con il passato remoto irregolare sono:

avere	ebbi, avesti, ebbe, avemmo, aveste, ebbero
bere	bevvi, bevesti, bevve, bevemmo, beveste, bevvero
chiedere*	chiesi, chiedesti, chiese, chiedemmo, chiedeste, chiesero
conoscere	conobbi, conoscesti, conobbe, conoscemmo, conosceste, conobbero
dare	diedi/detti, desti, diede/dette, demmo, deste, diedero/dettero
dire**	dissi, dicesti, disse, dicemmo, diceste, dissero
essere	fui, fosti, fu, fummo, foste, furono
fare	feci, facesti, fece, facemmo, faceste, fecero
nascere	nacqui, nascesti, nacque, nascemmo, nasceste, nacquero
sapere	seppi, sapesti, seppe, sapemmo, sapeste, seppero
stare	stetti, stesti, stette, stemmo, steste, stettero
tenere	tenni, tenesti, tenne, tenemmo, teneste, tennero
vedere	vidi, vedesti, vide, vedemmo, vedeste, videro
venire	venni, venisti, venne, venimmo, veniste, vennero
volere	volli, volesti, volle, volemmo, voleste, vollero

* anche (passato remoto in *-si*): chiudere *(chiusi)*, correre *(corsi)*, decidere *(decisi)*, mettere *(misi)*, perdere *(persi* o anche la forma regolare *perdei / perdetti)*, prendere *(presi)*, ridere *(risi)*, rispondere *(risposi)*, scendere *(scesi)*, spendere *(spesi)*, succedere *(successe)*

** anche (passato remoto in *-ssi*): discutere *(discussi)*, leggere *(lessi)*, scrivere *(scrissi)*, vivere *(vissi)*

L'uso del passato remoto

Il passato remoto si usa di solito in testi letterari, quando si parla di un fatto storico e per esprimere un'azione successa in un passato lontano, che non ha più nessuna relazione con il presente. Nella lingua parlata si usa il passato remoto correntemente solo in alcune regioni dell'Italia centro-meridionale. Nelle altre regioni si preferisce usare sempre il passato prossimo.

‣ *Albert Einstein* **nacque** *nel 1879.*
‣ *Mio fratello è* **nato** *nel 1957.*

Uso del passato remoto e dell'imperfetto

L'uso del passato remoto e dell'imperfetto corrisponde a quello del passato prossimo (che cosa è successo?) e dell'imperfetto (com'era?).

‣ ***Dormivo** da un paio d'ore, quando* **squillò** *(è* **squillato***) il telefono.*

Il congiuntivo

Il congiuntivo in italiano ha quattro tempi:

presente		abiti	creda	dorma (vedi *NUOVO Espresso* 2)
imperfetto	(io)	abitassi	credessi	dormissi
	(tu)	abitassi	credessi	dormissi
	(lui, lei, Lei)	abitasse	credesse	dormisse
	(noi)	abitassimo	credessimo	dormissimo
	(voi)	abitaste	credeste	dormiste
	(loro)	abitassero	credessero	dormissero
passato	(io)	abbia dormito	sia andato/-a	
	(tu)	abbia dormito	sia andato/-a	
	(lui, lei, Lei)	abbia dormito	sia andato/-a	
	(noi)	abbiamo dormito	siamo andati/-e	
	(voi)	abbiate dormito	siate andati/-e	
	(loro)	abbiano dormito	siano andati/-e	
trapassato	(io)	avessi dormito	fossi andato/-a	
	(tu)	avessi dormito	fossi andato/-a	
	(lui, lei, Lei)	avesse dormito	fosse andato/-a	
	(noi)	avessimo dormito	fossimo andati/-e	
	(voi)	aveste dormito	foste andati/-e	
	(loro)	avessero dormito	fossero andati/-e	

Il congiuntivo imperfetto

Lez. 4

Le prime due persone del singolare sono identiche *(che io parlassi, che tu parlassi)*.
Per questo si usa spesso il pronome personale.

Ecco alcuni verbi con delle forme irregolari:

bere: bevessi, bevessi, bevesse, bevessimo, beveste, bevessero
dare: dessi, dessi, desse, dessimo, deste, dessero
dire: dicessi, dicessi, dicesse, dicessimo, diceste, dicessero
essere: fossi, fossi, fosse, fossimo, foste, fossero
fare: facessi, facessi, facesse, facessimo, faceste, facessero
porre: ponessi, ponessi, ponesse, ponessimo, poneste, ponessero
stare: stessi, stessi, stesse, stessimo, steste, stessero
tradurre: traducessi, traducessi, traducesse, traducessimo, traduceste, traducessero

Il congiuntivo passato

Lez. 3

Il congiuntivo passato si forma con il congiuntivo presente di *avere* o *essere* + il participio passato del verbo principale.

▸ *Può darsi che l'**abbia venduta**.*
▸ *Credo che **sia** già **arrivato** a casa.*

Il congiuntivo trapassato

Lez. 10

Il congiuntivo trapassato si forma con il congiuntivo imperfetto di *essere* o *avere* + il participio passato del verbo principale.

▸ *Pensavo che quel libro tu l'**avessi** già **letto**.*
▸ *Credevo che **fosse** già **partita**.*

L'uso dei tempi del congiuntivo

Lez. 3
5·10

Abbiamo già visto che spesso si sceglie di usare il congiuntivo in una frase secondaria per presentare l'azione espressa dal verbo come incerta o soggettiva (vedi anche *NUOVO Espresso 2*, pag. 246). La scelta del tempo del congiuntivo dipende dal tempo del verbo della frase principale e dalla relazione temporale tra le due frasi.

Dopo una frase principale con un verbo all'indicativo presente o futuro e all'imperativo, si usa il congiuntivo presente nella frase secondaria per esprimere un'azione contemporanea e il congiuntivo passato per esprimere un'azione anteriore a quella della frase principale.
Dopo una frase principale con un verbo all'indicativo passato, si usa il congiuntivo imperfetto nella frase secondaria per esprimere un'azione contemporanea e il congiuntivo trapassato per esprimere un'azione anteriore a quella della frase principale.

Penso	*lui **esca**.*	(ora = contemporaneità)
Penso che	*lui **sia** già **uscito**.*	(prima = anteriorità)
Pensavo	*lui **uscisse**.*	(in quel momento = contemporaneità)
Pensavo	*lui **fosse uscito**.*	(prima = anteriorità)

Dopo una frase principale con un verbo o un'espressione che indica volontà, dubbio o insicurezza al condizionale presente, si usa il congiuntivo imperfetto nella frase secondaria per esprimere un'azione contemporanea e il congiuntivo trapassato per esprimere un'azione anteriore a quella della frase principale.

*Preferirei che tu me lo **chiedessi**.*	(ora = contemporaneità)
*Vorrei che **fosse** già **partito**.*	(prima = anteriorità)
*Avrei preferito che tu me l'**avessi chiesto**!*	(in quel momento = anteriorità)

Grammatica

L'uso del congiuntivo nelle frasi secondarie dopo alcuni verbi e espressioni impersonali è stato presentato già in *NUOVO Espresso 2* (pag. 246). Il congiuntivo si usa inoltre:

◆ con le seguenti congiunzioni

sebbene/nonostante/malgrado/benché

▸ **Sebbene/Nonostante/Malgrado/Benché fosse** *tardi, siamo riusciti a trovare un ristorante aperto.*

a condizione che/a patto che/purché

▸ *È un libro interessante,* **a condizione che/a patto che/purché** *ti* **piacciano** *i gialli.*

affinché/perché

▸ *Gli ho regalato dei soldi* **affinché/perché** *si* **comprasse** *un computer nuovo.*

nel caso che, come se

▸ *Ti lascio le chiavi* **nel caso che arrivi** *Maria.*
▸ *Mi parli* **come se** *io* **fossi** *sordo.*

prima che

▸ **Prima che** *tu* **parta** *vorrei salutarti.*

senza che

▸ *È partito* **senza che** *nessuno lo* **vedesse.**

a meno che

▸ *Ti presto la mia macchina,* **a meno che** *tu non* **preferisca** *prendere il treno.*

◆ dopo alcune espressioni

il fatto che, non è che

▸ *Le dispiaceva* **il fatto che** *i suoi amici non* **andassero** *d'accordo.*
▸ **Non è che sia** *cattivo, semplicemente non ci pensa.*

◆ nelle frasi relative

– se nella frase principale c'è un superlativo relativo:

▸ *È* **una delle più belle** *storie d'amore che io* **abbia** *mai* **letto.**
▸ *Venezia è la città* **più interessante** *che io* **abbia** *mai* **visto.**

– se nella frase principale c'è l'aggettivo *unico/solo*:

▸ *Era* **l'unica/la sola** *donna di cui* **sia riuscito** *a diventare amico.*

– se nella frase si esprime un desiderio o una condizione:

▸ *Scegliete testi nei quali la lingua* **sia usata** *in maniera naturale.*

Il condizionale passato

Il condizionale passato si forma con il condizionale presente di *essere* o *avere* + il participio passato del verbo principale.

(io)	avrei mangiato	sarei andato/-a
(tu)	avresti mangiato	saresti andato/-a
(lui, lei, Lei)	avrebbe mangiato	sarebbe andato/-a
(noi)	avremmo mangiato	saremmo andati/-e
(voi)	avreste mangiato	sareste andati/-e
(loro)	avrebbero mangiato	sarebbero andati/-e

Il condizionale passato esprime un desiderio irrealizzato o irrealizzabile o un'azione che avrebbe dovuto avvenire, ma non è avvenuta.

▸ ***Avrebbero potuto*** *aprire una clinica privata.* (ma non l'hanno aperta)
▸ ***Sarebbe stato*** *meglio costruire una scuola.* (ma non l'hanno costruita)

Il condizionale passato viene usato spesso nel linguaggio giornalistico per comunicare una notizia di cui non si è sicuri al cento per cento.

▸ *L'uomo **sarebbe andato** in banca e **avrebbe incontrato** il complice.*
  (= dicono che sia andato e che abbia incontrato)

Dopo una frase principale con un verbo all'indicativo passato (passato prossimo, imperfetto, trapassato prossimo, passato remoto), il condizionale passato nella frase secondaria esprime un'azione posteriore.

▸ *Mi hai promesso che quest'anno **saremmo andati** al mare.*

Per l'uso del condizionale passato nelle frasi secondarie vedi anche «Il periodo ipotetico» e «Il discorso indiretto».

Il periodo ipotetico

Esistono 3 tipi di periodo ipotetico:

◆ il periodo ipotetico della realtà   ⟶ situazione realizzabile (*NUOVO Espresso 2*, pag. 249)
◆ il periodo ipotetico
   della possibilità   ⟶ situazione poco probabile, ma possibile
◆ il periodo ipotetico dell'irrealtà   ⟶ situazione che non si è potuta realizzare nel passato

Le frasi ipotetiche vengono introdotte da **se**.

Il periodo ipotetico della possibilità

Lez. 7

Se la frase introdotta da **se** esprime una condizione poco probabile, ma possibile, il verbo va al congiuntivo imperfetto e il verbo della frase principale al condizionale presente.

▸ *Se mi regalassero qualcosa che non mi piace, non direi niente.*
▸ *Se avessi molti soldi, comprerei una casa.*

Il periodo ipotetico dell'irrealtà, impossibilità (nel passato)

Lez. 10

Se la frase introdotta da **se** esprime una condizione che non si è potuta realizzare nel passato, il verbo è al congiuntivo trapassato e il verbo della frase principale al condizionale passato.

▸ *Se l'avessi saputo prima, sarei venuto in metropolitana.*
▸ *Se fosse venuto, ne sarei stata felice.*

La condizione e la conseguenza non sono sempre contemporanee. La condizione può riferirsi al passato e la conseguenza al presente.

▸ *Se avessi mangiato* (ieri) *di meno, non starei* (oggi) *così male.*

Nella lingua parlata qualche volta si sostituisce il congiuntivo trapassato e il condizionale passato con l'imperfetto.

▸ *Se si fosse alzata prima non avrebbe perso il treno.* = ▸ *Se si alzava prima non perdeva il treno.*

Il gerundio

In italiano ci sono due forme di gerundio: il gerundio presente e quello passato.

Il gerundio presente si forma dall'infinito del verbo, aggiungendo alla radice le terminazioni **-ando** (per i verbi in *-are*) e **-endo** (per i verbi in *-ere* e *-ire*) ed è invariabile (vedi *NUOVO Espresso 2*, pag. 247).
Il gerundio passato/composto si forma con il gerundio presente di *essere* o *avere* (**essendo, avendo**) + il participio passato del verbo principale.

	parl**are**	legg**ere**	part**ire**
gerundio presente	parl**ando**	legg**endo**	part**endo**
gerundio passato	**avendo parlato**	**avendo letto**	**essendo partito/-a/-i/-e**

Di seguito alcune forme irregolari oltre a quelle già presentate in *NUOVO Espresso 2* :

condurre → conducendo	porre → ponendo	tradurre → traducendo	trarre → traendo

L'uso del gerundio presente

Lez. 8

Il gerundio si usa nelle frasi secondarie e può avere diversi significati.
Di solito, il gerundio presente indica un'azione contemporanea a quella della frase principale.

causale	**Conoscendo** *le tue idee non ho detto niente.*	(Perché? – Perché conoscevo...)
temporale	*L'ho incontrato* **andando** *a casa.*	(Quando? – Mentre andavo...)
strumentale	**Leggendo** *si impara molto.*	(Con che mezzo? – Con la lettura.)
modale	*Arrivarono* **correndo**.	(In che modo? – Di corsa.)
ipotetico	**Comprando** *qualche mobile la casa diventerebbe più bella.*	(Se si comprasse...)
coordinativo	*Abbassò gli occhiali* **sorridendo**.	(E contemporaneamente sorrise)

Di solito, il soggetto delle due frasi è lo stesso. Nelle frasi causali e ipotetiche
il soggetto può essere diverso da quello della frase principale.

▸ **Essendo** *tardi* (= poiché era tardi) *Carlo trovò la posta chiusa.*

L'uso del gerundio passato

Lez. 10

Il gerundio passato sostituisce una frase secondaria causale e si usa
quando l'azione della frase secondaria è anteriore a quella della frase principale.

      frase secondaria   frase principale
▸ *Non* **avendo trovato** *(prima) stanze libere, il signor Rossi prende in considerazione* (poi)
                               l'ipotesi di una bella settimana di trekking.

Con l'ausiliare *essere*, il participio passato concorda con il soggetto.

▸ *Non* **essendo andati/andate** *al corso, la volta dopo hanno avuto grossi problemi.*

Tutti i pronomi vanno dopo il gerundio (vedi «La posizione dei pronomi combinati»).

L'infinito

In italiano esistono due forme di infinito: l'infinito presente e l'infinito passato.
L'infinito presente è la forma che compare sul vocabolario. Termina in
-are, -ere, o *-ire (andare, vedere, sentire).*
L'infinito passato si forma con l'infinito presente di *avere* o *essere* +
il participio passato del verbo.

aver(e) visto	esser(e) andato/-a/-i/-e

prima di / dopo + infinito

Lez. 10

In una frase secondaria con significato temporale introdotta da **prima di**, il verbo è sempre all'infinito presente. In una frase secondaria con significato temporale introdotta da **dopo**, si usa l'infinito passato.

Queste due costruzioni si usano solo se il soggetto della frase secondaria è lo stesso di quello della frase principale.

- ▸ *Prima di trasferirmi a Roma avevo seguito un corso d'italiano.*   (io … io)
- ▸ *Dopo aver(e) letto il giornale il signor Rossi ha cambiato idea.*   (lui … lui)
- ▸ *Dopo esser(e) uscita si è accorta di aver dimenticato l'ombrello.*   (lei … lei)

prima di – prima che / dopo – dopo che

Lez. 10

Se i soggetti della frase secondaria e di quella principale sono diversi, si usano invece *prima che* + congiuntivo e *dopo che* + indicativo.

- ▸ *Ti telefono **prima di** partire.*   (io … io)
- ▸ *Dopo aver mangiato mi riposo.*   (io … io)
- ▸ *Ti telefono **prima che** tu parta.*   (io … tu)
- ▸ *Ti telefono **dopo che** i miei sono usciti.*   (io … loro)

fare + infinito

Lez. 6

Fare + infinito può avere in italiano 3 diversi significati: «lasciare», «fare in modo che» e «permettere».

- ▸ *Mi **fai vedere** che cosa hai fatto?* (Mi lasci vedere…)
- ▸ *Hai già **fatto riparare** il computer?* (Hai già fatto in modo che…)
- ▸ *Non mi **fa usare** la sua bicicletta.* (Non mi permette di…)

Il passivo

Tutti i verbi transitivi, cioè verbi con un oggetto diretto, possono essere coniugati alla forma passiva.

Forma attiva ▸ *Carlo **ha ritrovato** il libro.*
Forma passiva ▸ *Il libro **è stato ritrovato** da Carlo.*

Per fare la forma passiva si può usare in italiano il verbo *essere* + il participio passato del verbo principale o il verbo *venire* + il participio passato del verbo principale. Si può usare *venire* solo con i tempi verbali semplici, non con i tempi verbali composti. Con questi si usa *essere*.

presente indicativo	sono invitato	vengo invitato
imperfetto indicativo	ero invitato	venivo invitato
passato remoto	fui invitato	venni invitato
futuro semplice	sarò invitato	verrò invitato
futuro anteriore	sarò stato invitato	----
passato prossimo	sono stato invitato	----
trapassato prossimo	ero stato invitato	----
congiuntivo presente	sia invitato	venga invitato
congiuntivo passato	sia stato invitato	----
condizionale presente	sarei invitato	verrei invitato
condizionale passato	sarei stato invitato	----

Venire si usa di solito per indicare un processo, *essere* per indicare uno stato.

▸ *Solo il 15% dei volumi **viene trovato** da una persona.*
▸ *La biblioteca **è illuminata** da cinque grandi finestre.*

Il participio passato concorda nel genere e nel numero con il sostantivo a cui si riferisce.

▸ ***Il libro** sarà **pubblicato** la prossima settimana.*
▸ ***I suoi romanzi** verranno **letti** da migliaia di persone.*

La persona o la cosa che fa l'azione (agente) è preceduta dalla preposizione **da**.

Forma attiva ▸ *Oggi **milioni di persone** usano la posta elettronica.*
Forma passiva ▸ *Oggi la posta elettronica è usata **da milioni di persone.***
Forma attiva ▸ ***Un sito Internet** ha organizzato l'esperimento.*
Forma passiva ▸ *L'esperimento è stato organizzato **da un sito Internet.***

Per formare il passivo si può usare anche il verbo *andare* + il participio passato del verbo principale. Questo passivo ha però un significato di dovere o necessità e può essere usato solo con i tempi semplici (ad eccezione del passato remoto).

Le auto **vanno** lasciate nei parcheggi. ⟶ *Le auto **devono essere** lasciate nei parcheggi.*
Il problema **andrà** discusso. ⟶ *Il problema **dovrà essere** discusso.*
L'errore **andava** corretto. ⟶ *L'errore **doveva essere** corretto.*

Andare seguito da *perdere* o *distruggere* ha un significato esclusivamente passivo.

La lettera **è andata** persa. ⟶ *La lettera **è stata** persa.*
La casa **è andata** distrutta. ⟶ *La casa **è stata** distrutta.*

Il discorso indiretto con frase principale al passato

Il discorso indiretto viene introdotto da verbi come *dire*, *affermare*, ecc. Se la frase principale che introduce il discorso indiretto è al presente (o al passato con funzione di presente), il tempo del verbo resta invariato; può cambiare però la persona.

	*Marco **dice**/**ha detto**…*
«Sandra non si sente bene.»	*che Sandra non **si sente** bene.*
«Mia sorella è uscita.»	*che sua sorella **è uscita**.*
«Stasera mio padre farà tardi.»	*che stasera suo padre **farà** tardi.*

Quando il discorso indiretto è introdotto nella frase principale da un verbo al passato prossimo, cambiano i tempi verbali.

♦ Il **presente** indicativo diventa **imperfetto** indicativo quando si vuole sottolineare che l'azione è collocata nel passato.
«Io qui **mi trovo** bene.» *Ha detto che lì **si trovava** bene.*

♦ Il **presente** indicativo resta **presente** indicativo quando si vuole sottolineare il fatto che l'azione è ancora valida nel presente.
«Io qui **mi trovo** bene.» *Ha detto che lì **si trova** bene.*

♦ Il **passato prossimo** resta **passato prossimo** quando ci si riferisce ad un passato molto vicino.
«Sandro **è uscito**.» *Ha detto che Sandro **è uscito**.*

♦ Il **passato prossimo** diventa **trapassato prossimo** quando ci si riferisce ad un passato lontano.
"Sandro **è uscito**." *Ha detto che Sandro **era uscito**.*

♦ L'**imperfetto** resta **imperfetto**.
«**Stavo** male con la barba.» *Ha detto che **stava** male con la barba.*

Grammatica

◆ Se il discorso diretto è un **imperativo**, si usa *di* + **infinito**.

«**Trovati** un'altra casa!»   *Mi ha detto **di trovarmi** un'altra casa.*

Quando passiamo dal discorso diretto a quello indiretto possono cambiare
alcuni elementi del discorso:

i pronomi personali	io	❯	lui/lei
i possessivi	mio	❯	suo
gli avverbi	qui/qua	❯	lì/là
	ieri	❯	il giorno prima/ il giorno precedente
	oggi	❯	quel giorno
	domani	❯	il giorno dopo/ il giorno seguente/ l'indomani
i dimostrativi	questo	❯	quello
l'aggettivo *prossimo*	prossimo	❯	seguente
fra (temporale)	fra 2 giorni	❯	dopo 2 giorni

La frase interrogativa indiretta

Lez. 9

La frase interrogativa indiretta è preceduta da verbi come *chiedere, domandare,
voler sapere* e introdotta dalla congiunzione *se*.

Frase interrogativa diretta:
▸ *Mi presti qualcosa per il matrimonio di Daniela?*

Frase interrogativa indiretta:
▸ *Mi **ha chiesto se** le **prestavo** qualcosa per il matrimonio di Daniela.*

Per le frasi interrogative indirette valgono le stesse regole del discorso indiretto.

«Ti trovi bene qui?»
▸ *L'amica le chiese se **si trovava** bene lì.*
▸ *L'amica le ha chiesto se **si trovasse** bene lì.*

In una frase interrogativa indiretta può cambiare anche il modo del verbo,
per es. un indicativo può diventare un congiuntivo. Si tratta comunque
di una scelta stilistica della persona che parla.

La concordanza dei tempi dell'indicativo

Così come per il congiuntivo, anche per la concordanza dei tempi dell'indicativo la scelta del tempo nella frase secondaria dipende dal tempo del verbo usato nella frase principale e dal rapporto temporale tra le due frasi.

Dopo una frase principale con un verbo al presente, si usano nella frase secondaria il passato prossimo per esprimere un'azione anteriore, il presente indicativo per esprimere un'azione contemporanea e il futuro semplice per esprimere un'azione posteriore.

Dopo una frase principale con un verbo al passato, si usano nella frase secondaria il trapassato prossimo per esprimere un'azione anteriore, l'imperfetto per esprimere un'azione contemporanea e il condizionale composto per esprimere un'azione posteriore.

So che	è tornato.	(ieri)
	torna.	(oggi)
	tornerà.	(domani)
Sapevo/avevo saputo che	era tornato.	(il giorno prima)
	tornava.	(quel giorno)
	sarebbe tornato.	(il giorno dopo)

L'uso del verbo *dovere* per esprimere un'ipotesi

Lez. 1

Il verbo **dovere** si usa spesso per fare delle ipotesi.

▸ *La grammatica **dovrebbe essere** lì.* (Forse è lì. Credo che sia lì.)
▸ ***Dovrebbe essere andato** a casa.* (Secondo me è andato a casa).
▸ ***Deve aver preso** il treno delle 8:00.* (Penso che abbia preso il treno delle 8:00.)

L'avverbio

L'avverbio ha la funzione di definire più precisamente verbi, aggettivi o anche altri avverbi (vedi *NUOVO Espresso 1*, pagina 214).

Gli avverbi in *-mente*

Lez. 3

Molti avverbi si formano aggiungendo il suffisso **-mente** a un aggettivo.

Il suffisso **-mente** trasforma la forma femminile di un aggettivo in un avverbio.
▸ ***Effettivamente*** *è strano!* (effettiva → effettivamente)

Quando l'avverbio si forma con un aggettivo in **-e**, il suffisso si attacca all'aggettivo.
▸ *Ho camminato molto* ***velocemente.*** (veloce → velocemente)

Gli aggettivi che terminano in **-le**, **-lo**, **-re**, **-ro**, perdono l'ultima lettera.
▸ ***Probabilmente*** *hai confuso il numero.* (probabile → probabilmente)

Comparativi e superlativi particolari

Lez. 6

Anche alcuni avverbi hanno una forma irregolare al comparativo e al superlativo.

avverbio	comparativo	superlativo assoluto
bene	meglio	benissimo/molto bene
male	peggio	malissimo/molto male
molto	(di) più	moltissimo
poco	(di) meno	pochissimo/molto poco

▸ *L'inglese dovrei parlarlo molto* ***meglio*** *dopo tutti i corsi che ho fatto.*
▸ *Ieri stavo male, ma oggi sto* ***peggio.***

mica

Lez. 7

L'avverbio **mica** si usa per negare qualcosa con enfasi. Se **mica** viene dopo il verbo, prima del verbo bisogna aggiungere **non**.
▸ ***Mica*** *sei obbligato a mangiare tutto!*
▸ ***Non*** *sei* ***mica*** *simpatico!* = ***Mica*** *sei simpatico!*

Alcune espressioni avverbiali

Lez. 10

In molti casi gli avverbi possono essere formati da un gruppo di parole. Ecco alcuni esempi.

in buona parte	*Il merito è stato* ***in buona parte*** *di tuo fratello.*
in certi casi	*Forse* ***in certi casi*** *è meglio fare come dici tu.*
d'altra parte	*Domani vado a pagare le tasse,* ***d'altra parte*** *penso che sia l'ultimo giorno.*
senza dubbio	*Roberto a quest'ora sarà* ***senza dubbio*** *arrivato in ufficio.*
da sempre	*Io abito a Roma* ***da sempre.***

Prima coniugazione – verbi in -are

MODI FINITI

INDICATIVO

	presente		passato prossimo		imperfetto		trapassato prossimo
io	parlo	io	**ho** parlato	io	parlavo	io	**avevo** parlato
tu	parli	tu	**hai** parlato	tu	parlavi	tu	**avevi** parlato
lui		lui		lui		lui	
lei ⎱ parla		lei ⎱ **ha** parlato		lei ⎱ parlava		lei ⎱ **aveva** parlato	
Lei		Lei		Lei		Lei	
noi	parliamo	noi	**abbiamo** parlato	noi	parlavamo	noi	**avevamo** parlato
voi	parlate	voi	**avete** parlato	voi	parlavate	voi	**avevate** parlato
loro	parlano	loro	**hanno** parlato	loro	parlavano	loro	**avevano** parlato

	futuro semplice		futuro anteriore		passato remoto		trapassato remoto
io	parlerò	io	**avrò** parlato	io	parlai	io	**ebbi** parlato
tu	parlerai	tu	**avrai** parlato	tu	parlasti	tu	**avesti** parlato
lui		lui		lui		lui	
lei ⎱ parlerà		lei ⎱ **avrà** parlato		lei ⎱ parlò		lei ⎱ **ebbe** parlato	
Lei		Lei		Lei		Lei	
noi	parleremo	noi	**avremo** parlato	noi	parlammo	noi	**avemmo** parlato
voi	parlerete	voi	**avrete** parlato	voi	parlaste	voi	**aveste** parlato
loro	parleranno	loro	**avranno** parlato	loro	parlarono	loro	**ebbero** parlato

CONGIUNTIVO

	presente		passato		imperfetto		trapassato
io	parli	io	**abbia** parlato	io	parlassi	io	**avessi** parlato
tu	parli	tu	**abbia** parlato	tu	parlassi	tu	**avessi** parlato
lui		lui		lui		lui	
lei ⎱ parli		lei ⎱ **abbia** parlato		lei ⎱ parlasse		lei ⎱ **avesse** parlato	
Lei		Lei		Lei		Lei	
noi	parliamo	noi	**abbiamo** parlato	noi	parlassimo	noi	**avessimo** parlato
voi	parliate	voi	**abbiate** parlato	voi	parlaste	voi	**aveste** parlato
loro	parlino	loro	**abbiano** parlato	loro	parlassero	loro	**avessero** parlato

CONDIZIONALE · IMPERATIVO

	semplice		passato		IMPERATIVO
io	parlerei	io	**avrei** parlato	-	
tu	parleresti	tu	**avresti** parlato	tu	parla!
lui		lui		Lei	parli!
lei ⎱ parlerebbe		lei ⎱ **avrebbe** parlato		noi	parliamo!
Lei		Lei		voi	parlate!
noi	parleremmo	noi	**avremmo** parlato	loro	parlino!
voi	parlereste	voi	**avreste** parlato		
loro	parlerebbero	loro	**avrebbero** parlato		

MODI INDEFINITI		
INFINITO	**GERUNDIO**	**PARTICIPIO**
semplice **parlare**	semplice parlando	presente parlante
passato **avere** parlato	passato **avendo** parlato	passato parlato

Seconda coniugazione – verbi in -ere

MODI FINITI			
INDICATIVO			

presente	passato prossimo	imperfetto	trapassato prossimo
io ricev**o**	io **ho** ricev**uto**	io ricev**evo**	io **avevo** ricev**uto**
tu ricev**i**	tu **hai** ricev**uto**	tu ricev**evi**	tu **avevi** ricev**uto**
lui lei Lei ricev**e**	lui lei Lei **ha** ricev**uto**	lui lei Lei ricev**eva**	lui lei Lei **aveva** ricev**uto**
noi ricev**iamo**	noi **abbiamo** ricev**uto**	noi ricev**evamo**	noi **avevamo** ricev**uto**
voi ricev**ete**	voi **avete** ricev**uto**	voi ricev**evate**	voi **avevate** ricev**uto**
loro ricev**ono**	loro **hanno** ricev**uto**	loro ricev**evano**	loro **avevano** ricev**uto**

futuro semplice	futuro anteriore	passato remoto	trapassato remoto
io ricev**erò**	io **avrò** ricev**uto**	io ricev**ei**/ricev**etti**	io **ebbi** ricev**uto**
tu ricev**erai**	tu **avrai** ricev**uto**	tu ricev**esti**	tu **avesti** ricev**uto**
lui lei Lei ricev**erà**	lui lei Lei **avrà** ricev**uto**	lui lei Lei ricev**é**/ricev**ette**	lui lei Lei **ebbe** ricev**uto**
noi ricev**eremo**	noi **avremo** ricev**uto**	noi ricev**emmo**	noi **avemmo** ricev**uto**
voi ricev**erete**	voi **avrete** ricev**uto**	voi ricev**este**	voi **aveste** ricev**uto**
loro ricev**eranno**	loro **avranno** ricev**uto**	loro ricev**erono**/ricev**ettero**	loro **ebbero** ricev**uto**

CONGIUNTIVO			

presente	passato	imperfetto	trapassato
io ricev**a**	io **abbia** ricev**uto**	io ricev**essi**	io **avessi** ricev**uto**
tu ricev**a**	tu **abbia** ricev**uto**	tu ricev**essi**	tu **avessi** ricev**uto**
lui lei Lei ricev**a**	lui lei Lei **abbia** ricev**uto**	lui lei Lei ricev**esse**	lui lei Lei **avesse** ricev**uto**
noi ricev**iamo**	noi **abbiamo** ricev**uto**	noi ricev**essimo**	noi **avessimo** ricev**uto**
voi ricev**iate**	voi **abbiate** ricev**uto**	voi ricev**este**	voi **aveste** ricev**uto**
loro ricev**ano**	loro **abbiano** ricev**uto**	loro ricev**essero**	loro **avessero** ricev**uto**

CONDIZIONALE		**IMPERATIVO**	

semplice	passato		
io ricev**erei**	io **avrei** ricev**uto**	-	
tu ricev**eresti**	tu **avresti** ricev**uto**	tu ricev**i**!	
lui lei Lei ricev**erebbe**	lui lei Lei **avrebbe** ricev**uto**	Lei ricev**a**!	
		noi ricev**iamo**!	
noi ricev**eremmo**	noi **avremmo** ricev**uto**	voi ricev**ete**!	
voi ricev**ereste**	voi **avreste** ricev**uto**	loro ricev**ano**!	
loro ricev**erebbero**	loro **avrebbero** ricev**uto**		

MODI INDEFINITI		
INFINITO	**GERUNDIO**	**PARTICIPIO**
semplice ricev**ere**	semplice ricev**endo**	presente ricev**ente**
passato **avere** ricev**uto**	passato **avendo** ricev**uto**	passato ricev**uto**

Terza coniugazione – verbi in *-ire*

MODI FINITI			
INDICATIVO			

presente	passato prossimo	imperfetto	trapassato prossimo
io part**o**	io **sono** partito/a	io partiv**o**	io **ero** partito/a
tu part**i**	tu **sei** partito/a	tu partiv**i**	tu **eri** partito/a
lui/lei/Lei part**e**	lui/lei/Lei **è** partito/a	lui/lei/Lei partiv**a**	lui/lei/Lei **era** partito/a
noi part**iamo**	noi **siamo** partiti/e	noi partiv**amo**	noi **eravamo** partiti/e
voi part**ite**	voi **siete** partiti/e	voi partiv**ate**	voi **eravate** partiti/e
loro part**ono**	loro **sono** partiti/e	loro partiv**ano**	loro **erano** partiti/e

futuro semplice	futuro anteriore	passato remoto	trapassato remoto
io part**irò**	io **sarò** partito/a	io part**ii**	io **fui** partito/a
tu part**irai**	tu **sarai** partito/a	tu part**isti**	tu **fosti** partito/a
lui/lei/Lei part**irà**	lui/lei/Lei **sarà** partito/a	lui/lei/Lei part**ì**	lui/lei/Lei **fu** partito/a
noi part**iremo**	noi **saremo** partiti/e	noi part**immo**	noi **fummo** partiti/e
voi part**irete**	voi **sarete** partiti/e	voi part**iste**	voi **foste** partiti/e
loro part**iranno**	loro **saranno** partiti/e	loro part**irono**	loro **furono** partiti/e

CONGIUNTIVO			

presente	passato	imperfetto	trapassato
io part**a**	io **sia** partito/a	io part**issi**	io **fossi** partito/a
tu part**a**	tu **sia** partito/a	tu part**issi**	tu **fossi** partito/a
lui/lei/Lei part**a**	lui/lei/Lei **sia** partito/a	lui/lei/Lei part**isse**	lui/lei/Lei **fosse** partito/a
noi part**iamo**	noi **siamo** partiti/e	noi part**issimo**	noi **fossimo** partiti/e
voi part**iate**	voi **siate** partiti/e	voi part**iste**	voi **foste** partiti/e
loro part**ano**	loro **siano** partiti/e	loro part**issero**	loro **fossero** partiti/e

CONDIZIONALE		**IMPERATIVO**	

semplice	passato		
io part**irei**	io **sarei** partito/a	–	
tu part**iresti**	tu **saresti** partito/a	tu part**i**!	
lui/lei/Lei part**irebbe**	lui/lei/Lei **sarebbe** partito/a	Lei part**a**!	
noi part**iremmo**	noi **saremmo** partiti/e	noi part**iamo**!	
voi part**ireste**	voi **sareste** partiti/e	voi part**ite**!	
loro part**irebbero**	loro **sarebbero** partiti/e	loro part**ano**!	

MODI INDEFINITI					
INFINITO		**GERUNDIO**		**PARTICIPIO**	
semplice	part**ire**	semplice	part**endo**	presente	part**ente**
passato	**essere** part**ito**	passato	**essendo** partito	passato	part**ito**

Tabelle dei verbi

LEZIONE 1 - CONOSCERE LE LINGUE

1 c.

2 1. F, 2. V; 3. V; 4. F; 5. V; 6. V.

3 1. d; 2. b.

4 1. a; 2. b.

5 ho studiato, parlavano, era, viaggiavo, parlavo, Ho, avevo iniziato, avevo conosciuto, Hai detto.

LEZIONE 2 - L'AUTO IN PANNE

1 1. b; 2. a; 3. c.

2 1. V, 2. F, 3. F, 4. F, 5. V, 6. V, 7. F.

3 1. a, 2. b.

4 1. limite, 2. soccorso stradale, 3. casolare, 4. occhiata, 5. cofano.

LEZIONE 3 - L'OGGETTO MISTERIOSO

1 *La risposta è soggettiva. La soluzione è la c.*

2 1. c, 2. b, 3. a, 4. c.

3 1. abbia regalato; 2. sia, serve; 3. è; 4. sia, è, serve; 5. sia.

4 b.

5 *La soluzione è soggettiva.*

6 1. un punto nascosto; 2. interessa; 3. ho capito; 4. sono sicuro; 5. a tutti i costi.

LEZIONE 4 - COMUNICARE A DISTANZA

1 1. Ma cosa dici?; 2. Ma sei matto?; 3. Andiamo via!; 4. Non mi interessa!

2 1. V, 2. F, 3. V, 4. F, 5. F, 6. V.

3 a. che è guarito e vuole venire con noi. b. Fabio è guarito, ma che mi sono ammalato io.

4 fossi, fosse, fosse.

5 1. a; 2. b.

LEZIONE 5 - PARLI BENE L'ITALIANO!

1 a. 3, b. 2, c. 1.

2 1. V, 2. F, 3. F, 4. V, 5. F, 6. F, 7. V, 8. V.

3 b.

4 MONICA - Certo. È un peccato però: hai imparato l'italiano così bene…! Come hai fatto? Voglio dire, a parte le lezioni, hai letto libri o riviste, hai guardato la televisione italiana…?
NABIL - Sì, a me piace leggere e appena ho potuto, ho letto subito gli autori italiani, anche se all'inizio ho avuto problemi con il passato remoto, perché non lo trovo mai nella lingua parlata… Per esempio, non ho mai sentito nessuno chiedere: "mangiasti bene, ieri?"
MONICA - Sì, è un verbo che si trova soprattutto nei libri! Comunque il tuo italiano è davvero ottimo!
FRANCESCO - Non a caso al lavoro viene chiamato "il genio"!
NABIL - Ma no, mi piace molto imparare le lingue, questo sì: e poi ora con Internet è più facile… C'è per esempio una web tv dedicata a chi studia l'italiano…
MONICA - Davvero? Ma tu pensa…!
NABIL - Sì, è interessante perché ci sono video sulla lingua, film, musica, interviste, esercizi e anche quiz linguistici…

LEZIONE 6 - UNO IN PIÙ

1 a. P, b. P, c. V, d. V, e. P.

2 1. b, 2. a, 3. b, 4. c, 5. a.

3 1. c, 2. b, 3. c.

4 1. faremo; 2. farò, farlo.

5 1. migliore, 2. migliore, 3. minimo.

Soluzioni

LEZIONE 7 - TANTI AUGURI A TE!

1 **a.** 2, **b.** 1, **c.** 4, **d.** 3.

2 **1.** V, **2.** V, **3.** F, **4.** F, **5.** V, **6.** V.

3 a.

4 **a.** saremmo venuti; **b.** fossero; **c.** regalassi, lascerebbe; **d.** leggerei.

LEZIONE 8 - SE FOSSI UN PERSONAGGIO FAMOSO

1 e, b.

2 **1.** b, **2.** a, **3.** b, **4.** b, **5.** a.

3 **1.** Rileggendo, **2.** Leggendo, **3.** facendo, **4.** guardandola.

4 c.

5 PAOLO - E tu, che personaggio storico ti piacerebbe essere?
VALERIA - Guarda, senza dubbio Lucrezia Borgia! Guardala qua: ma lo sai che era una donna incredibile? Parlano di lei come una donna spietata, che avvelenava i suoi nemici, ma non è vero: anzi, era una donna saggia e molto responsabile!
PAOLO - Ma lo sai che guardandola bene… noto una certa somiglianza?
VALERIA - Vero? Guarda!

6 **1.** ti va di andare a mangiare qualcosa fuori?; **2.** un paio di errori; **3.** gioco da tavolo; **4.** parlano di lei; **5.** noto una certa somiglianza.

LEZIONE 9 - IL BIGLIETTO DEL TRENO

1 **a.** il marciapiede; **b.** il binario; **c.** il tabellone delle partenze; **d.** il tabellone degli arrivi.

2 **1.** F, **2.** F, **3.** V, **4.** F, **5.** V, **6.** V, **7.** F, **8.** V.

3 **1.** b, **2.** c.

4 **1.** hanno fatto, sono stati; **2.** sia, hanno dormito; **3.** volessi.

LEZIONE 10 - COME SI DICE A MILANO?

1 **1.** lavora, **2.** camicia, **3.** niente, **4.** occhio, **5.** *sedia*, **6.** in fretta.

2 2, 3, 5, 8.

3 *Chi lavora* ha una camicia e chi non fa niente *ne ha due*.

4 Roma - romano; Firenze - fiorentino; Bologna - bolognese; Venezia - veneziano; Genova - genovese.

5 **1.** averti *mai* sentito; **2.** essendo nato; **3.** aver(e) detto; **4.** aver(e) sentito; **5.** vanno evitate; **6.** essersi sposati.

SOLUZIONI ESERCIZI E TEST

LEZIONE 1

1 1. Prima di partire faccio benzina. **2.** Prima di andare a letto mi lavo i denti. **3.** Prima di andare a dormire spegne la TV. **4.** Prima di partire abbiamo controllato bene i bagagli. **5.** Prima di studiare si è riposato un po'. **6.** Prima di prenotare il biglietto ci informeremo sul prezzo.

2 1. avevano capito; **2.** aveva smesso; **3.** aveva studiato; **4.** avevo detto; **5.** aveva prenotato, aveva preso, aveva organizzato, avevamo capito.

3 aveva innaffiato, si era dimenticato, aveva fatto, aveva trascorso, era andato, aveva lasciato.

4 2. Erano *già* stati/-e; **3.** aveva letto; **4.** aveva *già* preso; **5.** avevo *già* visto; **6.** Era *già* uscita; **7.** Aveva *già* mangiato; **8.** Si erano *già* arrangiati.

5 hai visto, hai detto, avevi comprato, avevo comprati, sono cambiati, avevo preso, ha detto, sono dovuta, aveva avvertito, ho dimenticato.

6 1. Ho starnutito, mi sono soffiato/a, potevo, indecente; **2.** parenti, imbarazzato, marito; **3.** ci siamo abbracciati, si abbracciano.

7 1. Domani ci dovrebbe essere il sole. 2. Il prossimo anno mi dovrei laureare / dovrei laurearmi. **3.** In estate dovremmo partire per le Maldive. 4. Al corso si dovrebbero iscrivere / dovrebbero iscriversi 30 persone. 5. Dovrebbero arrivare verso le 8. **6.** Oggi dovrei finire questi esercizi.

8

	+ lo	+ la	+ li	+ le	+ ne
mi	me lo	me la	me li	me le	me ne
ti	te lo	te la	te li	te le	te ne
gli/le/Le	glielo	gliela	glieli	gliele	gliene
ci	ce lo	ce la	ce li	ce le	ce ne
vi	ve lo	ve la	ve li	ve le	ve ne
gli	glielo	gliela	glieli	gliele	gliene

9 1. me li; **2.** me l'; **3.** glieli; **4.** glielo; **5.** ve lo; **6.** gliene; **7.** te ne.

10 1. glielo; **2.** me le; **3.** te lo; **4.** me ne; **5.** ve ne; **6.** ce li.

11 1.-f. gliela; **2.**-h. gliene; **3.**-a. me ne; **4.**-g. Te l'; **5.**-c. Ve lo; **6.**-e. Ce li; **7.**-d. me ne; **8.**-i. Gliene; **9.**-b. glieli.

12 1. te la; **2.** gliel'; **3.** me ne; **4.** me ne; **5.** ce l'; **6.** me l'; **7.** me l'.

13 io credo che; Io la penso diversamente / Non sono d'accordo; È proprio vero / Sono d'accordo con te; Non direi proprio!; io penso che; sono d'accordo con te.

14 Il prefisso -*in* diventa -*im* davanti a *b*, *m* e *p*. Diventa -*ir* davanti a *r*. in-: incredibile, indeciso, indipendente, infinito, inusuale; inutile, inadatto, incapace. *im*-: impossibile, imprevisto, immangiabile, impaziente, imperfetto, impopolare, impreciso, improbabile. *ir*-: irregolare, irragionevole.

15

		1						
2	1	I	N	E	S	P	E	R	T	O
I		L						
N		L		3		4		5
F		E		I		I		I
E		G		N		M		M
L		A		G		M		M
6 I	L	L	I	M	I	T	A	T	O
C		E		U		T		B
E				S		U		I
7 I	N	N	A	T	U	R	A	L	E
				O		O		E

16 1. congelatore; **2.** mazzo di fiori; **3.** acquisti; **4.** rifacimento, insuccesso; **5.** di cattivo gusto; **6.** lo scopo; **7.** pettegolezzi.

LEZIONE 2

1 1. f; 2. d; 3. e; 4. a; 5. b; 6. c

2 1. Oggi a Sandro tocca studiare tutto il giorno.
2. È vero che sei dovuto/-a stare a casa tutta la
sera? 3. Domani ci tocca partire anche se non ne
abbiamo voglia. 4. Ieri mia sorella è dovuta tornare
in ufficio dopo cena. 5. Spero che non ti tocchi
ripetere l'anno!

3 2. avrei guidato; 3. avrei messo; 4. avremmo
preferito; 5. sarebbe piaciuto; 6. Avrei potuto.

4 2. d, avrebbe dovuto; 3. e, sarebbe piaciuto;
4. f, avremmo preso in affitto; 5. c, avrebbero
voluto; 6. a, avrei accompagnata.

5 1. vorremmo; 2. Mangerei; 3. sarei arrivato/a;
4. avrei detto; 5. avremmo ballato; 6. piacerebbe;
7. si sarebbe divertito; 8. passeresti.

6 1. ne; 2. ci; 3. ne; 4. ne, ci; 5. ci; 6. ne; 7. ne; 8. ci.

7 ■ Domani sera siamo a cena dai miei, ti ricordi?
▼ Di nuovo, ma **ci** siamo stati domenica scorsa!
■ Sì, ma è il compleanno di mio padre, lo sai che
ci tiene!
▼ Lo so, però siamo senza macchina. L'ho portata
dal meccanico e per domani sicuramente non
sarà pronta. Come **ci** andiamo?
■ Mio Dio, Giulio, non essere pigro! Con la metro
ci vogliono venti minuti, **ci** mettiamo meno che
con la macchina. E poi **ci** saranno anche le mie
sorelle con i bambini. Anna mi ha detto che
hanno organizzato un piccolo spettacolo per il
nonno. Vedrai, **ci** divertiremo.

8 1. se n'è andata; 2. piantala; 3. l'ho spuntata;
4. ce l'ho fatta; 5. Ci vogliono; 6. finitela.

9 ne, ne, ci, ci, la, l', l', ci, le, ci, ne, le, la.

10 Scusi; Guardi: non si fa gli affari Suoi; io lo dico
per Lei; se mi sono spiegato; mi lascia in pace.

11 a. 1. il mio: aggettivo; 2. I miei: pronome;
3. i tuoi: pronome; 4. mio: aggettivo, la sua:
aggettivo; 5. la mia: pronome; 6. il tuo: aggettivo,
il mio: pronome. b. 1. v; 2. f; 3. v; 4. v.

12 1. la, la; 2. -, i,- ; 3. -, i; 4. -, -; 5. i, il; 6. -; la.

13 1. la tua, la mia; 2. Miei, Tuoi, i miei; 3. del
nostro, del mio; 4. sua, mia; 5. i miei, Suo;
6. tua, la mia; 7. la mia; 8. nel vostro.

14 2. h; 3. e; 4. i; 5. d; 6. f; 7. b; 8. a; 9. g.

15 1. aperto a tutti; 2. arte contemporanea; 3. mete
turistiche; 4. centro storico; 5. opere d'arte; 6. tutto
il mondo; 7. provincia di Agrigento; 8. prodotti
tipici; 9. di vario genere.

16 nel, a, di, da, di, in, di, per, di, tra, al, a, a, d', del,
in, da, per, di.

17

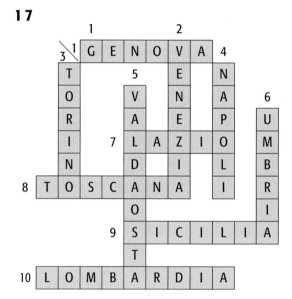

TEST 1

1 aveva aperto, si era dimenticata, aveva letto, aveva trascorso, era andata, aveva risposto, aveva usato.

2 ci hai messo, hai imparato, avevi fatto, sono arrivato, avevo *già* fatto, ho studiato.

3 1. Prima di venire faccio una telefonata; 2. Prima di andare a ballare mi faccio una doccia; 3. Prima di andare al cinema ceniamo; 4. Prima di fare la gara ci siamo allenate molto; 5. Prima di metterti a lavorare hai preso il caffè.

4 1. Ce le; 2. ve li; 3. te la; 4. glieli; 5. me lo.

5 1. sarei andato/a; 2. avrebbe preferito; 3. avrei mangiato; 4. Avrei voluto; 5. sarei rimasto/a.

6 me ne sono andato/a, dovevo, abbiamo vinto, ha fatto, l'abbiamo spuntata, avete vinto, ci vuole.

LEZIONE 3

1
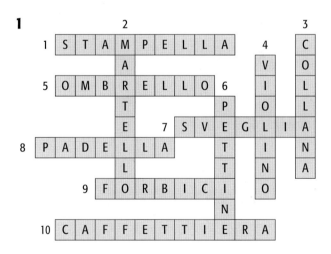

2 1. cibo, cappotto, borsa; 2. guanti, giacca, scarpe; 3. piatto, tovaglia; 4. amico, prodotto; 5. valigia, frigorifero; 6. fatica, oggetto, discussione; 7. foglio di carta, vetro, maglione; 8. colore, bicicletta.

3 1. abbia comprata; 2. sia costata; 3. si siano già trasferiti; 4. abbiano dati; 5. sia uscito; 6. abbia comprata.

4 1. sia, consumino; 2. piaccia, abbia scelto; 3. abbia avuto, sia rimasto; 4. abbiano, sia diventata; 5. sia, abbia speso; 6. abbia pagato; 7. sia andato.

5 a. 4, voglia; b. 1, sia stata; c. 5, sia stato; d. 3, piova; e. 2, abbia lasciato.

6 balliamo, sia, ricordano, prendiamo, c'è.

7 chiudono, si fermano, dicono, sono, sono, siamo, riusciamo, abbandoni, perda, ci godiamo, stia.

8 1. tempaccio; 2. ragazzaccio ; 3. gattaccio; 4. fattaccio; 5. giornataccia; 6. partitaccia.

9 1. sinceramente; 2. veramente ; 3. completamente; 4. Finalmente; 5. pubblicamente; 6. enormemente; 7. personalmente.

10 completamente, ci siano, personalmente, abbiano, sia (sia stata), effettivamente, veramente, contribuisca, è, sia passato.

11 P: 2, 5, 6, 7, 9, 14, 15, 18; S: 1, 3, 4, 8, 10, 11, 12, 13, 16, 17.

12 io avrei un problema; Eh, sì, ma sa…; Sì, capisco; Ho capito, ma; Come sarebbe a dire?; Giuro che è l'ultima volta che.

13 9 - 3 - 11 - 5 - 1 - 7 - 10 - 8 - 4 - 2 - 6.

LEZIONE 4

1 1. d; 2. e; 3. b; 4. a; 5. c.

2 a.

fare	stare	essere	vedere	partire
facessi	stessi	fossi	vedessi	partissi
facessi	stessi	fossi	vedessi	partissi
facesse	stesse	fosse	vedesse	partisse
facessimo	stessimo	fossimo	vedessimo	partissimo
faceste	steste	foste	vedeste	partiste
facessero	stessero	fossero	vedessero	partissero

b. *indicativo presente:* faccio; *indicativo imperfetto:* bevevo, facevo; *congiuntivo imperfetto:* dicessi, bevessi, facessi. c. prima e seconda, singolare.

3 1. mangiassero; 2. avessimo; 3. parlassero; 4. passaste; 5. avessi; 6. guadagnasse; 7. riuscissi; 8. fosse.

4 1. Temevo che tu non mi capissi. 2. Non sopportavo che i miei mi chiamassero "piccola". 3. Mi dava fastidio che si fumasse in casa. 4. Avevo paura che non facessimo in tempo ad arrivare. 5. Immaginavo che fossero soddisfatti del risultato. 6. L'insegnante temeva che non studiassimo abbastanza.

5 sia, fosse, rappresentasse, creasse, rallentasse.

6 1. fosse; 2. vedesse; 3. capissi; 4. ci fossero; 5. mangiassi; 6. avessi; 7. steste; 8. andasse.

7 1. f, g; 2. c, d; 3. b, e; 4. a, m; 5. h, l; 6. i, n.

8 2 – 7 – 9 – 10 – 8 – 3. 1. sta facendo, lo richiamerà; 2. ha, farsi; 3. lui, andranno, vuole andare, loro, deve chiamarli, ha, deve; 4. si sente, mangia; 5. stanno aspettando, le pesa.

9 1. Siccome non ho molto tempo, domenica non potrò venire a sciare con voi. 2. Mi dispiace, il mio PC si è rotto e quindi non posso finire la traduzione. 3. Se vuoi, stasera puoi uscire con la tua ragazza. 4. Capiamo perché non hai più voglia

di studiare. 5. Deve venire da me alle cinque e, se non fa in tempo, deve telefonarmi. 6. La vostra macchina sarà pronta fra sette giorni, ma se avete davvero fretta, posso cercare di ripararla un po' prima.

10 1. però; 2. quando: 3. perché; 4. Se; 5. Allora; 6. Prima; 7. però; 8. quindi; 9. a condizione che; 10. Anzi.

11 (…) *Che il tempo* è brutto, *che l'albergo* dov'è costa un sacco di soldi, *che la proprietaria* è piuttosto antipatica, *ma che* lei si sente benissimo. *Che* dorme molto, *che quindi* è riposata e di conseguenza sempre di buon umore. *Che Guglielmo* le insegna a nuotare *e che* vanno sempre al mare quando il tempo lo permette. *E mi ha anche rivelato un segreto: che* è innamorata di lui *e che* pensa di sposarsi presto o comunque di andare presto a vivere con lui. (…)

12 terzo degli italiani pensa che lo smartphone sia più utile del; Gli italiani guardano il cellulare in media 53 volte al giorno; di essere connessi influenzi ogni aspetto della vita quotidiana; Due persone su cinque hanno dichiarato; Le persone ormai sono collegate a qualsiasi ora; Uno su tre non riesce ad andare in bagno senza cellulare.

LEZIONE 5

1 1. PROTAGONISTA; 2. SCRITTRICE; 3. POLIZIESCO; 4. RECENSIONE; 5. GIORNALE; 6. GUIDA; 7. ROMANZO. Soluzione: SICILIA.

2 2. (che tu sappia) c; 3. b (che tu sappia); 4. a (che io sappia); 5. (che Lei sappia) e; 6. d (che ne sappia).

3 *padrone* - proprietario; *conversare* - chiacchierare; *un'uccisione* - un omicidio; *la spazzatura* - i rifiuti; *investigare* - indagare; *un'area di costruzione* - un cantiere; *dei contratti per le opere pubbliche* - degli appalti pubblici; *la terra bagnata dalla pioggia* - il fango; *dei blocchi* - degli ostacoli.

4 1. *Credevo* che a Mario non piacessero i gialli; 2. Pensavo che fosse troppo tardi per prenotare il biglietto aereo; 3. Pamela sperava che il film fosse bello come il libro; 4. Immaginavo che tu fossi stanca dopo un viaggio così lungo; 5. Non credevo che Lorenzo avesse voglia di venire con noi; 6. Mia madre pensava che mia sorella dicesse sempre la verità.

5 1. interessi; 2. abbia, fosse; 3. fossi; 4. creda; 5. debba; 6. voglia.

6 abbandonato, copertina, esperimento, biblioteca, banale, registrare, etichetta, funzionamento, temporaneo, iscritti, catena.

7 1. Un libro di John Grisham è stato abbandonato da un signore all'aeroporto di Los Angeles. 2. Il volume non era stato perduto dal signore, era stato lasciato lì di proposito. 3. Questo esperimento sociologico globale è stato organizzato da un sito Internet. 4. A ogni libro vengono/sono assegnati un numero di identificazione ed un'etichetta dal bookCrossing. 5. L'etichetta può essere stampata e attaccata sul volume dal responsabile. 6. Il libro trovato può essere letto dal nuovo proprietario. 7. I proprietari sperano che i libri vengano/siano rimessi in circolazione dai lettori.

8 1. È stata trovata una soluzione che soddisfa tutti; 2. Da bambino veniva preso sempre in giro perché era molto timido; 3. Quando sarà il momento, verrà scelta la persona adatta per questo incarico; 4. Era stato scelto un regalo che non piaceva a nessuno; 5. Antonio è un esperto di informatica: viene sempre chiamato quando c'è un problema tecnico.

9 l'albergo è già stato prenotato; i fiori devono ancora essere innaffiati; i documenti devono ancora essere controllati; il frigo e la luce devono ancora essere staccati; la guida è già stata letta; il gatto deve ancora essere portato dalla vicina; il lavoro in ufficio è già stato finito.

10 1. È stata(Fu / Venne, È / Viene); è stata (fu / venne, è / viene); viene / è - Venezia; 2. è - Bologna; 3. è - Umberto Eco; 4. è stato - Paolo Sorrentino; 5. Viene / È - Colosseo.

11 1. c; 2. b, 3. a; 4. a; 5. b; 6. c; 7. a; 8. a; 9. a; 10. b.

12 *andai* - sono andato/-a; *dissi* - ho detto; *arrivai* - sono arrivato/-a; *chiedemmo* - abbiamo chiesto; *deste* - avete dato; *ebbero* - hanno avuto; *dicemmo* - abbiamo detto; *diedero* - hanno dato.

TEST 2

1 1. principalmente; 2. completamente; 3. figuraccia; 4. Anticamente; 5. giornataccia; 6. postaccio.

2 1. sia ritornato; 2. stia; 3. sia stata; 4. mi lauri; 5. abbia accettato; 6. debba; 7. abbia bevuto, guidi.

3 1. usasse; 2. fosse; 3. stessero; 4. abitassimo; 5. leggesse; 6. volessi.

4 1. abbia letto; 2. foste; 3. dobbiamo, sapessimo; 4. finisse; 5. abbia dimenticato; 6. sappiate; 7. sia.

5 1. giovedì verrà a casa mia per organizzare il viaggio in Australia; 2. lei e Giacomo si sono sposati anche se i suoi genitori erano contrari; 3. Silvana le ha inviato una mail, ma lei non l'ha ancora letta; 4. per Capodanno vanno / andiamo tutti a cena da lui ; 5. sua figlia gli somiglia molto fisicamente, ma il carattere è quello di sua moglie.

6 1. L'ultimo romanzo di John Hughes è stato letto da milioni di americani; 2. In Italia l'ultimo romanzo di John Hughes sarà / verrà pubblicato dall'editore Mondadori.

LEZIONE 6

1 *metà* - doppio; meno - più; pazienza - impazienza; centrale - periferico; diritti - doveri; indietro - avanti; ignorare - conoscere; tradizionale - moderno; massimo - minimo; calo - crescita; negativo - positivo; infertilità - fertilità.

2 1. Sebbene non ne abbia voglia devo studiare. 2. Sebbene siate stanchi finite il lavoro! 3. Sebbene fossero stranieri, parlavano benissimo l'italiano. 4. Sebbene si alzassero presto, arrivavano sempre in ritardo. 5. Sebbene perdiate, continuate a giocare. 6. Sebbene continuino a sbagliare, hanno fatto molti progressi. 7. Sebbene sia nuvoloso, andiamo al mare.

3 *da sottolineare:* anche se ero da sola; Sebbene ci fosse molta gente; anche se mio marito … dice il contrario; malgrado ci fosse un freddo terribile. 2. nonostante/sebbene/benché/malgrado fossi da sola…; 3. Anche se c'era molta gente…; 4. nonostante/sebbene/benché/malgrado mio marito … dica il contrario…; 5. anche se c'era un freddo terribile…

4 1. Sì, ecco, quello; 2. Hai saputo che; 3. Davvero?; 4. Eh, infatti!; 5. Che poi.

5

media, classifica, natalità, aumento, abbassare, contraccezione, maggiore, migrazione, crescita, metropoli, frequentare, popolazione, sessantenni.

6 1. peggiore; 2. migliore, le migliori, ottime; 3. il minimo; 4. maggiore; 5. pessimo; 6. il minore; 7. peggiore.

7 2. *no.* 3. Lasciami entrare! Fa freddo fuori… 4. Mi lasci provare i tuoi pantaloni? 5. *no.* 6. Lasciami capire cosa ti passa per la testa! 7. Lasciatemi passare, per cortesia! 8. *no.* 9. I miei mi lasciano sempre fare quello che voglio. 10. *no.* 11. Lasciami pensare un momento!

8 2. Perché non prestate mai attenzione a quello che dico? 3. Presenti la domanda entro il 10 febbraio! 4. Ieri con la macchina ho percorso 100 chilometri. 5. Com'è dimagrita. Avrà seguito una dieta? 6. In quella ditta si producono bellissimi mobili. 7. Mia madre mi cucina sempre dei piatti magnifici. 8. In città hanno costruito un nuovo impianto sportivo. 9. Mi poneva sempre un sacco di domande. 10. È vero che pratica moltissimi sport?

9 1. e; 2. b; 3. d; 4. g; 5. f; 6. a; 7. c.

10 1. ci si è; 2. ci si impunta; 3. Ci si lamenta; 4. ci si blocca; 5. ci si arrende; 6. ci si trasferisce; 7. ci si fida

11 l'attenzione – *attento* - attentamente; *aumentare* - l'aumento; controllare - *il controllo*; crescere - la crescita - crescente; la disponibilità - *disponibile*; frequentare - la frequenza - *frequente* - frequentemente; nascere - *la nascita* - nato; *preoccuparsi* - la preoccupazione - preoccupato; la severità - *severo* - severamente; la sicurezza - *sicuro* - sicuramente; la sincerità - sincero -*sinceramente*; la tradizione - tradizionale - *tradizionalmente*; vivere - la vita - *vivente*.
I sostantivi in *-zione* sono femminili.

LEZIONE 7

1 2. carnevale; **3.** lenticchie; **4.** presepio (*o anche:* presepe); **5.** novembre; **6.** S. Silvestro
Soluzione: Natale con i tuoi e Pasqua con chi vuoi!

2 1. mica; **2.** Dai; **3.** Per carità; **4.** mica; **5.** Sia chiaro; **6.** Dai, mica.

3 4 – 10 – 8 – 2 – 7 – 3 – 6 – 1 – 9 – 11 – 5.

4 2. d (avresti portato); **3.** b (sareste *più* arrivati); **4.** f (avrebbe festeggiato); **5.** g (avrebbe portata); **6.** a (avrebbe spedito); **7.** e (sarebbero usciti).

5 avresti portato, saremmo andati, avresti accompagnato, avremmo visitato, saremmo sposati, avresti regalato, saresti dimenticato, saresti cambiato, saresti diventato, avrei creduto.

6 esista, esiste, sembri, preparano, riceve, ha distribuito, avrebbero potuto, corrispondeva, ha cominciato, si trattasse, mostravano.

7 *Soluzione:* A caval donato non si guarda in bocca.

8 *Soluzione:* Marche.

9 1. e; **2.** d; **3.** b; **4.** c; **5.** a.

10 1. Se la stanza non fosse molto buia, sarebbe più accogliente. **2.** Se le scarpe fossero meno care, le comprerei. **3.** Se fosse meno distratto, non avrebbe sempre un sacco di difficoltà. **4.** Se ci fosse meno traffico, prenderei la macchina. **5.** Se avessero più tempo, non farebbero tutto di fretta. **6.** Se Eva fosse una persona meno chiusa, la sposerei. **7.** Se mi dessero una mano, non dovrei fare tutto da solo. **8.** Se Franco non fosse pessimista e avaro, lo troverei simpatico.

11 1. avessi, **2.** funzionasse, **3.** ti alzassi, **4.** sposasse, **5.** spedissero, **6.** avessero, **7.** vedesse, **8.** facesse.

12 potessi, sarei, partirei, potrei, girerei, sarebbe, Tirerei, avrei, facesse, mi metterei, lascerei, avessi, farei, sarebbe, farei, dovrei, sognasse.

TEST 3

1 1. maggiore; **2.** è; **3.** fammi dormire; **4.** Ci tengo; **5.** ci si sposa; **6.** sarebbe venuto.

2 calo, matrimonio, minore, un ottimo, fa, ci si.

3 *Sia chiaro*, io apprezzo moltissimo…; Non chiedo *mica* tanto!

4 1. (fosse) - c (troverebbe); **2.** (spendessi) - f (avresti); **3.** (potessi) - a (vorresti); **4.** (faceste) - e (riuscirei); **5.** (parlassi) - b (troverei); **6.** (avessero) - d (chiamerebbero).

5 1. si sarebbe risposata; **2.** saremmo andati; **3.** dicano, preferisco/preferirei; **4.** sarebbe tornato; **5.** faceva; **6.** parlassi; **7.** abbia sofferto; **8.** stiano, fosse.

LEZIONE 8

1 1. matematico, scienza, spazio; 2. papa, terribile, assassina, epoca.

2

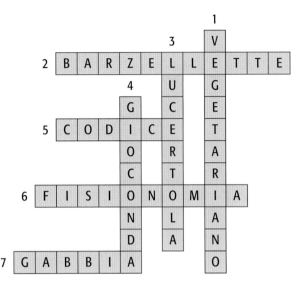

3 1. sbattendo; 2. pensando; 3. facendo; 4. credendo; 5. guardando, vivendo; 6. sciando; 7. combattendo; 8. leggendo; 9. dicendo; 10. bevendo; 11. Parlando; 12. dando.

4 1. *M* - Vedendo; 2. M - sbagliando; 3. T - Uscendo; 4. M - Ripetendo; 5. T - Facendo; 6. T - Andando; 7. M - ascoltando; 8. T - Traducendo.

5 1. *realizzabile*; 2. *sono intraducibili*; 3. credibile; 4. indimenticabile; 5. incomprensibile; 6. imbevibile; 7. è riciclabile; 8. sono fattibili.

6

(cruciverba)

1. insostituibile; 2. tollerabile; 3. inguardabile; 4. cancellabile; 5. illeggibile; 6. irraggiungibile; 7. inaccettabile.

7 1. il *David* di Michelangelo sia la più bella scultura dell'arte italiana; 2. Lucrezia Borgia uccidesse i suoi nemici con un potente veleno; 3. Mussolini avesse un figlio segreto; 4. l'Italia abbia una storia molto interessante; 5. Cleopatra, regina d'Egitto, fosse l'amante di Giulio Cesare; 6. a Leonardo da Vinci piacesse fare scherzi ai suoi amici; 7. Roma sia stata fondata da Romolo e Remo.

8 1. trattano, pagano; 2. costruiranno; 3. risponderanno, hanno assicurato; 4. suonano; 5. danno; 6. dicono.

9 1. vedendomi; 2. facendolo; 3. Ascoltandolo; 4. Rivedendola; 5. riprendendoli; 6. Rileggendola; 7. parlandole; Richiamandoti.

10 2. dedicandola; 3. svegliandomi; 4. Sapendolo; 5. rileggendolo; 6. dandomi; 7. lamentandosi; 8. bevendolo.

11 residenza, antichità, corte, terme, artificiale, statue, combattente, attratto, identificarsi, estensione, pacifica.

12 1. d, 2. e, 3. a, 4. f, 5. c, 6. h, 7. b, 8. g.

Soluzioni

LEZIONE 9

1

Crossword puzzle:

	1			2			
	F			S			
	I		3	P	A	E	S	I
	U			A			
4	M	O	N	T	A	G	N	A
	E			G			6
	5	L	A	G	O	7	P
				I		M	O
8	S	T	R	A	D	A	N
				R		T
	9	C	O	L	L	I	N	E

2 1. quanti esercizi di italiano deve / debba fare;
2. se prende un caffè; 3. se sa dov'è / dove sia il suo telefono; 4. com'è / come sia il nuovo insegnante di storia; 5. cosa mangiano / mangino in Germania per Natale.

3 1. quanti esercizi di italiano doveva / dovesse fare;
2. se prendeva un caffè; 3. se sapeva dov'era / dove fosse il suo telefono; 4. com'era / come fosse il nuovo insegnante di storia; 5. cosa mangiavano / mangiassero / mangiano / mangino in Germania per Natale.

4 1. Circa 3 milioni - …quanti abitanti aveva (ha) / avesse (abbia) Roma; 2. Sì - …se Capri era (è) / fosse (sia) un'isola; 3. Cos'è *l'Etna*? Un vulcano della Sicilia; 4. Tevere - …come si chiamava / chiamasse il fiume di Roma; 5. No - …se il Piemonte aveva (ha) / avesse (abbia) il mare;
6. Come si chiamano *gli abitanti della Sardegna?* Sardi.

5 *comune / provincia / regione / stato*; Veneto / Trentino / Lombardia / Piemonte; Toscana / Lazio / Abruzzo / Calabria; Emilia Romagna / Molise / Valle d'Aosta; Colosseo / Pantheon / Uffizi; Milano / Torino / Venezia; Monte Bianco / Monte Rosa / Etna.

6 pane, olio, sale, aglio, pomodori.

7 1. …suo figlio vuole / voleva riposare; 2. …la grammatica era difficile; 3. …l'ha cercata; 4. ha già studiato l'italiano; 5. …di mangiare di meno;
6. quella è / era la sua borsa; 7. …il giorno prima lì c'era molto vento; 8. …di fare silenzio; 9. …lei ha cucinato la pasta e Roberto il pesce.

8 ■ *Allora Paola, come va?*
▼ Sono molto stanca perché il mio capo mi ha chiesto di tradurre in francese un documento lunghissimo e per farlo mi ha dato solo un giorno. Così ho dovuto lavorare anche la notte. Vorrei cambiare lavoro perché non mi pagano bene.
■ Ti consiglio di spedire il tuo curriculum alla ditta di mio marito perché stanno cercando una segretaria.
▼ Grazie.

9 era / fosse, lì, c'era, parlare, doveva / dovesse, loro, non lo sapeva, pensava, dopo, dirle di aspettarlo, di darle, se non doveva / dovesse darlo, era, era, di fare come gli diceva, di stare, aspettava, sua.

10 fosse, la lasciava, era, era, stesse, era, aveva, di dirgli, ci fosse, sera, aveva invitato, dispiacesse, avrebbe preferito, lì, lei, riposarsi, era, era, pensava, si comportava, lui, nascondeva, di non pensare, di stare, di andare, farsi.

11 panettone, mozzarella, pecorino, pesto, gianduiotto, carbonara, cannolo, tortellini, vino Chianti, grappa. Olio d'oliva.

12 1. Prima che arrivi; 2. prima che faccia; 3. prima di andare; 4. prima che mi arrabbi; 5. prima che sia; 6. Prima di morire; 7. prima di uscire; 8. prima che finiscano; 9. Prima che inizi; 10. prima di addormentarti.

13 a. Vorrei, ho visto, dobbiamo, sia, verrà rovinato;
b. da, da, Nei, della, In, nel, alla, del, Di, del, del;
c. quando, subito, ma, almeno, Anche.

Soluzioni

LEZIONE 10

1 un'amico - un amico; pultroppo - purtroppo; Ci da un passaggio - Ci dà un passaggio; qual'è - qual è; Credo che Serena vuole - Credo che Serena voglia; digli - dille; propio - proprio.

2 1. f; 2. a; 3. h; 4. e; 5. b; 6. g; 7. d; 8. c.

3 *da sottolineare:* la lingua viene usata; i vocaboli devono essere studiati (i vocaboli vanno studiati); deve essere seguito il proprio ritmo personale (va seguito il proprio ritmo personale); non ogni singola parola deve essere capita (non ogni singola parola va capita); devono essere memorizzate frasi intere (vanno memorizzate frasi intere); devono essere fatti tutti (vanno fatti tutti); quelli che vengono assegnati dal professore; non devono essere copiati (non vanno copiati); consigli dovrebbero essere seguiti (consigli andrebbero seguiti); i voti devono essere dati (i voti vanno dati).

4 *da sottolineare:* senti… se fossimo andati a fare la spesa, avremmo potuto cucinare qualcosa, ma purtroppo il nostro frigorifero è vuoto… che si fa?; Ma come parli? Mi si abbassa la libido eh?!; Forse se avessi detto "Potremmo andare al ristorante a mangiare una pizza", saresti sembrata più sexy.

5 1. d; 2. g; 3. h; 4. e; 5. f; 6. c; 7. a; 8. b.

6 avrei saputo, avrei deciso, avessi preso, sarei mai stato, avrei vissuto, avrei conosciuto, fossi andato, avrei imparato, sarei venuto a contatto, avrei fatto, avessi frequentato, mi sarei innamorato.

7 *Se non fosse stato bocciato* avrebbe proseguito gli studi, avrebbe preso un diploma e poi una laurea. Se avesse preso una laurea, avrebbe ottenuto un posto di lavoro più interessante e avrebbe guadagnato di più. Se avesse guadagnato di più, avrebbe potuto lavorare di meno e avrebbe avuto più tempo libero. Se avesse avuto più tempo libero, avrebbe potuto riprendere a studiare.

8 1. specie; 2. in buona parte; 3. per fortuna; 4. solo; 5. in certi casi; 6. finalmente.

9 2. Avendo saputo; 3. Avendo previsto; 4. Essendo arrivati; 5. Avendo seguito; 6. Avendo speso.

10 1. Essendosi diplomata con una votazione molto alta…; 2. Non essendo bravo in matematica…; 3. Non avendo mai avuto il coraggio di mettersi in proprio…; 4. Avendo lavorato troppo ieri…; 5. Conoscendo molto bene l'inglese…; 6. Avendo deciso di passare una settimana in montagna…

11 Dopo esser andata dal medico mi sono messa a dieta. / Dopo aver seguito i tuoi consigli sono migliorato molto. / Dopo aver telefonato ad Arianna è uscito. / Dopo aver letto la notizia ne ha discusso con gli amici. / Dopo aver visitato Venezia è tornato nel suo Paese. / Dopo esser stati al cinema sono andati a bere qualcosa insieme. / Dopo aver ricevuto il regalo mi sono accorta che era riciclato. / Dopo aver ringraziato dell'invito ha chiamato Sara.

12 1. Dopo aver bevuto qualcosa al bar, sono andato al lavoro. 2. Dopo aver controllato bene le valigie, sono partite. 3. Dopo essermi informato/a sul prezzo del biglietto, prenoterò. 4. Dopo essersi comprati un nuovo paio di sci, sono partiti per la settimana bianca. 5. Dopo aver provato a curarsi da solo, ha chiamato il medico. 6. Dopo aver finito gli esercizi, siamo usciti. 7. Dopo esserci riposati un po', abbiamo ripreso il lavoro.

13 1. Dopo essere partita…; 2. Dopo aver lavorato…; 3. Dopo aver studiato…; 4. Dopo aver acquistato la macchina…; 5. Dopo esserci laureati/e…; 6. Dopo aver viaggiato per tre mesi…; 7. Dopo aver iniziato il corso…; 8. Dopo aver riposato / esserci riposati/e…

TEST 4

1 ammirando, abbia esclamato, abbia danneggiato, colpendola; odiasse, chiamandolo; avesse, suonasse.

2 1. …dove abitava / abitasse suo fratello; 2. …di fare presto, perché sono in ritardo; 3. …i suoi genitori sono partiti per un viaggio in Cina; 4. …se andavamo / andassimo tutti a cena da lui, sabato; 5. …se parlava / parlasse meglio il francese o lo spagnolo.

3 1. fossi, vorresti; 2. aveste telefonato, sarei svegliato/a, avrei perso; 3. avrei invitato, avessi saputo; 4. avessi saputo, avrei fatto; 5. fosse successo.

4 1. La macchina va riparata prima di sabato; 2. A Natale il panettone viene mangiato in tutta Italia, non solo in Lombardia; 3. Sulla carbonara andava messo il pecorino, non il parmigiano!; 4. A casa mia i tortellini vengono fatti secondo la ricetta originale di mia nonna; 5. Credo che la bruschetta vada mangiata calda, è più buona; 6. La grappa va bevuta con moderazione; 7. Luigi veniva considerato dagli insegnanti uno dei migliori studenti della scuola; 8. È una regola che andrebbe rispettata senza neanche doverla dire.

5 1. Dopo essere ritornato dalla Spagna…; 2. Essendo arrivati in anticipo…; 3. Non avendo mangiato molto a pranzo…; 4. Dopo aver letto quel libro…; 5. Essendoti svegliata molto prima di me…

NUOVO Espresso 3 è stato concepito a partire da Espresso 3,
di Maria Balì e Luciana Ziglio e da Espresso 3 - edizione aggiornata di Maria Balì
e Luciana Ziglio (con la collaborazione di Ciro Massimo Naddeo, Euridice Orlandino
e Chiara Sandri).

I nuovi contenuti di questa edizione di NUOVO Espresso 3 sono stati elaborati
da Marco Dominici, Carlo Guastalla e Ciro Massimo Naddeo
con la collaborazione di Paolo Torresan.

Un grazie a Maria Balì, Anna Colella e Giovanna Rizzo per i preziosi consigli.

Nota: l'attività 4 della Lezione 9 a pagina 116 è tratta da Jon Taylor,
The Minimax Teacher, Delta, Peaslake, 51.

Layout e copertina: Lucia Cesarone
Disegni: ofczarek!
Impaginazione: Gabriel de Banos

Printed in Italy
ISBN 978-88-6182-339-6

ALMA Edizioni
viale dei Cadorna, 44
50129 Firenze
alma@almaedizioni.it
www.almaedizioni.it